D0524423

**1**

# Travailler en français
## en entreprise

**Niveaux A1/A2 du CECR**

**MÉTHODE DE FRANÇAIS SUR OBJECTIFS SPÉCIFIQUES**

**Bernard GILLMANN**

Avec la participation de :

Peggy MACQUET-DUBOIS,
pour les pages Bilan

Saraly HOAREAU,
pour les exercices du CD audio-rom

## Table des crédits

**Couverture** : Marcos Welsh/Age Fotostock/Hoa-qui - **p. 7** : Altrendo Images/Getty Images - **p. 8** : Michel Bussy/Photononstop ; Zubin Shroff/Getty Images ; Govin-Sorel/Photononstop ; LWA/The Image Bank/Getty Images ; Dacia - **p. 10** : Dacia - **p. 11** : Patrick Révillon/Photononstop - **p. 13** : Van Osaka/Photononstop ; Kiki Ozu/Photononstop ; Marc Romanelli/The Image Bank/Getty Images - **p. 14** : Alvaro Leiva/Age Fotostock/Hoa-qui - **p. 17** : John Terence Turner/Taxi/Getty Images - **p. 20** : Fredrik Clement/Photonica/Getty Images - **p. 21** : Stock4B/Getty Images ; Coneyl Jay/The Image Bank/Getty Images ; John Kelly/The Image Bank/Getty Images - **p. 22** : Jean Ayissi/AFP - **p. 23** : Banana/Photononstop - **p. 24** : Nathan Bilow/Allsport Concepts/Getty Images - **p. 25** : M. Castro/Urba Images ; Ludovic/Rea - **p. 27** : Tim Bradley/Stone/Getty Images - **p. 28** : Vincent Le Queré - **p. 29** : Louis Moses/Zefa/Corbis - **p. 31** : Helen King/Corbis - **p. 32** : M. Thomsen/Zefa/Corbis - **p. 33** : JLP/Sylvia Torres/Corbis - **p. 34** : F. Achdou/Urba Images - **p. 35** : Mike Dobel/Alamy - **p. 37** : Justin Guariglia/Age Fotostock/Hoa-qui - **p. 39** : Jacques Loic/Photononstop - **p. 40** : Kevin Dodge/Corbis - **p. 41** : Le Meridien - **p. 43** : Workbook/Jupiterimages - **p. 45** : Bruno De Hogues/Stone/Getty Images - **p. 47** : John Robertson/Alamy - **p. 48** : Jean-Marc Romain/Photononstop - **p. 49** : Real Life/The Image Bank/Getty Images - **p. 50** : Efe ; Kevin R. Morris/Bohemian Nomad Picturemakers/Corbis - **p. 52** : David Ball/Alamy - **p. 53** : Maurice Smith/Photononstop - **p. 55** : Robert Harding Picture Library Ltd/Alamy - **p. 57** : Image Source/Photononstop - **p. 60** : Benelux Press/Photononstop - **p. 61** : Art Kowlasky/Alamy ; Jean-Marc Charles/Age Fotostock/Hoa-qui - **p. 62** : Color Day Production/The Image Bank/Getty Images - **p. 63** : H & K Trade GmbH - **p. 65** : Vario Images GmbH & Co. KG/Alamy - **p. 67** : Tim Simmons/Stone/Getty Images - **p. 68** : Jean Louis Batt/Photographer's Choice/Getty Images (a) ; Wilfried Krecichwost/The Image Bank/Getty Images (b) ; Chabruken/Taxi/Getty Images (c, d) - **p. 69** : Ron Krisel/The Image Bank/Getty Images - **p. 70** : Chabruken/Taxi/Getty Images ; Image Source/Photononstop - **p. 72** : Charles Sturge/Alamy ; Steve Murez/The Image Bank/Getty Images - **p . 73** : Seth Joel/Taxi/Getty Images - **p. 74** : Altrendo Images/Getty Images - **p. 75** : Jean-Marc Charles/Age Fotostock/Hoa-qui - **p. 77** : Didier Robcis/Corbis - **p. 78** : Sony - **p. 81** : Parour, Paris - **p. 82** : Hamilton/Rea - **p. 83** : James Worrell/Photonica/Getty Images ; Caroline von Tuempling/Iconica/Getty Images - **p. 86** : Vincent Le Queré - **p. 87** : Steve Cole/Photographer's Choice/Getty Images - **p. 88** : Marta Nascimento/Rea - **p. 89** : Pierre Gleizes/Rea - **p. 90** : Super Sport - **p. 91** : Altrendo Images/Getty Images - **p. 92** : Société Bic - **p. 93** : Barbara Bellingham/Taxi/Getty Images - **p. 94** : aophotography.com/Alamy - **p. 95** : Javier Larrea/Age Fotostock/Hoa-qui - **p. 96** : Sylvie Baudet - **p. 97** : Shalom Ormsby/Photographer's Choice/Getty Images - **p. 100** : Emanuele Scorcelletti/Gamma - **p. 101** : Getty Images/AFP ; Michel Bussy/Photononstop - **p. 103** : Marta Nascimento/Rea - **p. 104** : Collection Christophe L.

## Crédits CD audio :

**Introduction** : Jean-François Massoni/Kapa Gama - **piste 17 (p. 39)** : avec l'aimable contribution de la SNCF - Direction de la Communication et de la Société Sixième Son. « Le lien SNCF », musique composée et éditée par Sixième Son. Voix : Simone HERAULT.

Nous avons recherché en vain les éditeurs ou les ayants droit de certains textes ou illustrations reproduits dans ce livre. Leurs droits sont réservés aux Éditions Didier.

Vifs remerciements de l'auteur à Nadia Belghachem, Christian Deleplace, Françoise Rudisile, Krystyna Szewczak et Évelyne Woestelandt.

**Couverture et conception maquette** : CONTOURS

**Mise en page** : SYNTEXTE

**Photogravure** : EURESYS

**Illustrations** : Élise REBAA-LAUNAY (pages 8, 30, 64, 85, 95, 152, 154)

**Enregistrements, montage et mixage** : FREQUENCE PROD

© Les Éditions Didier, Paris, 2007 - ISBN 978-2-278-06103-7 - Dépôt légal 6103/01
Imprimé en France

# Avant-propos

▷ ***En entreprise*** est fait pour qui ?

- Vous travaillez en entreprise et vous êtes en contact avec des entreprises francophones.
- Dans votre projet professionnel, le français est important et vous ouvre des perspectives de carrière.
- Vous faites des études de gestion ou de commerce international. Vous avez peut-être le projet de faire un stage dans un pays francophone.
- Vous voulez vous débrouiller en français dans des situations simples du quotidien professionnel.

▷ ***En entreprise***, qu'est-ce que c'est ?

C'est un cours de français professionnel de niveau élémentaire (niveaux A1-A2 selon le *Cadre européen commun de référence* du Conseil de l'Europe).

Les thèmes sont **actuels** et **motivants**, les activités sont **pragmatiques**, **variées** et **dynamiques**.

L'objectif est de vous donner confiance et assurance pour parler français.

▷ Qu'est-ce qu'il y a dans chaque unité ?

| ◀ Prise de contact | Proches de la réalité de la vie professionnelle, les activités proposées dans cette séquence vous donnent une première idée du thème de l'unité. |
|---|---|
| ◀ Vocabulaire | Dans cette séquence, vous apprenez et pratiquez des mots et des expressions employés dans les situations en entreprise, en voyage d'affaires, dans un magasin, dans un restaurant, au téléphone, etc. C'est aussi l'occasion de discuter de sujets en relation avec la vie dans votre pays. |
| ◀ Lire | Vous lisez des articles de presse, des publicités, des pages internet, etc. sur la vie des affaires. Vous pratiquez des techniques de compréhension. Vous comprenez les idées essentielles du texte. Vous réemployez le vocabulaire pour discuter et donner votre point de vue. |
| ◀ Écouter | Cette séquence vous propose des situations de la vie quotidienne et de la vie en entreprise : messages au téléphone ou à l'aéroport, commande dans un restaurant, discussions entre collègues de travail, etc. Vous connaissez ces situations. Les exercices vous aident à pratiquer vos réflexes en français. |
| ◀ Point de langue | À ce niveau, votre objectif est de parler et d'écrire avec des phrases simples et correctes. Dans chaque unité, vous avez deux *Points de langue* sur le fonctionnement du français. Vous exercez l'ordre des mots dans la phrase, l'expression du temps, les manières de communiquer avec des francophones. |
| ◀ Gammes | Comment parler de son travail, réserver une chambre d'hôtel, présenter un produit ou participer à une conversation ? La séquence *Gammes* vous propose des expressions à connaître pour réaliser ces tâches. Vous employez ces expressions dans des jeux de rôle, vous écoutez vos partenaires, vous répondez. Vous exercez votre capacité de communication en situation. |
| Étude de cas | En relation avec le thème de l'unité, l'*Étude de cas* vous donne des informations sur une situation courante de la vie en entreprise. Il y a un problème et il faut trouver une solution. Attention, il n'y a pas de solution idéale ! Votre tâche est de vous mettre d'accord, après discussion, sur une solution réaliste. À la fin de l'*Étude de cas*, vous écrivez un courriel, une télécopie ou vous complétez un document. Vous avez des modèles à la fin du manuel pour vous guider dans l'écriture de ces documents. |
| Bilan | À la fin de chaque unité, deux ou trois activités vous entraînent à manipuler le vocabulaire et les notions de grammaire appris. |

▷ Qu'est-ce qu'il y a dans le CD audio-rom ?

Il contient tous les enregistrements liés aux activités du manuel (dialogues, interviews, présentation de produits...) et 60 exercices autocorrectifs, pour travailler la grammaire, le vocabulaire et les expressions langagières présentés dans chaque unité.

**En fin de manuel :**

des Fiches d'activités (elles définissent le rôle de chaque étudiant dans les situations de communication) ; une Grammaire ; des tableaux de Conjugaison ; un Lexique thématique plurilingue ; des modèles de productions écrites (courriels, lettres, fax...) : Écrits ; les Transcriptions.

Bon courage et beaucoup de succès pour parler français... En entreprise !

Bernard GILLMANN

# Tableau des contenus

| | Unité 1<br>Faire<br>connaissance<br>*pages 7 à 16*<br>Bilan p. 16 | Unité 2<br>Vie professionnelle,<br>vie personnelle<br>*pages 17 à 26*<br>Bilan p. 26 | Unité 3<br>Traiter<br>un problème<br>*pages 27 à 36*<br>Bilan p. 36 | Unité 4<br>Voyager<br>pour affaires<br>*pages 37 à 46*<br>Bilan p. 46 | Unité 5<br>Échanges<br>hors bureau<br>*pages 47 à 56*<br>Bilan p. 56 |
|---|---|---|---|---|---|
| **CONVERSATION** | Le travail,<br>les études | Les rythmes de<br>travail, les activités<br>de temps libre | Les problèmes<br>dans un pays,<br>dans une ville | Parler d'une ville<br>de votre choix | Les lieux de<br>rencontre, les<br>endroits à visiter |
| **DOCUMENTS** | **Lire** le portrait<br>d'un PDG<br><br>**Écouter** quelqu'un<br>parler de ses<br>ami(e)s | **Lire** un article<br>sur la journée type<br>d'un cadre | **Lire** les réponses<br>à une enquête<br>sur des problèmes<br>d'entreprise | **Lire** le texte<br>de présentation<br>d'un hôtel pour<br>voyageurs d'affaires<br><br>**Écouter** des<br>messages et<br>des dialogues<br>dans les gares<br>et les aérogares | **Lire** un article sur<br>comment organiser<br>un repas d'affaires<br><br>**Écouter** des clients<br>commander dans<br>un restaurant et<br>dans une<br>boulangerie |
| **VOCABULAIRE & LANGUE** | • Travail, intitulés<br>de poste<br>• Nationalités et<br>pays<br>• *ne... pas* ; questions avec réponses *oui, non, si*<br>• Présenter ;<br>questionner | • Journée, jours,<br>mois, saisons<br>• Temps libre,<br>loisirs<br>• Emplois du<br>présent ; *quand ?* ;<br>*qu'est-ce qui ?*<br>• Expressions<br>de temps et<br>de fréquence | • Adjectifs pour<br>qualifier quelque<br>chose<br>• *c'est, ce sont* ;<br>*il y a*<br>• Négations | • Phrases de<br>voyage ; épeler ;<br>les nombres ;<br>les heures<br>• Possessifs<br>et démonstratifs<br>• *savoir* ; *connaître* ;<br>*pouvoir* ; *vouloir* | • Payer dans un<br>restaurant, dans<br>les commerces<br>• Quantités : *un,<br>une, des, du, de l',<br>de la* ; *beaucoup<br>de, un peu de/<br>quelques, ...*<br>• Le passé<br>composé (1) |
| **GAMMES** | Saluer, faire<br>connaissance | Parler de son<br>travail, de ses<br>loisirs | Traiter un<br>problème au<br>téléphone | Réserver une<br>chambre d'hôtel | Apprécier, proposer |
| **ÉTUDES DE CAS** | *Notre MBA<br>vous intéresse ?* :<br>rencontrer<br>des participants<br>à un congrès<br><br>**Écrire** un courriel<br>à son assistante | *Enquête<br>au Cabinet Viola* :<br>interroger<br>le personnel d'un<br>cabinet d'audit<br>sur les conditions<br>de travail<br>**Rédiger** une liste<br>de tâches avec<br>le planning | *Problèmes<br>de qualité<br>chez Komcheswa* :<br>traiter les réclamations des clients<br>d'une agence<br>de location<br>**Remplir** une fiche<br>d'appel<br>téléphonique | *Hôtel de la<br>Méditerranée,<br>bonjour !* :<br>planifier<br>les occupations<br>de chambres<br>dans un hôtel<br>**Écrire** une télécopie/un fax à un(e)<br>client(e) | *Trois invités<br>à déjeuner* :<br>choisir un restaurant<br>pour les clients<br>d'une société<br>de services aux<br>entreprises<br><br>**Écrire** un courriel<br>à un(e) client(e) |

**Les pictos :** 👥 travail en groupes de 2 ou 3        document enregistré sur le CD (le numéro

NB : *Les numéros de couleur dans les exercices à trous sont destinés à faciliter le travail en classe.*       **3** sous le picto correspond à la piste)

| | Unité 6<br>Vendre<br>*pages 57 à 66*<br><br>Bilan p. 66 | Unité 7<br>Collaborer<br>*pages 67 à 76*<br><br>Bilan p. 76 | Unité 8<br>Commercialiser<br>*pages 77 à 86*<br><br>Bilan p. 86 | Unité 9<br>Organiser<br>*pages 87 à 96*<br><br>Bilan p. 96 | Unité 10<br>Compétences<br>*pages 97 à 106*<br><br>Bilan p. 106 |
|---|---|---|---|---|---|
| **CONVERSATION** | Travailler comme commercial(e) | Les relations de travail, les réseaux professionnels | L'agenda de la semaine, les projets d'avenir | Les projets en cours, les perspectives d'une entreprise | Parler d'une expérience, d'un stage, du CV |
| **DOCUMENTS** | **Lire** une offre d'emploi pour 1 commercial H/F<br><br>**Écouter** l'interview d'un boulanger | **Lire** des opinions sur les relations de travail en France<br><br>**Écouter** des personnes discuter des qualités d'une collaboratrice | **Lire** un article sur une PME du parfum<br><br>**Écouter** un chef d'entreprise présenter son produit à une investisseuse | **Lire** un article sur les résultats et les perspectives du groupe Bic<br><br>**Écouter** l'interview d'une dirigeante de PME | **Lire** un CV<br><br>**Écouter** l'extrait d'un entretien de recrutement |
| **VOCABULAIRE & LANGUE** | • Conditions de vente : prix, livraison, expédition<br>• Location de voiture<br>• Le passé composé (2)<br>• Indicateurs de temps : dates et périodes, durées, chronologie | • Qualités et savoir-faire : adjectifs pour qualifier quelqu'un<br>• Pronoms compléments (1) représentant des personnes<br>• *il faut ; avoir besoin de ; devoir* | • Le numérique : les produits ; internet<br>• Projets, prévisions, programmations, engagements : les futurs<br>• Comparer : *plus, moins, aussi, plus (de), moins (de), autant (de)*<br>• Apprécier : *très, assez* | • Activités et responsabilités : qui fait quoi ?<br>• Parler chiffres : *un million, un milliard*<br>• Faire le point sur un projet : *être en train de, être sur le point de, venir de*<br>• Le conditionnel présent | • Formation + expérience = compétences : verbes pour exprimer des compétences<br>• L'imparfait<br>• Pronoms compléments (2) représentant des personnes, des choses, des idées : *en, le, l', la, les* |
| **GAMMES** | Présenter un produit | Négocier avec son n + 1 | Prendre part à une discussion | Commencer un exposé | Parler de ses compétences |
| **ÉTUDES DE CAS** | *Ce téléphone est fait pour vous !* : vendre des téléphones mobiles à des clients dans une boutique<br><br>**Écrire** un courriel à un(e) collègue | *Restructuration à la banque Bonvoisin* : décider quelle personne va rester dans le service de l'organisation d'une banque<br><br>**Écrire** un courriel à un(e) collègue | *Les eaux de Saintourse* : se mettre d'accord sur la stratégie de pénétration d'un nouveau marché<br><br>**Rédiger** un descriptif de produit | *À vous de parler !* : présenter son entreprise devant un auditoire<br><br>**Rédiger** un profil d'entreprise pour une page Web | *Recrutement chez marcAVista* : choisir un(e) candidat(e) pour un poste de responsable dans une agence de marques<br>**Rédiger** une lettre d'engagement |

# France : carte des pôles de compétitivité, 2006

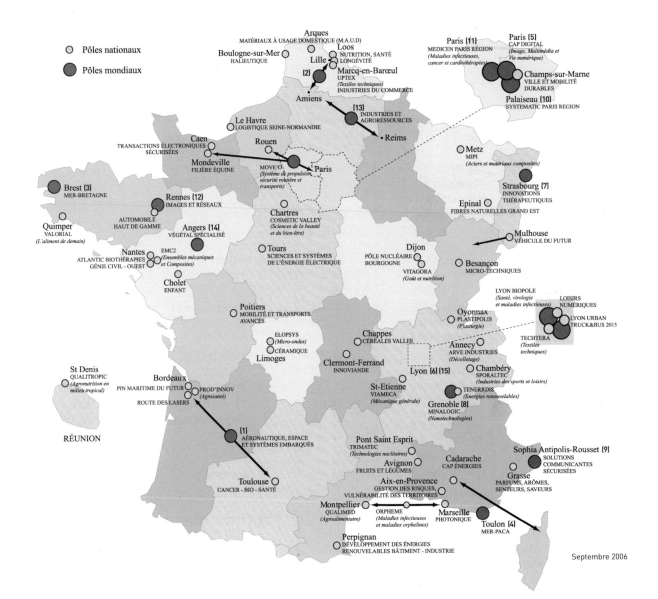

○ Pôles nationaux

● Pôles mondiaux

Arques
MATÉRIAUX À USAGE DOMESTIQUE (M.A.U.D)
Loos
NUTRITION, SANTÉ
LONGÉVITÉ
Boulogne-sur-Mer
HALIEUTIQUE
Lille
(2)
Marcq-en-Barœul
UPTEX
(Textiles techniques)
INDUSTRIES DU COMMERCE
Amiens
(13) INDUSTRIES ET
AGRORESSOURCES

Paris (11)
MEDICEN PARIS RÉGION
(Maladies infectieuses,
cancer et cardiothérapies)
Paris (5)
CAP DIGITAL
(Image, Multimédia et
Vie numérique)
Champs-sur-Marne
VILLE ET MOBILITÉ
DURABLES
Palaiseau (10)
SYSTEMATIC PARIS REGION

Le Havre
LOGISTIQUE SEINE-NORMANDIE
•Reims

Caen
TRANSACTIONS ÉLECTRONIQUES
SÉCURISÉES
Rouen
Mondeville
FILIÈRE ÉQUINE
MOVE'O.
(Système de propulsion
sécurité rolière et
transports)
Paris

Metz
MIPI
(Aciers et matériaux composites)

Brest (3)
MER-BRETAGNE
Rennes (12)
IMAGES ET RÉSEAUX

Strasbourg (7)
INNOVATIONS
THÉRAPEUTIQUES

Quimper
VALORIAL
(L'aliment de demain)
AUTOMOBILE
HAUT DE GAMME
Angers (14)
VÉGÉTAL SPÉCIALISÉ
Chartres
COSMETIC VALLEY
(Sciences de la beauté
et du bien-être)

Epinal
FIBRES NATURELLES GRAND EST

Mulhouse
VÉHICULE DU FUTUR

Nantes
ATLANTIC BIOTHÉRAPIES
GÉNIE CIVIL - OUEST
EMC2
(Ensembles mécaniques
et Composites)
Tours
SCIENCES ET SYSTÈMES
DE L'ÉNERGIE ÉLECTRIQUE
Dijon
PÔLE NUCLÉAIRE
BOURGOGNE
VITAGORA
(Goût et nutrition)
Besançon
MICRO-TECHNIQUES

Cholet
ENFANT

LYON BIOPOLE
(Santé, virologie
et maladies infectieuses)
LOISIRS
NUMÉRIQUES

Poitiers
MOBILITÉ ET TRANSPORTS
AVANCÉS
Oyonnax
PLASTIPOLIS
(Plasturgie)
LYON URBAN
TRUCK&BUS 2015

ELOPSYS
(Micro-ondes)
CÉRAMIQUE
Limoges
Chappes
CÉRÉALES VALLÉE
Annecy
ARVE INDUSTRIES
(Décolletage)
TECHTERA
(Textiles
techniques)

St Denis
QUALITROPIC
(Agronutrition en
milieu tropical)
Clermont-Ferrand
INNOVIANDE
Lyon (6)(15)
Chambéry
SPORALTEC
(Industries des sports et loisirs)

Bordeaux
PIN MARITIME DU FUTUR
PROD'INNOV
(Agrosanté)
ROUTE DES LASERS
St-Etienne
VIAMECA
(Mécanique générale)
TENERRDIS
(Energies renouvelables)
Grenoble (8)
MINALOGIC
(Nanotechnologies)

RÉUNION
(1)
AÉRONAUTIQUE, ESPACE
ET SYSTÈMES EMBARQUÉS
Pont Saint Esprit
TRIMATEC
(Technologies nucléaires)
Cadarache
CAP ÉNERGIES
Sophia Antipolis-Rousset (9)
SOLUTIONS
COMMUNICANTES
SÉCURISÉES

Avignon
FRUITS ET LÉGUMES
Grasse
PARFUMS, ARÔMES,
SENTEURS, SAVEURS

Toulouse
CANCER - BIO - SANTÉ
Aix-en-Provence
GESTION DES RISQUES,
VULNÉRABILITÉ DES TERRITOIRES

Montpellier
QUALIMED
(Agroalimentaire)
ORPHEME
(Maladies infectieuses
et maladies orphelines)
Marseille
PHOTONIQUE
Toulon (4)
MER-PACA

Perpignan
DÉVELOPPEMENT DES ÉNERGIES
RENOUVELABLES BÂTIMENT - INDUSTRIE

Septembre 2006

Ministère de l'Économie, des Finances et de l'Industrie /
Direction générale des entreprises, septembre 2006.

# Unité **1** Faire connaissance

**É**tude de cas
Notre MBA vous intéresse ?

**A.** Écoutez ces quatre personnes se présenter. Puis associez les personnes et les cartes de visite.

 1  2  3  4

**a**

Veer SINGH

☐ Mountjoy Square 108 Apartment 98 -
   Dublin 1 - Ireland
☏ (+353) 1 702 41 98
🖥 veersingh@aol.com

**b**

**Andrei Brancusi**
*Şef Serviciu Asamblare*
*Departament Ingenirie Proces*
*Mecanica*

Automobile Dacia S.A.
RO MOI AY2 7 38
Str. Uzinei nr. 1, Mioveni
115400 Argeş Românіa
Tel +40 248 742 504
Fax +40 248 742 5041
Mobil +40 749 804 408
andrei.brancusi@daciagroup.com

**c**

**POLSKY BANK HANDLOWY SA**

Justyna GORECKA
Dyrektor do spraw administracji i informatyki
Head of Administration and IT Department

tel. (48 22) 628 13 24
fax (48 22) 861 11 06
GSM 0609 909 100
e-mail : jgorecka@pbh.pl

Al. Jana Pawla II
33
00 - 315 Warszawa
Polska

**d**

GUA
YA
KI
CONSULTING GROUP

**Birgit Figari**
*Business Manager*

**Guayaki Consulting GmbH**
Maximilianstr. 218
D 80539 Munich

Telephone +49-89-199 46-25
Telefax +49 89-199 46-38
www.guayakiconsulting.de
B.Figari@guayaki.de

**B.** Réécoutez les quatre personnes se présenter. Complétez les phrases. Employez les mots de l'encadré.

| je m'appelle | bonjour | je suis | je suis | moi, c'est |

1. Bonjour, je suis Justyna Gorecka. *Je suis* directrice administrative et des systèmes d'information à la banque PBH. Je suis polonaise.
2. _____, Veer Singh. Je suis étudiant à la Smurfit School à Dublin. Je suis canadien.
3. _____ Birgit Figari. Je suis directrice commerciale dans un cabinet de consultants international. Je suis allemande.
4. Bonjour, _____ Andrei Brancusi, chef de service au département ingénierie d'une entreprise automobile. Je suis roumain.

**C.** À vous !

*Bonjour, je suis...*

## Vocabulaire 1
### Travail, intitulés de poste

**A.** Dans l'encadré ci-dessous, repérez cinq départements de l'entreprise.

> (administration & systèmes d'information (S.I.)) – assistant commercial – auditeur – biologiste – chargé de clientèle – chef de produit – comptable – directeur général – finances – informaticien – ingénieur – juriste – marketing & vente – médecin du travail – recherche & développement (R & D) – responsable formation – ressources humaines (RH) – standardiste – technicien

**B.** Classez travail et postes dans les cinq départements de l'entreprise.

| Administration & S.I. | | | | |
|---|---|---|---|---|
| *directeur général* | | | | |

**C.** Complétez le tableau ci-dessous.

| ♀ | ♂ | ♀ | ♂ |
|---|---|---|---|
| assistante | *assistant* | *formatrice* | formateur |
| auditrice | | informaticienne | |
| chargée de | | ingénieure | |
| | commercial | | technicien |
| directrice | | vendeuse | |

**D.** Parlez de votre travail ou de vos études. Qu'est-ce que vous faites ?

*Je suis biologiste au département R & D de la société Génotron. / Je suis analyste financier à la Caixa. / Je travaille comme assistante de direction chez Siemens. / Je suis étudiante en gestion dans une école de commerce. / Je cherche un travail dans les ressources humaines.*

## Vocabulaire 2
### Nationalités et pays

**A.** Complétez le tableau. D'abord les nationalités (colonnes 1 et 2). Puis les pays (colonne 3). Ajoutez d'autres nationalités et pays.

| [prononciation à la fin du mot] | 1 Elle est | 2 Il est | 3 le, la, l', les ou Ø? |
|---|---|---|---|
| [ɛz/ɛ] | portugaise | *portugais* | *le* Portugal |
| | | | Ø Malte |
| | | néerlandais | Pays-Bas |
| [waz/wa] | luxembourgeoise | | Luxembourg |
| | | hongrois | *la* Hongrie |
| [jɛn/jɛ̃] | brésilienne | | Brésil |
| | | | Italie |
| | | étasunien | *les* États-Unis |
| [ɛn/ɛ̃] | marocaine | | Maroc |
| | | américain | Amérique |
| [ãd/ã] | allemande | | Allemagne |
| | britannique | | Royaume-Uni |
| | | | Belgique |
| | | | Espagne |
| | chypriote | | Chypre |

**B.** Où est situé le siège de ces entreprises? Associez les entreprises et les pays.

Le siège de...

1. Nokia
2. Microsoft
3. Axa                 est...
4. Siemens
5. Toyota

a. au Japon.
b. en Allemagne.
c. en Finlande.
d. aux États-Unis.
e. en France.

**C.** Travaillez en tandem. Étudiant(e) A: voir page 107. Étudiant(e) B: voir page 108.
Où est le siège de ces entreprises? Posez des questions à tour de rôle.

A: *Le siège de Aldi est en Allemagne?*
B: *Oui, il est en Allemagne.*

B: *Le siège de Danone est en Belgique?*
A: *Non, il n'est pas en Belgique, il est en France.*

Aldi – Danone – Lenovo – H & M – Alcan – Marks & Spencer – Škoda – Benetton – Samsung – Allianz

**D.** Notez le nom de trois entreprises internationales. Dites où est le siège de ces entreprises.

## Lire
### *Caractériser une personne*

**A.** Associez les mots de la colonne de gauche et les mots de la colonne de droite.

1. faire
2. intégrer
3. parler, aimer
4. prononcer
5. travailler
6. avoir

a. une langue
b. une école, une entreprise
c. un mot, un discours
d. des études, des progrès
e. comme directeur adjoint
f. des enfants

**B.** Lisez l'article. Complétez la fiche de la page 11.

## « Citoyen du monde »

Carlos Ghosn est né au Brésil. Ses parents sont d'origine libanaise. Il fait ses études dans un collège de Jésuites au Liban puis intègre l'École polytechnique de Paris. Il parle quatre langues :
5 portugais, anglais, arabe et français bien sûr.

Il travaille chez Michelin en France, au Brésil et aux États-Unis. Quand il arrive dans un nouveau poste, il passe du temps avec les ingénieurs, les commerciaux et les fournisseurs. Il se présente,
10 fait connaissance, identifie les problèmes et les solutions. Il écoute puis il décide et fixe des objectifs avec des dates.

En 1996, il entre chez Renault comme directeur adjoint et devient le numéro 2 puis le Président de
15 Nissan au Japon. Ce polyglotte fait assez de progrès en japonais pour prononcer des petits discours préparés. C'est un bourreau de travail. Les Japonais de Nissan lui donnent le surnom de *Seven Eleven* comme le nom des épiceries de quartier ouvertes
20 tôt le matin jusque tard le soir.

Il est marié avec Rita. Ils ont quatre enfants. La famille est importante pour lui. Il aime le Brésil : c'est « *un pays fascinant, beau, avec une nature généreuse, un melting pot extraordinaire* ».
25 Carlos Ghosn a 52 ans. C'est le nouveau Président de Renault.

| Prénom, Nom : | *Carlos Ghosn* | Enfants : | |
|---|---|---|---|
| Âge : | | Poste actuel : | |
| Langues parlées : | | Centres d'intérêt : | |

## C. Relisez l'article. Les affirmations suivantes sont-elles vraies ou fausses ? Corrigez les affirmations fausses.

1. Carlos Ghosn est né au Brésil. ⟶ *vrai*
2. Il fait ses études au Brésil. ⟶ *faux : Non, il fait ses études au Liban.*
3. Il travaille pour Michelin au Japon.
4. Il parle couramment japonais.
5. Sa femme s'appelle Rita.
6. Ils ont trois enfants.

## D. Posez des questions sur Carlos Ghosn à tour de rôle.

A : *Carlos Ghosn est né au Brésil ?*
    *Est-ce que Carlos Ghosn est né au Brésil ?*
    *Carlos Ghosn est-il né au Brésil ?*
B : *Oui, il est né au Brésil.*

B : *Il fait ses études au Brésil ?*
    *Est-ce qu'il fait ses études au Brésil ?*
    *Fait-il ses études au Brésil ?*
A : *Non, il ne fait pas ses études au Brésil.*

# Point de langue 1
## ne... pas ; *questions avec réponses* oui, non, si

Grammaire p. 113

- **Pour la négation, on emploie *ne* et *pas*, placés avant et après le verbe.**
  *Je ne suis pas ingénieur, je suis architecte.*
- **Quand le verbe commence par une voyelle *(a, e, i, o, u)*, on utilise *n'*.**
  *Il n'est pas né au Liban.*
- **Souvent quand on parle, on supprime *ne* ou *n'*.**
  *– Il est marié ?   – Non, il est pas marié.*
- **On peut poser une question**

| – avec une intonation montante : | – avec *est-ce que...* : | – en changeant l'ordre des mots dans la phrase : |
|---|---|---|
| *Elle est française ?* ↗ | *Est-ce qu'elle est française ?* | 2 1<br>*Est-elle française ?*<br>1 2 1<br>*Iris est-elle française ?* |

- **Attention !**
  *– Vous n'êtes pas française ?   – Non, je suis belge.*
  *– Vous n'êtes pas traductrice ?   – Si, je suis traductrice mais aussi interprète de conférence.*

## A. Iris se présente. Complétez le texte avec les verbes appropriés.

Je *m'appelle* Iris. Je ___1___ comme traductrice technique pour EADS. Je ___2___ née aux Pays-Bas. Je ___3___ mariée. J'*ai* deux enfants. Ce *sont* des jumeaux. Ils ___4___ quinze ans. Ils ___5___ au lycée français. Mon mari ___6___ éditeur. Nous *habitons* à Munich. J'___7___ les voyages et la littérature russe. Mon frère *travaille* à Toulouse. Il ___8___ pilote d'avion. J'___9___ un passeport néerlandais et un passeport allemand.

## B. Écoutez et vérifiez vos réponses.

3

**C.** Complétez votre fiche d'identité. Travaillez en tandem. Vous vous présentez à votre partenaire.

| | |
|---|---|
| 1. Prénom, Nom : _____ | 4. Ville : *J'habite* _____ |
| 2. Travail : _____ | 5. Centres d'intérêt : *J'aime* _____ |
| 3. Pays de naissance : *Je suis né(e)...* | 6. Sports pratiqués : *Je fais* _____ |

**D.** Complétez les phrases avec *être* ou *avoir* à la forme négative.

1. J'ai un prénom italien mais je *ne suis pas* né(e) en Italie.
2. Elle travaille dans une société informatique mais elle _____ informaticienne.
3. Nous habitons à Ljubljana mais nous _____ slovènes.
4. On travaille à Paris mais on _____ parisien.
5. Elle est chimiste mais elle *n'a pas* de travail actuellement.
6. Je suis marié(e) mais je _____ d'enfants.
7. Ils font du sport mais ils _____ de bicyclette.
8. Il est concepteur de jeux vidéo mais il _____ d'ordinateur à la maison.

**E.** Vous rencontrez Damien à une réception. Vous sympathisez. Vous vous dites *tu*. Associez vos questions et les réponses de Damien.

1. Tu es français ?
2. Tu es ingénieur ?
3. Tu es marié ?
4. Ton amie est biologiste ?
5. Elle est algérienne ?

a. Non, mais j'ai une amie, Sueli. C'est elle là-bas.
b. Non, brésilienne.
c. Non, elle est physicienne.
d. Oui et non. J'ai la double nationalité, américaine et française.
e. Non, je suis biologiste.

**F.** Travaillez en tandem. Posez des questions sur Iris (exercice A, page 11) à votre partenaire. Changez les rôles.

**A :** *Iris est française ? / Est-ce qu'Iris est française ? / Iris est-elle française ?*
**B :** *Non, elle a la double nationalité, néerlandaise et allemande.*

## Écouter
### Parler des autres

**A.** Complétez les deux premières colonnes.
Associez les professions et les lieux de travail.

| Elle est... | Il est... | Il / Elle travaille... |
|---|---|---|
| 1. *physicienne* | physicien | a. dans un cabinet. |
| 2. diplomate | | b. en indépendant(e). |
| 3. _____ | avocat | c. dans un laboratoire. |
| 4. _____ | journaliste | d. dans un ministère. |
| 5. contrôleuse de gestion | | e. dans une maison de couture. |
| 6. vidéaste | | f. dans un service financier. |
| 7. _____ | développeur | g. à la radio. |
| 8. _____ | styliste | h. dans une boîte informatique. |

**B. Écoutez Nadia Duménil présenter trois ami(e)s.**
**Complétez le tableau.**

**4**

| | | | |
|---|---|---|---|
| Qui est-ce ? | *C'est Noriko.* | | |
| Quelle est sa profession ? | | *Elle est physicienne.* | |
| Dans quelle entreprise ? | | | *Dans une petite boîte informatique.* |
| Où est-il / elle actuellement ? | | *Elle est à Genève.* | |
| Qu'est-ce qu'il / elle fait actuellement ? | *Elle fait un stage.* | | |

## Point de langue 2
### *Présenter, questionner*

Grammaire p. 113

- **On présente souvent une personne avec** *voici* **ou** *c'est.*
  *Voici Noriko.* ***Elle, c'est** Elzbieta.* ***Lui, c'est** Sami.* ***Moi, c'est** Nadia.*

- **On montre souvent une personne avec** *voilà.*
  *Voilà la chef (qui arrive) !*

- **On demande :**

| – une information sur une personne avec *qui.* | – une information sur un lieu avec *où.* | – une information sur une action avec *qu'est-ce que, que, quoi.* | – une précision avec *quel(le)* ou *comment.* |
|---|---|---|---|
| *Qui est-ce ?* <br> *C'est qui ?* <br> *Qui travaille dans ce bureau ?* | *Où est-il ? Il est où ?* <br> *Où habite-t-elle ?* <br> *Elle habite où ?* | *Qu'est-ce qu'elle fait ?* <br> *Que fait-elle ?* <br> *Elle fait quoi ?* | *Quel est votre nom ?* <br> *Comment vous appelez-vous ?* <br> *Comment allez-vous ?* |

**Travaillez en tandem. Pensez à trois ami(e)s ou membres de votre famille. Parlez de vous, de votre travail et de leur travail.**

*Moi, c'est… Je suis responsable des ventes dans une entreprise de montres de luxe. Lui, c'est Keith. C'est mon mari / mon ami. Il travaille comme analyste financier dans une banque. Elle, c'est ma sœur. Elle s'appelle Maeva. Elle est femme au foyer. Lui, c'est Brian, un ami. Il est directeur de restaurant.*

Lexique p. 137, 138, 144-147

# Gammes
## *Saluer, faire connaissance*

**A.** Écoutez les trois dialogues. Les affirmations suivantes sont-elles vraies ou fausses ?

5

> *Dialogue 1*

1. Werner Bach travaille chez APS. ⟶ *vrai*
2. Corinne Destrade est directrice des ventes.

> *Dialogue 2*

3. Paul Smith est consultant.
4. Il travaille à la direction de la communication.
5. Carole Vandenbek est responsable des achats.

> *Dialogue 3*

6. Éric fait un stage à la direction générale.
7. Virginie est stagiaire à la direction financière.

**B.** Réécoutez les trois dialogues. Complétez les phrases.

5

> *Extrait du dialogue 1*

A : Et *voici* Werner Bach. ___1___ notre ingénieur pour les systèmes d'information.
B : Bonjour, ___2___. Je suis Corinne Destrade, directrice administrative.

> *Extrait du dialogue 2*

B : Vous ___3___ consultant ? Ah oui… vous ___4___ à la direction des achats !
A : Tout à fait.
B : Bonjour Paul. ___5___ s'est parlé au téléphone. Je ___6___ Carole Vandenbek,
la responsable de la communication.

> *Extrait du dialogue 3*

A : Tu ___7___ stagiaire à l'informatique, non ?
B : Si. Et toi, tu ___8___ un stage à la direction générale. ___9___, je m'appelle Éric.

**C.** Travaillez en tandem. Répétez les dialogues de l'exercice. Changez les titres et le travail.
Employez des expressions à connaître ci-dessous.

·· **Expressions à connaître** ························································································

**Saluer**
Bonjour [madame / monsieur / mesdames / messieurs] ! Salut ! Bonsoir ! *(après 18 heures)*

| **Se présenter, présenter quelqu'un** | **Répondre** |
|---|---|
| [Je suis] Stella / Mike Powell. | Bonjour, [madame / monsieur Powell]. [Je suis]… |
| Je vous présente Stella / Mike. Il / Elle fait un stage | Bonjour Stella / Mike. Bienvenue dans notre service ! |
| chez nous. Voici… Il / Elle travaille comme… | Enchanté(e). Moi, c'est… |
| Moi / Lui / Elle, c'est… | Moi, c'est Julie Lescaut. Appelez-moi Julie. |

| **Mettre à l'aise** | **Répondre** |
|---|---|
| – Vous avez fait bon voyage ? | – Oui, merci. |
| – Je peux vous offrir un thé ? un café ? | – Oui, volontiers. / Non merci. |
| – Comment allez-vous ? / Vous allez bien ? | – Bien. Merci. Et vous[-même] ? |
| – Comment vont les affaires ? | – Bien. Merci. |
| – [Comment] ça va ? | – Ça va [bien], merci. Et toi ? |

**Prendre congé**
Au revoir, [madame / monsieur / mesdames / messieurs] !
Bonne journée ! Bonne fin de journée ! Bon week-end ! Bonne fin de semaine !
À tout à l'heure ! / À bientôt [, j'espère] ! / Salut ! / Tchao !

# Étude de cas
## Notre MBA vous intéresse ?

## Contexte

Vous êtes chargé(e) de communication pour une école de commerce. Vous êtes à un congrès international au Palais des congrès et des expositions de Nice Acropolis. Vous rencontrez des personnes pour faire la promotion du programme de MBA de votre école.

## Tâche

**1.** Complétez le badge avec des informations sur vous-même.
Ou inventez un rôle, imaginez des informations.

**2.** Faites connaissance avec les autres personnes présentes au congrès. Employez les mots ci-dessous pour poser des questions.
- Quel – nom ? prénom ? *Quel est votre nom ? votre prénom ?*
- Quelle – formation ?
- Quelle – nationalité ?
- Qu'est-ce que – actuellement ?
- Dans quelle entreprise / société ?
- Où – habiter ?
- Comment – affaires – en ce moment ?

**3.** Notez les informations sur les personnes rencontrées.

**4.** Travaillez en tandem. Parlez des personnes rencontrées.
*Marta Meszaros est médecin. Elle est hongroise. Elle travaille actuellement comme responsable des ventes chez Sorbier, une entreprise pharmaceutique d'origine française. Elle habite à Budapest. Les affaires vont bien en ce moment.*

Écrits p. 151

## Écrire

Choisissez deux personnes intéressées par le programme de MBA de votre école. Écrivez un courriel à votre assistante sur ces deux personnes. Donnez l'adresse électronique de chaque personne pour l'envoi d'une documentation par courriel.

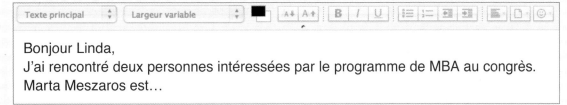

Bonjour Linda,
J'ai rencontré deux personnes intéressées par le programme de MBA au congrès.
Marta Meszaros est…

# Bilan ①

**Vous avez fait passer des entretiens d'embauche et vous en faites le compte rendu à vos supérieurs.**

## Activité 1

**A.** Vous avez pris des notes au cours des entretiens.
En réunion, vous présentez chaque candidat à vos collaborateurs et supérieurs.

| | | |
|---|---|---|
| – Laura Soli<br>– Italie<br>– 23 ans<br>– dynamique<br>– étudiante en droit,<br>  université de Turin,<br>  dernière année | – Manuel Barru<br>– Portugal<br>– 56 ans<br>– calme<br>– depuis 1980<br>  dans une entreprise<br>  familiale de gestion | – Steve Pen<br>– France/Écosse<br>– 32 ans<br>– nerveux<br>– sort de l'école<br>  de commerce<br>  d'Edimbourg |

*Je vous présente Laura Soli, elle est italienne…*

**B.** Après votre présentation, les autres apprenants vous posent des questions pour mieux connaître les candidats et obtenir des informations supplémentaires.
*Est-ce que Laura Soli parle plusieurs langues ?*
Vous pouvez inventer d'autres candidats et les présenter de la même manière.

## Activité 2

Vos collaborateurs n'ont pas compris toutes les informations. Répondez à leurs questions :
1. Est-ce que Laura Soli étudie dans une école de commerce ?
2. Est-ce que Steve Pen a la double nationalité française et écossaise ?
3. Manuel Barru est-il né en 1980 ?
4. Manuel Barru travaille-t-il dans une entreprise de gestion ?
5. Laura Soli n'a pas étudié à Turin ?

## Activité 3

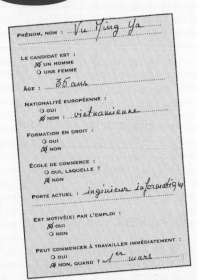

PRÉNOM, NOM : *Vu Ming Ya*

LE CANDIDAT EST :
☒ UN HOMME
○ UNE FEMME

ÂGE : *35 ans*

NATIONALITÉ EUROPÉENNE :
○ OUI
☒ NON *vietnamienne*

FORMATION EN DROIT :
○ OUI
☒ NON

ÉCOLE DE COMMERCE :
○ OUI, LAQUELLE ?
☒ NON

POSTE ACTUEL : *ingénieur informatique*

EST MOTIVÉ(E) PAR L'EMPLOI :
☒ OUI
○ NON

PEUT COMMENCER À TRAVAILLER IMMÉDIATEMENT :
○ OUI
☒ NON, QUAND ? *1er mars*

Votre directeur des ressources humaines vous demande de lui envoyer par courriel un court texte pour présenter chaque candidat.
Pendant les entretiens, vous avez rempli ce questionnaire. Complétez le courriel.

Sujet : Présentation du candidat

Texte principal ⏸ | Largeur variable ⏸ | ■ | A+ A+ | B I U | ⋮ ⋮ ⋮ ⋮ | ▤ ▢ ☺

Bonjour,
Voici des renseignements concernant le candidat.
C'est un homme de 35 ans…

Unité **2** Vie professionnelle,
vie personnelle

**é**tude de cas
Enquête au cabinet Viola

## Prise de contact
*Votre travail idéal, c'est quoi ?*

**A.** Qu'est-ce qu'elles apprécient, aiment ou cherchent dans leur travail ? Écoutez les réponses des quatre personnes et les expressions employées. Dans les quatre encadrés ci-dessous, associez les mots pour retrouver ces expressions.

**6**

1. fixer • • de boulot à la maison
   gagner • • des objectifs clairs
   ne pas emporter • • beaucoup d'argent

2. varier • • à l'étranger
   changer • • les expériences
   partir • • des responsabilités
   prendre • • de service

3. discuter • • mes compétences
   suivre • • avec les collègues
   reconnaître • • des projets en cours
   discuter • • des formations

4. près • • un bureau clair et spacieux
   dans • • d'un chef sympa
   avec • • de chez moi
   sous les ordres • • des horaires réguliers

**B.** Associez des expressions de l'exercice A et les définitions 1 à 7 ci-dessous.

1. avoir un salaire élevé = *gagner beaucoup d'argent*
2. avoir une promotion
3. la journée commence et finit aux mêmes heures
4. trouver un poste dans un autre pays
5. un lieu de travail agréable
6. développer ses compétences

**C.** Travaillez en tandem. Qu'est-ce qui est important pour vous dans le travail ? Faites une liste. Employez les expressions de l'exercice A. Comparez les listes et sélectionnez quatre choses très importantes.

## Vocabulaire 1
*Journée, jours, mois, saisons*

**A.** Trouvez l'intrus dans chaque série de mots. Le week-end commence quand pour vous ? Et quand est-ce qu'il finit ?

1. lundi – mardi – (matin) – mercredi
2. vendredi – midi – samedi – dimanche
3. jeudi – après-midi – soir – matin

**B.** Trouvez les quatre saisons dans l'encadré. Placez les douze mois de l'année dans les trimestres appropriés. Insérez les saisons dans la période correspondante.

novembre – février – (automne) – août – été – janvier – juillet – printemps
mars – décembre – avril – juin – octobre – mai – hiver – septembre

| Semestre 1 | | Semestre 2 | |
|---|---|---|---|
| Trimestre 1 | Trimestre 2 | Trimestre 3 | Trimestre 4 |
| .......... | .......... | .......... | .......... |
| .......... | .......... | .......... | *novembre* |
| .......... | .......... | .......... | .......... |
| Saisons | | | |
| .......... | .......... | .......... | .......... |

## C. Les phrases suivantes indiquent-elles un moment unique ou une habitude ?

1. Je suis malade, je ne vais pas au bureau ce matin. ——▶ *moment unique*
2. Le matin, il met deux heures pour aller au travail. ——▶ *habitude*
3. Elle est en rendez-vous extérieur cet après-midi.
4. Elle ne travaille pas le mercredi après-midi.
5. Je prends toujours mes congés en août.
6. En octobre, le PDG va à Tokyo pour signer le contrat.
7. En été, c'est très calme dans notre service.

## D. Complétez le tableau ci-dessous.

| Moment unique | Habitude | Moment unique *ou* habitude |
|---|---|---|
| Ø vendredi | *le* dimanche | *en* janvier |
| ............ soir | ............ matin | ............ été |
| ............ après-midi | ............ après-midi | ............ printemps |
| ............ semaine | ............ week-end | ............ Noël |

## E. Travaillez en tandem. Quand (dans la journée, dans la semaine, dans l'année) avez-vous beaucoup de travail ? Quand est-ce que c'est très calme dans votre secteur ? Posez des questions à votre partenaire puis changez les rôles.

**A :** *Quand est-ce que vous avez beaucoup de travail dans la journée ?*

**B :** *J'ai beaucoup de travail le matin.*

**B :** *Quand est-ce que c'est très calme dans votre secteur ?*

**A :** *En été et à Noël, c'est très calme dans mon secteur.*

## Lire
### *Raconter une journée type*

## A. Lisez l'article. Répondez aux questions.

# Une journée avec Paul Chémama

Paul Chémama est directeur national des ventes chez Altadis, le cigarettier franco-espagnol. Le matin, il quitte sa maison à sept heures et demie. Dans la voiture, il passe deux ou trois coups de fil.
5 À huit heures et demie, il arrive au siège à Paris. Il consulte sa messagerie et l'intranet de l'entreprise. Il prend un café, le temps de discuter avec son directeur commercial. À neuf heures et quart, il va saluer les membres des services commercial et
10 marketing. C'est l'occasion pour lui d'identifier les problèmes à régler dans la journée. Puis il est en rendez-vous avec des clients ou répond au téléphone. Ses collaborateurs viennent dans son bureau pour traiter de questions urgentes.
15 À une heure moins le quart, il va manger à la cantine avec des collègues d'autres services. Avec des clients, il préfère déjeuner dans un restaurant du quartier. Ce sont toujours des déjeuners sans alcool. L'après-midi, nouvelles réunions avec des clients ou
20 ses commerciaux. Le soir, il part du bureau à sept heures et est à la maison vers huit heures et demie. Le week-end, Paul Chémama pratique le golf. Sa destination de vacances préférée ? Marrakech. « *Cette ville me fascine. J'aime les gens, la ville,*
25 *ses rues… et ses golfs !* »

Source : article de Anne-Françoise RABAUD,
*Action commerciale*, n° 256, octobre 2005.

**À quelle heure Paul Chémama…**

1. part-il de la maison ?     2. arrive-t-il au bureau ?     3. va-t-il déjeuner ?     4. quitte-t-il le bureau ?

**B.** Les affirmations suivantes sont-elles vraies ou fausses ?

1. Paul Chémama est directeur commercial. ——→ *faux*
2. Dans la voiture, il écoute la radio.
3. Il va dans les bureaux pour dire bonjour et discuter.
4. Ses collaborateurs viennent dans son bureau pour dire bonjour.
5. Avec les clients, il déjeune dans le restaurant d'entreprise.
6. Il passe ses vacances au Maroc.

**C.** Associez les mots de la colonne de gauche et les mots de la colonne de droite.

| | | | |
|---|---|---|---|
| 1. | consulter | a. | au téléphone |
| 2. | pratiquer | b. | un coup de fil |
| 3. | prendre | c. | la messagerie |
| 4. | passer | d. | un café |
| 5. | répondre | e. | le golf |

**D.** Complétez les phrases. Employez les mots de l'encadré.

au – dans – pars – part – vais – vers

1. Je *pars* de la maison à sept heures.
2. J'arrive _____ bureau à huit heures.
3. Tu viens prendre un café _____ mon bureau ?
4. À midi, je _____ manger à la cantine.
5. Je quitte le boulot _____ quatre heures.
6. Elle _____ du bureau à six heures.

**E.** Travaillez en tandem. Racontez une journée type à votre partenaire.

*Je quitte la maison à…*
*J'arrive au bureau / à l'école à…*
*Je prends un café à…*

---

## Point de langue 1
### *présent ;* quand ? ; qu'est-ce qui ?

Grammaire p. 114-115

- **On emploie le présent pour exprimer un moment actuel ou une habitude.**
  *Qu'est-ce que vous faites [maintenant / aujourd'hui / actuellement / en ce moment / etc.] ?*
  *Qu'est-ce que vous faites le lundi / le week-end / le soir / etc. ?*

- **Pour demander une information sur le temps ou l'heure, on emploie *quand* ou *quel(le)*.**
  *Quand partez-vous à Karachi ?*
  *On est quel jour aujourd'hui ?*
  *Vous arrivez au bureau à quelle heure ?*

- **Pour demander d'identifier une attitude ou un objet, on emploie souvent *qu'est-ce qui*.**
  *Qu'est-ce qui est important pour Carlos Ghosn ?*
  *Qu'est-ce qui a un moteur et quatre roues ?*

**A.** Un journaliste interroge Dave Stevenson sur sa journée type. Complétez l'interview. Employez les verbes de l'encadré.

me lève – fais – es – arrive – déjeunes
– vas – fait – est – passe – prends

– Dave, tu *es* australien, directeur marketing Europe dans une société de matériel de glisse.

– C'est exact. Mon département est basé à Lacanau sur l'océan Atlantique.

– Quelle ___1___ ta journée type ?

– Ça dépend. Si les conditions sont bonnes, je / j' ___2___ pour faire une session de surf devant la maison. Sinon, je / j ___3___ au bureau entre neuf heures et demie et dix heures.

– Tu ___4___ à pied au boulot ?

– Non, je / j' ___5___ la voiture. Je / J' ___6___ une heure à traiter mes courriels. Puis c'est la routine : réunions, rendez-vous, problèmes de budget à régler, organisation de compétitions ou de voyages d'affaires, etc.

– Tu ___7___ à quelle heure ?

– Je / J' ___8___ la pause déjeuner entre midi et demi et deux heures. Si les conditions sont bonnes, on ___9___ une session de surf entre collègues du département.

**B.** Complétez le texte sur Leila Derrar. Utilisez la forme appropriée des verbes entre parenthèses.

Je *m'appelle* (*s'appeler*) Leila Derrar. Je ___1___ (*être*) ingénieure et docteure en informatique. Je ___2___ (*travailler*) comme directrice technique chez un éditeur de logiciels. Mon mari et moi, nous ___3___ (*habiter*) à Grenoble. Il ___4___ (*être*) chercheur dans un centre de recherches. Le matin, il ___5___ (*prendre*) la voiture et moi je ___6___ (*aller*) au travail en tram. Les enfants ___7___ (*aller*) au lycée à huit heures et ___8___ (*revenir*) à la maison dans l'après-midi. Le week-end, nous ___9___ (*aller*) faire de la marche ou du ski dans les Alpes. Les enfants ___10___ (*faire*) aussi du parapente.

**C.** Travaillez en tandem. Posez des questions sur Leila Derrar (exercice B) à votre partenaire. Changez les rôles.

**A :** *Quelle est sa formation ?*
**B :** *Elle est ingénieure et docteure en informatique.*

**B :** *Qu'est-ce qu'elle fait actuellement ?*
**A :** *Elle travaille comme...*

**D.** Écrivez un paragraphe sur vous-même d'après le modèle de l'exercice B.

## Vocabulaire 2
*Temps libre, loisirs*

**A.** Associez les activités sportives et les photos.

1. faire du vélo – 2. faire de la natation – 3. faire de l'escrime

 a
 b
 c

**B.** Complétez les expressions avec les verbes de l'encadré.

| aller – aller courir – écouter – faire – jouer – lire – regarder – sortir |
|---|

1. *sortir* avec des amis
2. _____ un magazine technique
3. _____ au golf
4. _____ dans un parc
5. _____ la télévision / un DVD
6. _____ au cinéma
7. _____ la cuisine
8. _____ de la musique

**C.** **Parlez de vos activités de temps libre. Employez les verbes de l'encadré 1 et les expressions de temps de l'encadré 2.**

*J'aime bien aller courir dans un parc le matin.*
*Je n'aime pas regarder la télévision le dimanche soir.*

> **1.** j'aime
> j'aime bien
> je n'aime pas
> je n'aime pas du tout

> **2.** le matin / l'après-midi / le soir
> le vendredi soir / le dimanche matin
> en semaine / le week-end
> en été / en hiver
> en février / en août

## Point de langue 2
### Expressions de temps et de fréquence

**Grammaire p. 115**

- On place les moments de la journée, les jours de la semaine, les mois, les années au début ou à la fin de la phrase.

  *En ce moment, j'ai beaucoup de travail.*   **ou**   *J'ai beaucoup de travail en ce moment.*
  *Une fois par semaine, elle fait de la gym.*   **ou**   *Elle fait de la gym une fois par semaine.*

- On place les expressions de fréquence après le verbe.

  *Je voyage souvent à Canton.*
  *J'ai toujours beaucoup de travail.*
  *Il n'est jamais au bureau avant neuf heures et demie.*

- Parfois, pour insister sur la fréquence, on place ces expressions au début de la phrase.

  *D'habitude, elle voyage en avion. Mais aujourd'hui, elle prend le train.*

- Expressions de fréquence :

  | [ne / n'…] jamais | rarement | parfois | souvent | d'habitude | toujours |
  
  0 % ——————————————————————————————————————————➤ 100 %

**A.** **Reconstituez les phrases suivantes.**

1. consulte / matin. / Il / sa / toujours / le / messagerie ——➤ *Il consulte toujours sa messagerie le matin.*
2. souvent / L'après-midi, / rendez-vous / à / en / l'extérieur. / est / elle
3. restaurant / parfois / un / Est-ce que / déjeuner / allez / dans / ? / vous
4. pause déjeuner / de / une heure et quart. / font / leur / D'habitude, / midi et demi / ils / à
5. commencent / réunions / prévue. / ne / Les / à / jamais / l'heure
6. rarement / fait / des / On / l'après-midi. / réunions

**B.** **Complétez les expressions de fréquence. Employez les mots de l'encadré.**

> chaque – deux – fois – samedi – temps – tous

1. *tous* les soirs
2. _____ vendredi
3. toutes les _____ semaines
4. un _____ sur trois
5. deux _____ par an
6. de _____ en temps

**C.** Lisez les couples de phrases.
Choisissez le mot approprié pour obtenir deux phrases de même sens.

1. a. Chaque jour, elle met une heure pour aller au travail.
   b. Elle met *souvent / toujours* une heure pour aller au travail.
2. a. Un soir par semaine, il rentre tard à la maison.
   b. Il rentre *d'habitude / parfois* tard à la maison.
3. a. Elle déjeune peut-être une fois par mois à la cantine.
   b. Elle déjeune *parfois / rarement* à la cantine.
4. a. Elle travaille quatre jours par semaine, elle n'est pas là le mercredi.
   b. Elle *ne travaille jamais / travaille rarement* le mercredi.
5. a. Pour aller en France, il prend le TGV. Sinon, il voyage en avion.
   b. Il voyage *d'habitude / toujours* en avion.
6. a. En haute saison, elle travaille un samedi sur trois.
   b. Elle travaille *parfois / toujours* le samedi.

**D.** Un enquêteur interroge trois personnes (Thomas, Panagiota et Cristina) sur leur journée type. Écoutez et complétez le tableau.

|  | Thomas Danois | Panagiota Grecque | Cristina Chilienne |
|---|---|---|---|
| 1. Qu'est-ce que vous faites quand vous arrivez au travail ? | *consulte les mails, fait le tri* |  |  |
| 2. Où est-ce que vous prenez votre déjeuner ? |  |  |  |
| 3. Est-ce que vous êtes souvent en déplacement ? |  |  |  |

**E.** Travaillez en tandem. Posez les questions de l'exercice D à votre partenaire. Changez les rôles.

**F.** Travaillez en tandem. Posez les questions à votre partenaire. Imaginez d'autres questions. Puis changez les rôles.

Est-ce que…
1. vous mangez toujours à la cantine ?
2. vous faites parfois la sieste ?
3. vous allez parfois au cinéma ?
4. vous êtes toujours en costume / tailleur ?
5. vous prenez parfois le vélo pour aller au travail ?
6. vous lisez parfois une revue ?
7. vous travaillez souvent tard le soir ?
8. vous ne faites jamais de sport le week-end ?

## Gammes
### Parler de son travail, de ses loisirs

**A.** Associez les questions (colonne de gauche) et les réponses (colonne de droite).

1. Qu'est-ce qui est important pour vous dans le travail ?
2. Qu'est-ce que vous appréciez dans votre travail ?
3. Est-ce que vous portez un badge dans votre entreprise ?
4. Quand est-ce que vous prenez des congés ?
5. Combien d'heures est-ce que vous travaillez par semaine ?

a. Oui, toujours.
b. Ça dépend. En haute saison, je ne compte jamais mes heures.
c. Les bureaux sont modernes et j'ai des collègues sympathiques.
d. Avoir des responsabilités et un bon salaire.
e. Généralement, en août et à Noël.

**B.** Travaillez en tandem. Posez les questions de l'exercice A, page 23, à votre partenaire. Changez les rôles.

**C.** Complétez le texte. Employez les mots de l'encadré. Puis écoutez le dialogue et vérifiez les réponses.

8

> du tout – faire – passionnée – plaît – beaucoup

BORIS : Qu'est-ce que tu fais comme sport le week-end ?
AUDREY : Je suis une *passionnée* de montagne. J'aime bien
  ___1___ de l'escalade. Ce qui me ___2___ surtout,
  c'est le silence de la montagne. Je déstresse. Et puis,
  si les conditions sont bonnes, j'aime ___3___ faire
  du parapente. Par contre, les sports d'équipe comme
  le foot ou le basket, je n'aime pas ___4___ !

**D.** Travaillez en tandem. Qu'est-ce qui vous plaît ou vous déplaît dans votre travail ou dans vos études ? Discutez avec votre partenaire. Employez des expressions à connaître.

*J'aime beaucoup le contact avec les clients mais je n'aime pas écrire des rapports.*
*J'apprécie mon chef / mes collègues. Par contre, je n'apprécie pas les heures supplémentaires.*

**E.** Travaillez en tandem. Qu'est-ce que vous faites pendant votre temps libre ? Posez des questions à votre partenaire puis changez les rôles. Employez des expressions à connaître.

*— Qu'est-ce que vous faites le week-end ?*        *— Je sors souvent avec des amis.*
                                                    *— D'habitude, je fais le taxi pour mes quatre enfants.*

.... **Expressions à connaître** ........................................................

**Poser des questions**
Qu'est-ce que vous faites pendant votre temps libre / vos loisirs ?
              le week-end ?
              après le travail ?
              comme sport ?
              le soir ?

Qu'est-ce que tu fais pendant ton temps libre / tes loisirs ?

– Est-ce que vous regardez la télé ?          – Oui, je regarde d'habitude les informations.
              jouez au tennis ?               – Oui, parfois / souvent.
              faites du sport ?               – Rarement.
              allez au cinéma ?               – Non, jamais.
              prenez des vacances ?

– Quand regardez-vous la télé ?               – J'aime bien regarder la télé le soir.

**Exprimer un intérêt ou une appréciation**
J'aime [bien / beaucoup]…                     Je n'aime [pas du tout]…
J'apprécie [beaucoup]…                        Je n'apprécie pas [beaucoup]…
Je suis un(e) passionné(e) de…

# Étude de cas
## Enquête au cabinet Viola

## Contexte

Le cabinet Viola SA est un cabinet d'audit qui certifie les comptes de sociétés cotées en bourse. Le siège est à Paris, dans le quartier de La Défense. Les affaires marchent bien. Mais l'ambiance de travail n'est pas bonne : les bureaux ne sont pas agréables, le travail est routinier, les employés sont débordés, ils ne comptent pas leurs heures, ils quittent l'entreprise après deux ou trois ans.

Les dirigeants du cabinet souhaitent changer l'ambiance de travail. Le département des ressources humaines (RH) est chargé de faire une enquête auprès du personnel. Il interroge un hôte d'accueil, un stagiaire, un assistant (un junior) et un directeur de mission (un manager).

## Tâche

1. Travaillez en tandem. L'étudiant(e) A est RH et pose des questions : voir page 112. L'étudiant(e) B est employé(e) : voir page 109. Choisissez un rôle, lisez la fiche et préparez l'entretien.

2. Jouez le dialogue.

3. Formez deux groupes : le groupe des RH et le groupe des employés. Listez les problèmes et décidez quels sont les problèmes importants.

4. Discutez en grand groupe : trois changements dans les conditions de travail du cabinet Viola sont possibles. Quels changements choisissez-vous ?

Écrits p. 151

## Écrire

Écrivez une liste des changements souhaités sous forme de liste des tâches avec planning.

# Bilan ②

## Activité 1

Pour connaître ses collaborateurs, le nouveau directeur général souhaite proposer une enquête. Pour chaque employé, il veut connaître :
- les jours travaillés ;
- les heures d'arrivée, de départ du bureau, des pauses-déjeuner ;
- les moments habituels des réunions (matin/après-midi) ;
- les périodes de l'année calmes ;
- les sports pratiqués ;
- les magazines professionnels lus.

Il vous demande de réaliser un questionnaire pour collecter ces informations. Rédigez les questions :
*Quels jours travaillez-vous ?...*
Vous pouvez utiliser des outils linguistiques comme : *quel(le)(s) / qu'est-ce que / d'habitude / quand...*

## Activité 2

Vous êtes l'assistant(e) de madame Cardy. Elle a reçu un questionnaire d'un institut de statistiques : il mène une étude européenne sur l'emploi du temps des cadres.

### Questionnaire de l'INSTAT, institut des statistiques

**1** À quelle heure commencez-vous la journée de travail en général ? ................
**2** Quand la terminez-vous d'habitude ? ................
**3** En un mois, combien de jours partez-vous en déplacements professionnels ? ................
**4** Suivez-vous souvent des formations ? ................
**5** Assistez-vous souvent à des réunions ? ................
**6** Faites-vous souvent du sport ? ................
**7** Allez-vous souvent au restaurant dans le cadre de votre travail ? ................
**8** Avez-vous pris des jours de congés ce mois-ci ? Combien ? ................

Madame Cardy vous demande de répondre à ce questionnaire. Voici son emploi du temps :

| lundi | mardi | mercredi | jeudi | vendredi |
|---|---|---|---|---|
| 30 octobre | 31 | 1er novembre | 2<br>9 h : Entretien nouveau stagiaire | 3<br>8 h 30 : Réunion asso sportive<br>18 h 30 : golf |
| 6 | 7<br>8 h - 18 h : Formation sur la gestion d'équipe | 8 | 9<br>10 h : réunion de service<br>18 h : départ du bureau | 10<br>18 h 30 : golf |
| 13<br>Jour de congé | 14 | 15<br>Déplacement professionnel à Madrid | 16 | 17<br>18 h 30 : golf |
| 20<br>9 h : Réunion projet ZIG<br>18 h : départ du bureau | 21<br>18 h : départ du bureau | 22<br>Premier bilan stagiaire<br>18 h : départ du bureau | 23<br>10 h : réunion de service<br>18 h : départ du bureau | 24<br>18 h 30 : golf |
| 27<br>18 h : départ du bureau | 28<br>8 h 30 : Réunion DG<br>18 h : départ du bureau | 29<br>18 h : départ du bureau | 30<br>18 h : départ du bureau | 1er décembre |

## Activité 3

 Jeu de rôles en tandem : chaque partenaire remplit (sans le montrer à l'autre) son emploi du temps d'une semaine-type et laisse deux demi-journées libres.

**Situation :** Vous êtes de nouveaux collègues. Vous devez travailler, deux fois par semaine, sur un projet commun. Vous vous téléphonez (installez-vous dos à dos pour simuler la conversation téléphonique) pour vous **donner rendez-vous** : respectez les impératifs horaires de chacun.
Vous pouvez utiliser des questions comme :
*Est-ce que tu es libre le lundi ?,*
*Qu'est-ce que tu fais le jeudi ?...*

| | lundi | mardi | mercredi | jeudi | vendredi |
|---|---|---|---|---|---|
| matin | | | | | |
| après-midi | | | | | |

# Unité **3** Traiter un problème

**É**tude de cas
Au service qualité de Komcheswa

**A.** **Associez les phrases pour préciser le problème.**

1. La facture n'est pas correcte.
2. Pas de café ce matin.
3. L'avion n'est toujours pas arrivé.
4. Mon téléphone portable ne marche plus.
5. L'envoi n'est pas complet.
6. On ne peut pas télécharger le logiciel.

a. Il est cassé.
b. Le site est en travaux.
c. Il y a une erreur.
d. Le distributeur est en panne.
e. Il est en retard.
f. Il n'y a pas le mode d'emploi dans le paquet.

**B.** **Écoutez les cinq messages enregistrés.**
**Identifiez le produit et le problème.**

9

| Produit | Problème |
|---------|----------|
| 1. *un lecteur de DVD portable* | *La batterie ne marche pas.* |
| 2. | |
| 3. | |
| 4. | |
| 5. | |

## Vocabulaire
*Caractériser avec un adjectif*

**A.** **Complétez les phrases. Choisissez le mot approprié.**

1. Je voudrais une chambre (calme) / facile / propre avec vue sur la mer.
2. J'aimerais louer une voiture *difficile* / *moderne* / *rapide* pour ce voyage à Genève.
3. Vous appuyez sur ce bouton et ça marche. L'appareil est d'une utilisation *moderne* / *simple* / *sympathique*.
4. Vous avez un climat très *facile* / *humide* / *tranquille* en Guyane, non ?
5. C'est une personne *désagréable* / *sale* / *sombre* ; je n'aime pas travailler avec elle.

**B.** **Complétez les deux colonnes de gauche, puis les deux colonnes de droite. Ensuite, associez les contraires.**

| ♀ | ♂ | | | ♂ | ♀ |
|---|---|---|---|---|---|
| *grande* | grand | 1 | a | *froid* | froide |
| calme | ............ | 2 | b | mauvais | ............ |
| ............ | chaud | 3 | c | ............ | élevée |
| molle | ............ | 4 | d | rapide | ............ |
| ............ | doux | 5 | e | ............ | petite |
| fine | ............ | 6 | f | court | ............ |
| ............ | lent | 7 | g | ............ | sèche |
| bonne | ............ | 8 | h | léger | ............ |
| ............ | long | 9 | i | ............ | sûre |
| lourde | ............ | 10 | j | épais | ............ |
| ............ | bas | 11 | k | ............ | dure |
| dangereuse | ............ | 12 | l | bruyant | ............ |

## C. Complétez le texte avec les mots de l'encadré.

petits et grands – ~~bonne~~ – grand – petite – jeunes – belle – longue

Le matin, je mets une *bonne* heure pour aller au travail. J'ai un _____1_____ bureau avec une _____2_____ vue sur un parc.
Je travaille avec des _____3_____ consultants sur un projet important. Une fois par semaine, nous faisons une _____4_____
réunion sur les _____5_____ problèmes à régler. À midi, je prends une _____6_____ heure pour déjeuner.

## D. Reconstituez les deux textes. Ce sont deux textes avec des thèmes différents.

Texte 1 : *À la maison, ...*
Texte 2 : *Dans le quartier de Ginza...*

j'ai un vieil / le siège de Nissan / ordinateur, tout neuf et rapide. / à Tokyo, / ~~À la maison,~~ / immeuble, très moderne. /
~~Dans le quartier de Ginza~~ / est partagé entre deux bâtiments : / il y a l'ancien immeuble, / souhaitent un nouvel /
un peu vieux, / Les enfants / ordinateur. Il est très lent. / et le nouvel

## E. Observez les phrases suivantes.

*Le quartier est **assez** calme. Il n'est pas **trop** bruyant.*
*La salle n'est pas **assez** grande. Elle est **trop** petite.*
*Ces vins blancs sont **assez** doux. Ils ne sont pas **trop** secs.*
*Les valises ne sont pas **assez** légères. Elles sont **trop** lourdes.*

### Faites des phrases. Employez *assez* ou *trop* avec les adjectifs de l'exercice B, en bas de la page 28.

1. Je n'aime pas le lit à l'hôtel. (*assez / trop*)
   *Il n'est pas assez dur. Il est trop mou.*
2. Vous pouvez visiter ce quartier de la ville. (*assez*)
3. Prenez les transports en commun pour aller à l'aéroport. (*assez / trop*)
4. Je pense qu'elle touche un bon salaire. (*assez*)
5. Les réunions durent parfois quatre heures. (*assez*)
6. Pour la plaquette publicitaire, ne prenez pas ce papier. (*trop / assez*)
7. Je n'aime pas l'ambiance au travail en ce moment. (*trop*)
8. Je ne peux pas manger cette pizza. (*assez*)

## Lire
### *Problèmes d'entreprise*

## A. Quatre personnes répondent à la question : « Citez un problème particulier à votre entreprise ». Lisez les réponses.

**1** « Nous travaillons dans un vieil immeuble au centre-ville. Les murs ne sont pas épais et les fenêtres pas isolées. On entend les collègues qui répondent au téléphone et les bruits de la rue. J'ai des difficultés à me concentrer. C'est le stress total ! Mais au printemps, on déménage à la campagne.»

**2** « En ce moment, on fusionne avec une autre entreprise et ça ne marche pas très bien. Les équipes sont démotivées. Il y a des gens qui partent. Moi, j'attends le nouvel organigramme pour prendre une décision. »

**3** « Les affaires marchent bien chez nous. Les clients sont contents. Le seul problème, c'est le département des ressources humaines. Il n'est pas très efficace. On aimerait davantage de formations, mais l'offre n'est pas intéressante. »

**4** « J'ai un gros problème de trésorerie en ce moment. L'argent sort mais ne rentre pas. Je cherche des investisseurs d'accord pour mettre de l'argent dans mon entreprise. »

**B.** Associez les réponses 1 à 4 de l'exercice A, page 29, et les titres ci-dessous.

a. Problème d'efficacité ⟶ 3

c. Problème financier

b. Problème de locaux

d. Problème de réorganisation

**C.** Relisez les réponses de l'exercice A, page 29. Quels mots ou expressions correspondent aux définitions suivantes ?

1. sans protection contre le bruit ❶ ⟶ *pas isolées*
2. changer de maison, d'adresse ❶
3. deux entreprises différentes forment une seule entreprise ❷
4. quand une personne n'aime plus son travail, elle est… ❷
5. tableau de l'organisation d'une entreprise ❷
6. quand une personne fait bien son travail, elle est… ❸
7. séminaire pour améliorer ses compétences ❸
8. argent disponible dans la caisse de l'entreprise ❹
9. personne extérieure qui apporte de l'argent à une entreprise ❹
10. quand une personne accepte une proposition, elle est… ❹

**D.** Choisissez une ville ou un pays. Quels sont les problèmes de cette ville, de ce pays ?

• circulation automobile, transports en commun
• vie chère, logement
• pollution, climat, bruit
• autres ?

Lexique p. 137-138

# Point de langue 1
## c'est, ce sont ; il y a

Grammaire p. 115

• **Pour demander d'identifier un objet, on pose la question :** *qu'est-ce que c'est [, ça] ?*
– *Qu'est-ce que c'est [, ça] ?*
– *C'est une clé USB. / Ça, ce sont mes clubs de golf. / C'est la commande de ramettes de papier qui est arrivée.*

• **Pour demander de confirmer l'identité d'une personne ou la désignation d'un objet, on pose la question avec** *[est-ce que] c'est / ce sont…*
– *[Est-ce que] c'est notre nouveau manageur ? – Oui, c'est lui. / Non, ce n'est pas lui.*
– *[Est-ce que] ce sont les photos de tes vacances ?*

• **Pour constater la présence ou l'absence d'une personne, d'un objet, d'un fait, on emploie** *il y a* **prononcé** [ilja].
*Il y a trois personnes dans ce bureau.*
– *Qu'est-ce qu'il y a dans votre sac ? – Il y a mon ordinateur portable, c'est tout.*
– *Il y a un problème ? – Non, il n'y a pas de problème.*
*Y a-t-il une cantine dans votre entreprise ?*

• **Souvent, quand on parle,** *il y a* **devient** *y a* **prononcé** [ja].

**A.** Paulin présente le lieu où il travaille à son ami Kevin. Écoutez le dialogue. Associez les images 1 à 5 et les mots a à e.

**❶**  **❷**  **❸**  **❹**  **❺**

| 4 | | | Paulin PUJOL | DIRECTION |

a. ici : *4*    b. là : _____    c. ça ? : _____    d. là-bas : _____    e. au bout du couloir : _____

## B. Complétez le dialogue.
### Réécoutez et vérifiez vos réponses.

**10**

PAULIN : Ici, c'est mon bureau. Là, c'est le bureau de notre
*manageur.*
KEVIN : Et ça, qu'est-ce que c'est ?
PAULIN : C'est le ___1___ pour les serveurs informatiques.
KEVIN : Et là-bas, ce ___2___ les toilettes ?
PAULIN : Oui, c'est ça.
KEVIN : Et la ___3___ au bout du couloir ?
PAULIN : ___4___ la sortie de secours.

## C. Travaillez en tandem. Parlez de ces deux entreprises.

*Dans l'entreprise X, il y a des bureaux paysagers.*
*Dans l'entreprise Z, il n'y a pas de salle de détente.*

| ENTREPRISE X | ENTREPRISE Z |
|---|---|
| bureaux paysagers : oui | salle de détente : non |
| espace fumeurs : non | bureaux individuels : oui |
| salle de sports : oui | ascenseur : non |
| crèche d'entreprise : non | photos sur les murs : oui |
| cantine : oui | cantine : non |
| fontaines d'eau dans les couloirs : oui | machine à café dans le couloir : oui |
| ascenseur : oui | climatisation : non |
| parking : non | photocopieuse dans le couloir : oui |

## D. Travaillez en tandem. Répondez aux questions suivantes.

1. Quelle entreprise de l'exercice C préférez-vous ?
2. Parlez de votre lieu de travail (bureau ou école).

Lexique p. 135

## Point de langue 2
### *Négations*

Grammaire p. 116

- **la fréquence :**
  *Elle n'est pas souvent au bureau. = Elle est rarement au bureau.*

- **un état actuel :**
  *– Mon portable ne marche plus.   – C'est un problème de batterie ?   – Non, il est cassé.*
  *Nous ne livrons plus cette référence. Le stock est épuisé.*
  **Comparez avec les deux phrases suivantes :**
  *Votre téléphone marche encore ? Il n'est pas cassé ?*
  *Nous livrons toujours cette référence. Le stock n'est pas épuisé.*

- **l'instant présent :**
  *– Le client n'est pas encore là ?   – Non, son avion est en retard.*
  *La machine à café ne marche toujours pas. Le technicien vient quand pour [faire] la réparation ?*
  **Comparez avec la phrase suivante :**
  *– Le client est déjà là ?   – Oui, il est en avance (pour son rendez-vous).*

- **un ensemble avec une exception :**
  *Il n'aime que le contact avec le client. = Il n'aime pas écrire des rapports.*
  *Elle ne va courir que le week-end. = Elle ne va pas courir en semaine.*
  *Il ne joue qu'au tennis. = Il ne pratique pas d'autres sports.*
  **On emploie aussi** *seulement : Je joue seulement au football. C'est tout.*

**A.** Observez les couples de phrases. Quelle phrase, a ou b, correspond à la phrase de droite ?

| | |
|---|---|
| 1. a. Ils ne font que ce produit. <br> b. Ils ne font plus ce produit. | C'est une entreprise monoproduit. |
| 2. a. L'imprimante ne fonctionne pas toujours. <br> b. L'imprimante ne fonctionne toujours pas. | L'appareil marche de temps en temps. |
| 3. a. Nous prenons toujours le métro. <br> b. Nous prenons rarement le métro. | Nous utilisons souvent la voiture. |
| 4. a. Tu es encore au bureau ? <br> b. Tu es déjà au bureau ? | Tu travailles tôt ce matin ! |
| 5. a. Je suis toujours dans l'avion. <br> b. Je voyage toujours en avion. | L'avion est bloqué sur la piste d'arrivée. |

**B.** Travaillez en tandem. Associez les questions et les réponses.

1. Vous rentrez tard ce soir ?
2. Vous faites encore le marathon de New York ?
3. Vous n'habitez qu'à cinq minutes de votre travail ?!
4. Comment est l'ambiance dans ta boîte ?
5. Tu pars déjà ?
6. Il n'y a toujours pas de climatisation dans les bureaux ?

a. Oh, elle n'est pas toujours bonne.
b. Non, pas encore. J'ai une réunion dans l'autre immeuble.
c. Oui, j'ai encore un dossier urgent à traiter.
d. Non, je n'ai plus le temps.
e. Si, mais elle ne marche pas bien.
f. Eh oui, je vais à pied au bureau.

**C.** Travaillez en tandem. Posez les questions, votre partenaire répond. Puis changez les rôles. Étudiant(e) A : voir page 107. Étudiant(e) B : voir page 108.

1. comment / aller / au travail ?
   → *Vous allez au travail comment ?*
   *Comment est-ce que vous allez au travail ?*
   *Comment allez-vous au travail ?*
2. quand / finir / journée de travail ?
3. combien de temps / mettre / pour déjeuner ?
4. que / faire / le week-end ?
5. où / mettre / téléphone portable ?

**D.** Formez des questions avec *est-ce que…* Puis travaillez en tandem. Posez les questions à votre partenaire. Changez les rôles.

**A :** *Où est-ce que vous voyagez à l'étranger ?*
**B :** *Je voyage souvent en Tunisie, parfois à l'île Maurice.*

1. Où voyagez-vous à l'étranger ?
2. Qui est votre supérieur hiérarchique ?
3. Quand consultez-vous votre messagerie ?
4. Qu'y a-t-il dans votre poche / votre sac ?
5. Comment allez-vous à l'aéroport ?
6. Combien de personnes y a-t-il dans votre service ?
7. Pourquoi ne travaille-t-on pas le 1er janvier ?

# Gammes

## *Traiter un problème au téléphone*

**A.** Écoutez les quatre appels téléphoniques.
**11** Associez les problèmes a à f et les appels 1 à 4.
Dans certains appels, il y a deux problèmes.

a. Le poste est occupé.
b. Il n'y a pas de guide de l'utilisateur.
c. La climatisation est en panne.
d. La messagerie et Internet ne fonctionnent plus. ——→ 1
e. Le lecteur DVD ne lit pas les disques.
f. Le nouveau copieur ne marche pas correctement.

**B.** Réécoutez les appels téléphoniques et complétez les phrases.
**11**

1. Je vous *appelle* au sujet de notre messagerie et d'internet.
2. Est-ce qu'un technicien ............. passer chez vous cet après-midi ?
3. – Je suis désolée mais son poste est occupé. .............-vous patienter ?
   – Mmm, non. Peut-elle me ............. ?
4. Il ne lit pas les disques et il ............. de guide de l'utilisateur dans le carton.

**C.** Observez les expressions à connaître ci-dessous. Écoutez l'appel téléphonique.
**12** Repérez les expressions que vous entendez.

> ### Expressions à connaître
>
> **Se présenter au téléphone**
> Bruno Dumont, service maintenance, bonjour.
> Que puis-je faire pour vous ?
> Cathy Huang à votre service, bonjour.
> Denise Veyron à l'appareil, bonjour.
>
> **Demander le correspondant**
> Je souhaite / voudrais parler à Saskia
> Wattez, s'il vous plaît.
> Peut-il / elle me rappeler ?
>
> **Demander des précisions**
> De quoi s'agit-il ? je vous écoute.
> Quelle est la nature de l'incident ?
> Quel est le problème exactement ?
>
> **Constater un problème**
> Je vous appelle au sujet de / à propos de…
> Nous avons un problème avec…
> Il y a un problème.
>
> **S'excuser**
> Je suis [vraiment] désolé(e).
> Je vous prie de nous excuser pour…
> Pardon. / Excusez-moi.
>
> **Donner des précisions**
> La connexion ne fonctionne plus.
> Il y a une erreur dans…
> Il n'y a pas de…
>
> **Exprimer son accord**
> D'accord / Entendu.
>
> **Proposer une solution**
> Nous remboursons le montant.
> Nous faisons un nouvel envoi.
> Je fais le nécessaire et je vous rappelle.
>
> **Refuser**
> Je regrette mais…
>
> **Répondre**
> À votre service.
> Je vous en prie. / De rien.
>
> **Dire merci**
> Merci [beaucoup].
> Je vous remercie de…

**D.** Travaillez en tandem. L'étudiant(e) A est responsable du service commercial : voir page 112.
L'étudiant(e) B joue le rôle du client : voir page 111. Lisez votre fiche. Employez des expressions
à connaître.

# Étude de cas
## Au service qualité de Komcheswa

Komcheswa propose des maisons meublées et équipées aux cadres dirigeants, chercheurs, ingénieurs d'entreprises internationales. Ces personnes viennent avec leur famille pour trois mois, six mois, un an ou davantage. Dans les maisons de Komcheswa, on a le sentiment d'être comme chez soi.

Page « Nos prestations » de Komcheswa sur Internet :

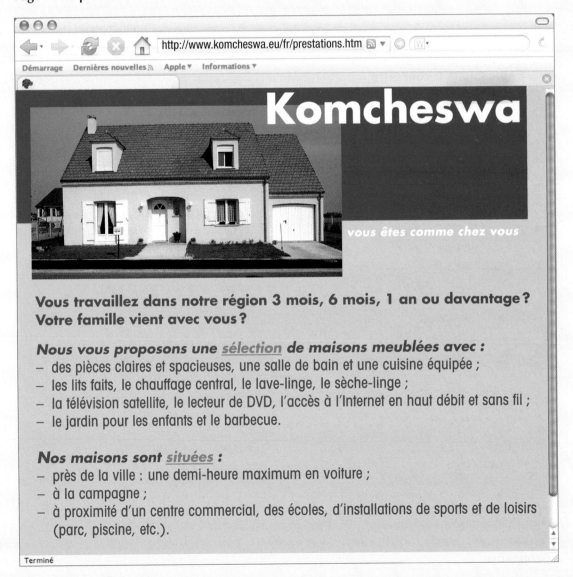

## Komcheswa

*vous êtes comme chez vous*

**Vous travaillez dans notre région 3 mois, 6 mois, 1 an ou davantage ?
Votre famille vient avec vous ?**

*Nous vous proposons une <u>sélection</u> de maisons meublées avec :*
- des pièces claires et spacieuses, une salle de bain et une cuisine équipée ;
- les lits faits, le chauffage central, le lave-linge, le sèche-linge ;
- la télévision satellite, le lecteur de DVD, l'accès à l'Internet en haut débit et sans fil ;
- le jardin pour les enfants et le barbecue.

*Nos maisons sont <u>situées</u> :*
- près de la ville : une demi-heure maximum en voiture ;
- à la campagne ;
- à proximité d'un centre commercial, des écoles, d'installations de sports et de loisirs (parc, piscine, etc.).

## Problèmes de qualité

Les prestations de Komcheswa ne sont pas bonnes
en ce moment. Lisez les remarques des clients ci-dessous.

- **pièces :** *petit salon, chambres sombres* .....................
- **lits :** *trop mous, pas assez durs* .....................
- **eau chaude :** *pas toujours !*
- **jardin :** *toujours humide, pas agréable, pas de jeux pour les enfants*
- **campagne ?** *pas calme, autoroute à côté de la maison*
- **piscine :** *fermée, en travaux* .....................
- **crèche ?** *pas à proximité* .....................
- **centre commercial ?** *non, seulement supermarché* .....................

## Tâche

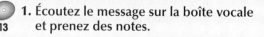 Travaillez en tandem.

**1.** Vous êtes client(e) de Komcheswa. Comparez avec les arguments de la page internet.
*Dans ma maison, le salon est petit. Ce n'est pas un endroit calme. Il y a une autoroute à côté de la maison.*

**2.** L'étudiant(e) A travaille comme employé(e) à l'agence Komcheswa de Genève : voir page 109. L'étudiant(e) B est un client mécontent de Komcheswa : voir page 107. Lisez votre fiche. Puis jouez le dialogue au téléphone.

Écrits p. 152

## Écrire

**1.** Écoutez le message sur la boîte vocale
**13** et prenez des notes.

**2.** Vous travaillez comme employé(e)
à l'agence Komcheswa de Genève.
Vous transmettez le message à la responsable
de l'agence, Giovanna Bruni.
Vous utilisez vos notes pour écrire ce message.

| MESSAGE ✆ |
|---|
| Destinataire : |
| De la part de : |
| Heure : |
| Transmis par : |
| Pour information : |
| |
| Pour action : |

# Bilan ③

**Activité 1**

Un nouveau collègue, Erik Doume, vient d'être embauché au même grade que vous. Vous l'accueillez, vous lui faites visiter l'entreprise et il vous pose des questions.
Complétez le dialogue avec : *c'est/ce n'est pas ; ce sont/ce ne sont pas ; il y a/il n'y a pas/y a-t-il.*

« Les jeunes femmes là-bas, *ce sont* les employés de l'accueil : elles ouvrent les portes le matin normalement, mais si tu arrives avant 7 h 30, _____ d'hôtesse. Tu dois passer ton badge devant la borne, à droite, tu vois, _____ là.
– Et le soir, _____ quelqu'un jusqu'à quelle heure ?
– Les hôtesses partent à 18 heures. Après, le responsable de la fermeture des locaux, _____ le gardien.
– _____ un distributeur de boissons ?
– Oui, _____ une machine à café au 2ᵉ étage. Mais _____ un distributeur de très mauvaise qualité ! Je te déconseille le café : _____ du café, _____ un mélange infâme !! Notre bureau est au 5ᵉ, mais depuis deux semaines, _____ une panne d'ascenseur : il faut prendre l'escalier, _____ du sport ! »

**Activité 2**

Ce nouveau collègue partage votre bureau. Après quelques jours de collaboration, il se montre absolument insupportable et vous rend la vie infernale. Vous croisez dans le couloir monsieur Tong, le directeur des ressources humaines, et vous lui parlez du problème.

**A.** Jouez la scène avec un partenaire.

| Le DRH, monsieur Tong | L'employé |
|---|---|
| – demande si tout va bien | – répond « non » d'un air abattu |
| – demande s'il y a un problème | – répond « oui » et explique la situation |
| – demande des précisions | – donne des exemples de comportements* |
| – dit qu'il va essayer de trouver une solution rapidement… | – remercie |

* ne pas être discret, ne pas arriver à l'heure en réunion, ne pas être motivé, ne pas être agréable avec les clients au téléphone… à vous d'imaginer d'autres comportements agaçants !

**B.** Trouvez d'autres exemples de comportements (utilisez le plus possible de formes négatives), inversez les rôles puis rejouez la scène.

**Activité 3**

Suite à la conversation avec le DRH (Activité 2), la direction des ressources humaines vous demande d'exposer par écrit le problème. Vous décidez de vous baser sur l'offre de poste pour le recrutement de votre collègue. Utilisez le plus possible de formes négatives pour compléter le courriel.

**Prestataire de service informatique cherche**

## Commercial (h/f)

**Profil souhaité :**
– dynamique, motivé – sens de l'organisation, de l'anticipation – excellent relationnel – autonome – capacité à prendre des initiatives
– aptitudes pour travailler en équipe
– prêt à s'intégrer rapidement dans de nouvelles structures et projets (goût des défis)

Bonjour,

Comme évoqué hier par monsieur Tong, je tiens à vous faire part de mes difficultés à travailler en équipe avec monsieur Doume. Le poste demande une personne dynamique et motivée, mais monsieur Doume…

# Unité 4 Voyager pour affaires

**É**tude de cas
Hôtel de la Méditerranée, bonjour !

# Prise de contact
## *Vous voyagez souvent ?*

**A.** Est-ce que vous voyagez souvent à l'étranger ? Combien de fois par an ? Vous allez dans quels pays ? Vous voyagez pour affaires ou pour d'autres raisons ? Pour quelles autres raisons voyagez-vous ?

**B.** Quand vous partez en voyage, qu'est-ce que vous aimez faire ? Qu'est-ce que vous n'aimez pas faire ? Faites des phrases sur les modèles suivants.

*Prendre l'avion, j'aime bien.*
*Je n'aime pas vraiment attendre dans la salle d'embarquement.*
*Préparer la valise, je n'aime pas du tout.*

- préparer la valise
- parler une autre langue
- attendre la livraison des bagages
- attendre dans la salle d'embarquement
- organiser le voyage

- prendre l'avion / le train
- manger des spécialités locales
- faire l'enregistrement
- faire des rencontres intéressantes
- rentrer à la maison / retourner au bureau

**C.** Où pouvez-vous entendre ces phrases ? Écoutez et associez phrases et lieux.

14

a. dans un avion ➝ .............
b. dans un taxi ➝ .............
c. à un guichet de gare ➝ *1,* .............

d. à l'aéroport ➝ .............
e. à la réception d'un hôtel ➝ .........., .........., ..........

# Vocabulaire
## *Phrases de voyage*

**A.** Placez les lettres de l'alphabet dans les colonnes correspondantes. Puis écoutez et vérifiez.

15

| cas | vache | jeu | des | air | lit | rose | dur |
|-----|-------|-----|-----|-----|-----|------|-----|
| A   |       |     | B, C |     |     |      |     |

**B.** Travaillez en tandem. Vous donnez votre adresse électronique à votre partenaire. Vous épelez.

@ = arobase   • = point   _ = tiret bas   - = tiret

**A :** *Quelle est votre adresse électronique ?*
**B :** *josedonorte@net.br, j'épelle : ji, o, ...*

**C.** Comptez maintenant.

1. de zéro à neuf ➝ *zéro, un, deux, ...*
2. de dix à dix-neuf

**D.** Prononcez ces phrases. Puis écoutez et vérifiez.

16

1. Vol AF 1700
2. TGV Lyria n° 9284
3. Vol AY 6613
4. Départ à 16 h 21.

5. Arrivée à 21 h 05.
6. Vous avez le siège 35.
7. Votre train part de la voie 12.
8. Votre avion part du terminal 4 F.

**E.** Voici différentes actions à l'occasion d'un voyage.
Associez les verbes et groupes de mots.

1. obtenir
2. s'enregistrer
3. effectuer
4. imprimer
5. récupérer

   a. les bagages
   b. une réservation de vol
   c. un visa
   d. à l'hôtel
   e. la carte d'embarquement

6. réserver
7. passer
8. acheter
9. prendre
10. monter

   a. la navette / un taxi
   b. une chambre d'hôtel
   c. dans l'avion
   d. le billet d'avion
   e. le contrôle de sécurité

**F.** Travaillez en tandem. Mettez dans l'ordre les actions 1 à 10 de l'exercice E.

1. *obtenir un visa*

*...*

10. *s'enregistrer à l'hôtel*

## Écouter
### Comprendre des informations

**17**

Écoutez les quatre documents. Puis répondez aux questions.

*Document 1*
1. Le vol pour Madrid est à quelle heure ?
2. L'embarquement a lieu à quelle porte ?

*Document 2*
3. Quel est le numéro du train de Zurich ?
4. Il arrive sur quelle voie ?

*Document 3*
5. Le prochain train pour Amsterdam part à quelle heure ?
6. D'où est-ce qu'il part ?

*Document 4*
7. Le client choisit le vol du soir. À quelle heure est-ce qu'il part de Bruxelles ?
8. À quelle heure est-ce qu'il arrive à Lyon ?
9. À quelle porte est-ce qu'il va faire l'enregistrement ?

## Point de langue 1
### Possessifs et démonstratifs

Grammaire p. 116-117

- **Pour indiquer une relation d'appartenance à une personne, on emploie** *mon / ma / mes, votre / vos* **(quand on dit** *vous***),** *ton / ta / tes* **(quand on dit** *tu***),** *son / sa /ses***.**
    *Voici mon bureau / ma carte de visite / mon adresse électronique / mes collègues.*
    *Vous avez votre passeport / votre carte d'embarquement / vos papiers ?*
    *Voici ton contrat de location / ta voiture / ton assurance / tes clés.*
    *Il / Elle discute avec son chef / sa chef de service / son assistante / ses collègues.*

- **Pour indiquer une relation d'appartenance à plusieurs personnes, on emploie** *notre / nos, votre / vos, leur / leurs.*
    *Bienvenue dans notre village / notre entreprise / nos locaux.*
    *Votre salle de réunion est ici et vos bureaux sont là-bas.*
    *Ils / Elles discutent avec leur directeur / leur directrice / leurs collègues.*

- **Quand le contexte est clair, on emploie** *le mien, le vôtre,* **etc.**
    *Mon train part à 19 h 10. Et le vôtre / le tien ?*

- **Quand il y a risque de malentendu, on précise avec** *celui / celle / ceux / celles.*
    *– Je ne retrouve plus mes clés.  – Lesquelles ? Celles du bureau ou celles de la maison ?*

## A. Remettez le dialogue en ordre.

ANTON : Rebonjour, Graziela, c'est Anton à l'appareil.
Je t'appelle à propos du déplacement à Hambourg
mercredi prochain. Notre réunion finit à quelle heure ? ☐

GRAZIELA : Attends… je consulte mon agenda. Mon vol est à
19 h 45. Et le tien ? ☐

ANTON : Lesquels ? Ceux de septembre ou ceux d'octobre ? ☐

GRAZIELA : Graziela Mancini, bonjour. 1

ANTON : Tu prends quel vol ? Celui de 18 h 35 ou celui
de 19 h 45 ? ☐

GRAZIELA : Normalement à 17 heures. Pourquoi ? ☐

ANTON : Ils ne sont pas encore disponibles. Je les envoie
à la fin de la semaine, c'est d'accord ? ☐

GRAZIELA : Pas de problème. À propos, dis-moi, où est-ce que
je trouve les chiffres des clients tchèques ? ☐

ANTON : À 18 h 35. Mais c'est trop tôt, je pense. Je vais
prendre celui de 19 h 45.
On rentre ensemble, d'accord ? ☐

GRAZIELA : Ceux d'octobre. ☐

GRAZIELA : Entendu. Merci. Salut. 11

## B. Écoutez et vérifiez vos réponses.
18

## C. Réécoutez le dialogue. Travaillez en tandem. Jouez ce dialogue avec votre partenaire.
18 Graziela et Anton se tutoient. Modifiez le dialogue et dites *vous*.

## D. Travaillez en tandem. Formez des phrases à partir des éléments proposés.

**A :** *Son bureau est spacieux. Celui de Susan n'est pas spacieux. Et le vôtre ?*
**B :** *Le mien ? Il est spacieux. Sa chambre est tranquille. Celle de Paolo n'est pas tranquille. Et la vôtre ?*

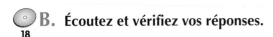

|   | son, sa, ses, nos, leur, leurs ? |  | celui, celle, ceux, celles ? |
|---|---|---|---|
| 1 | de Pierre | bureau spacieux ? | de Susan |
| 2 | de Ludivine | chambre tranquille ? | de Paolo |
| 3 | de notre école | locaux modernes ? | de leur école |
| 4 | de Johanna et Wim | bagages enregistrés ? | de Lorena |
| 5 | de Stéphane | réservation confirmée ? | de Salima |
| 6 | de Piotr | avion à l'heure ? | d'Estelle |
| 7 | de Junko | adresse correcte ? | d'Octavio |
| 8 | de Weiwei et de Brenda | clés à la réception ? | de Michel et de John |

## E. Travaillez en tandem. L'étudiant(e) B prépare un voyage d'affaires et demande des informations au téléphone à son partenaire à l'étranger (voir éléments ci-dessous).
L'étudiant(e) A est le partenaire commercial et répond aux questions : voir fiche page 108. Jouez le dialogue.

**Étudiant(e) B :**
- se trouver / hôtel ? → *Mon hôtel se trouve où ?*
- se trouver / bureaux ?
- se trouver / entrepôt ?
- se trouver / usine ?
- avoir lieu / réunion ?
- avoir lieu / réception avec les invités ?

# Lire
## Prestations d'un hôtel

**A.** Quels services et commodités souhaitez-vous trouver dans un hôtel à l'occasion de vos voyages d'affaires ? Choisissez parmi ces propositions.

salon de coiffure ☐                     restaurants ☐

accès Internet illimité ☐               service de secrétariat ☐

centre de remise en forme ☐            salles modulables ☐

climatisation ☐                         réception ouverte 24 heures sur 24 ☐

**B.** Lisez la présentation de l'hôtel. Repérez les mots ou expressions de l'exercice A qui se trouvent dans le texte.

### Le Méridien Re-Ndama
*vous souhaite la bienvenue*

Situé au bord du fleuve Komo, en plein cœur de la ville, Le Méridien Re-Ndama propose plusieurs salles de réunion et une grande gamme d'activités de loisirs, sans oublier les plats savoureux de ses restaurants. C'est
5   la destination idéale pour associer travail et loisirs.
Le Royal Club est un service pour les voyageurs d'affaires au Gabon. Situées au 5e étage, les chambres Royal Club offrent des commodités cinq étoiles : climatisation, minibar, coffre-fort individuel, chaînes de télé satellite, téléphone avec ligne directe vers l'étranger, boîte vocale,
10  accès Internet illimité. Vous avez accès au centre de remise en forme. Un service de blanchisserie se tient à votre disposition. Vous pouvez vous détendre à la piscine ou faire une partie sur nos courts de tennis.
Pour vos conférences, réunions et séminaires, nous disposons de salles modulables d'une capacité totale de 300 personnes. Tableau de conférence, vidéoprojecteur et sonorisation sont disponibles sur demande. À votre disposition également, un centre d'affaires et un service de secrétariat.
15  Le restaurant Olamba est réputé pour ses buffets à thème. Au restaurant Eliwa avec vue sur la plage, un grand choix de salades, grillades, sandwiches et glaces vous est proposé. Le soir, vous pouvez écouter de la musique au bar Dibello.
L'hôtel se trouve dans le quartier Glass, en face de l'océan, à 15 kilomètres et à 15 minutes seulement de l'aéroport international de Libreville (navette de l'aéroport gratuite).

Source : www.lemeridien.fr

**C.** Posez des questions sur l'hôtel et répondez.

**A :** *Est-ce qu'on peut recevoir des messages téléphoniques à l'hôtel ?*
**B :** *Oui, on peut car il y a une boîte vocale.*

1. recevoir des messages téléphoniques à l'hôtel ?
2. se connecter à Internet dans sa chambre ?
3. avoir des chemises propres à l'hôtel ?
4. organiser une conférence ou un séminaire dans l'hôtel ?

5. prendre un sauna à l'hôtel ?
6. faire de l'exercice physique à l'hôtel ?
7. regarder la télévision dans la chambre ?
8. jouer au golf à l'hôtel ?

**D.** Répondez aux questions suivantes.

1. Dans quel pays et dans quelle ville se trouve l'hôtel Le Méridien Re-Ndama ?
2. L'hôtel se trouve dans quel quartier ? au bord de quel fleuve ? en face de quoi ?
3. L'hôtel se trouve à quelle distance de l'aéroport ?
4. Combien de temps met la navette de l'aéroport pour aller à l'hôtel ?

# Point de langue 2
## savoir, connaître, pouvoir, vouloir

Grammaire p. 117

- *savoir* indique une compétence ou une certitude, *connaître* indique une expérience, petite ou grande.
    *Je sais parler le cantonais et le mandarin et je sais lire le japonais.*
    *– Savez-vous à quelle heure arrive l'avion ?*      *– Non, je ne sais pas.*
    *Je connais bien Londres et je connais un peu Édimbourg.*
    *Je ne connais pas bien la ville. Vous pouvez m'indiquer le chemin ?*

- *pouvoir* indique une possibilité ou introduit une demande.
    *On peut prendre le Thalys pour aller à Paris.*
    *Désolé(e), je ne peux pas vous renseigner.*
    *Pardon, vous pouvez répéter, s'il vous plaît ?*
    *Est-ce que je peux / Puis-je vous renseigner ?*

- *vouloir* indique un désir, une volonté.
    *Elle veut parler au directeur de l'hôtel.*
    *Il ne veut pas dépenser trop d'argent.*

- *je voudrais* introduit une demande.
    *Je voudrais réserver une chambre simple avec douche.*

---

**A.** Demandez à des membres de la classe quelles villes ils ou elles connaissent, quelles langues ils ou elles savent parler, lire ou écrire. Écrivez villes et langues sur un papier.

    **A :** *Vous connaissez Budapest ? Vous savez parler le hongrois ?*
    **B :** *Oui, je connais un peu Budapest, mais je ne sais pas parler le hongrois.*

Travaillez en tandem. Présentez à votre partenaire un ou deux membres de la classe.

    *Ari connaît bien Helsinki et Tallinn. Il sait parler le finnois et le suédois, mais il ne sait pas parler l'estonien.*

**B.** Complétez les phrases avec *vouloir* ou *pouvoir*. Employez les formes appropriées.

1. *Pouvez*-vous me réserver une chambre pour la nuit du 15 au 16 ?
2. Vous _____ voyager en classe affaires ou en classe économique ?
3. Je _____ être à Roissy-Charles de Gaulle demain à 7 heures.
4. Où est-ce que je _____ déposer mes bagages ?
5. Qu'est-ce que ça _____ dire, ce mot ?
6. Il ne _____ plus relever le siège, il est bloqué.

**C.** Associez les questions et les réponses.

Dans votre ville, est-ce qu'on peut…

1. voir de bons films ?
2. visiter des musées ?
3. prendre le bus ?
4. circuler à vélo ?
5. se déplacer à pied ?
6. boire de l'eau du robinet ?

    a. Oui, vous pouvez, il n'y a pas de problème.
    b. Oui, vous pouvez, mais ils ne sont pas rapides.
    c. Non, vous ne pouvez pas, il n'y a pas de cinéma.
    d. Oui, vous pouvez, il y a des pistes cyclables.
    e. Non, vous ne pouvez pas, ils sont en travaux.
    f. Oui, vous pouvez, la ville n'est pas grande.

**D.** Travaillez en tandem. Posez les questions de l'exercice C à votre partenaire. Imaginez d'autres questions sur la ville de votre partenaire (heures d'ouverture des magasins, concerts de musique, piscines, boîtes de nuit, etc.). Puis changez les rôles.

# Gammes
## *Réserver une chambre d'hôtel*

**19**

**A.** Lisez les questions. Puis écoutez le dialogue au téléphone et choisissez la réponse appropriée.

1. Quel type de chambre la cliente réserve-t-elle ? (1 chambre double) / 2 chambres simples
2. Quel jour arrive-t-elle à l'hôtel ? mardi 13 / mercredi 14
3. Quel jour part-elle de l'hôtel ? 17 juin / 18 juin
4. Combien coûte la nuit d'hôtel ? 105 euros / 155 euros
5. Quel est le tarif d'un petit-déjeuner ? 12 euros / 11 euros
6. Combien de nuits la cliente reste-t-elle à l'hôtel ? quatre / cinq

**B.** Travaillez en tandem.

L'étudiant(e) A est réceptionniste
à l'Hôtel Charlotte à Bruxelles :
voir fiche p. 107.

L'étudiant(e) B voyage pour affaires.
Vous réservez des chambres pour vous
et un(e) collègue : voir fiche p. 112

Observez les expressions à connaître.
Puis jouez le dialogue au téléphone.

### Expressions à connaître

| RÉCEPTIONNISTE | CLIENT(E) AU TÉLÉPHONE |
|---|---|
| Hôtel du Midi, bonjour. Que puis-je faire pour vous ? | Je voudrais réserver une chambre pour … |
| Je peux vous proposer une chambre au rez-de-chaussée / au premier étage. | du … au … . |
| | Quel est le prix / le tarif de la chambre ? |
| Vous avez une préférence pour une chambre fumeur ou non-fumeur ? | C'est à quel prix / quel tarif ? |
| Oui, c'est possible. | Le petit-déjeuner est compris ? |
| | Vous faites restaurant ? |
| Vous réservez donc une chambre simple pour trois nuits, du … au … . | Il y a un parking / un garage ? |
| C'est bien ça ? | Bien, ça me convient. |
| Le prix / Le tarif est de … la nuit. | |
| C'est à quel nom ? | |
| Vous pouvez répéter / épeler, s'il vous plaît ? | |
| – Vous réglez par carte ? | – Oui, j'ai une carte Visa / Mastercard Eurocard / American Express / Diners Club. |
| – Je peux avoir le numéro et la date d'expiration de votre carte ? | – Le numéro, c'est le … . La carte expire à fin … . |
| – Et quel est le code de vérification de la carte ? | – C'est le … . |
| Voilà, c'est noté. | |

# Étude de cas
## Hôtel de la Méditerranée, bonjour !

L'Hôtel de la Méditerranée se trouve à Antibes dans le Sud de la France. Pour la semaine prochaine, il y a des demandes de réservation pour douze personnes.

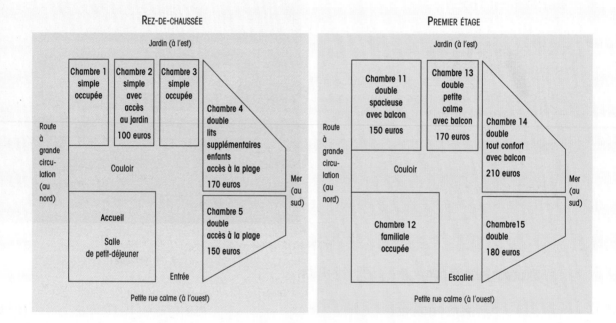

## SOUHAITS EXPRIMÉS PAR LES CLIENT(E)S

- ✔ Sonia Chausson, 40 ans, et sa mère, 70 ans. Elles voudraient une chambre double au rez-de-chaussée. Elles peuvent dépenser 150 euros par nuit.

- ✔ Monsieur et madame Vandebilt sont jeunes mariés. Ils font leur voyage de noces. Ils voudraient une chambre spacieuse et calme. Leur budget est de 150 euros la chambre et la nuit.

- ✔ Anatole et Svetlana Litvak et leurs deux enfants de 3 et 5 ans. Ils voudraient une chambre avec vue sur la mer. Ils peuvent dépenser 160 euros par nuit.

- ✔ Madame Nguyen écrit un scénario de film. Elle voudrait une chambre calme. Elle peut dépenser 100 euros la nuit.

- ✔ Monsieur et madame Keller voudraient une chambre avec tout le confort et vue sur la mer. Leur budget n'est pas limité.

- ✔ Madame Dounia Benghezal voyage pour affaires. Elle voudrait une chambre spacieuse et calme. Son budget n'est pas limité.

## Tâche

1. Travaillez en tandem. L'étudiant(e) A est patron ou patronne de l'hôtel. L'étudiant(e) B est réceptionniste. Quelle chambre pouvez-vous proposer à chaque client ? Faites des phrases.
   *À Sonia Chausson et à sa mère, on peut proposer la chambre 5 au rez-de-chaussée.*

2. Travaillez par groupes de quatre. Comparez vos propositions.

3. Qu'est-ce que vous dites à chaque client ?
   *Nous pouvons vous proposer une chambre double au rez-de-chaussée avec vue sur la mer. Son prix est de 150 euros.*

## Écrire

Écrits p. 152

Vous êtes réceptionniste à l'hôtel.

Choisissez un(e) client(e) et rédigez la télécopie pour confirmer la réservation.

Mentionnez la date d'arrivée, la date de départ, le type de chambre et le tarif pour les six nuits.

# Hôtel de la Méditerranée
### Jacques et Suzon DELAMARE

110, chemin des lavandes
F 06162 ANTIBES

resa@hotel_mediterranee.com
www.hotel_mediterranee.com

### Télécopie

De :
N° de téléphone : (33) 04 93 92 92 91
N° de télécopie : (33) 04 93 92 92 90
Date :
Nombre total de pages : 1
Objet : réservation chambre

À :
N° de téléphone :
N° de télécopie :

Madame, / Monsieur,

Nous vous remercions vivement de votre réservation dont vous trouverez les détails ci-dessous : ...

# Bilan ④

## Activité 1

Vous êtes en séminaire de formation pour une semaine. Vous écrivez un courriel personnel à votre époux/épouse. Complétez avec les éléments appropriés : possessifs ou démonstratifs.

| Texte principal ⬍ | Largeur variable ⬍ | ⬛ | A⁺ A⁺ | B I U | ≣ ≣ ≣ ≣ | ▦ ▢ ☺ |
|---|---|---|---|---|---|---|

**Mon (Ma)** chéri(e),

J'espère que tout va bien pour toi. Comme je te l'ai dit au téléphone, _____ voyage s'est bien passé. Certaines compagnies aériennes étaient en grève mais pas _____ .
_____ formation est très intéressante. Il y a des formateurs assez stricts mais _____ est très sympa. _____ de mon collègue Yvan, par contre, n'a pas très bonne réputation : il est mauvais pédagogue et peu aimable! Côté logement, j'ai de la chance. Mes collègues sont dans une résidence hôtelière 2 étoiles et _____ est une 4 étoiles ! Ma chambre donne sur le magnifique vieux port et _____ a vue sur la zone industrielle. _____ d'Yvan donne même sur la voie ferrée: il n'a vraiment pas de chance!
Je t'embrasse et te donnerai de _____ nouvelles plus tard.

## Activité 2

Vous avez organisé un séminaire de formation. Le dernier jour, vous raccompagnez les participants (venus de différents pays) à l'aéroport. Problème : une tempête empêche la plupart des avions de décoller ! Vous allez au comptoir de la compagnie aérienne pour vous renseigner sur l'état du trafic.

A. Associez les éléments des deux colonnes pour former des questions :

1. Est-ce que vous savez…        a. …savoir à quelle heure décollera l'avion pour Libreville ?
2. Est-ce que vous connaissez…   b. …me rappeler sur le portable quand vous avez des informations ?
3. Est-ce que vous pouvez…       c. …à quelle heure aura lieu le prochain vol pour Zurich ?
4. Est-ce que vous voulez…       d. …les horaires du vol 2345 à destination de Zagreb ?

B. Jouez maintenant la scène avec un partenaire (= l'employé(e) de la compagnie aérienne qui donne les renseignements). Utilisez les questions de l'exercice A.

## Activité 3

Vous avez séjourné à l'Hôtel Méditerranée d'Antibes (cf. Étude de cas, p. 44-45).
Vous avez occupé la chambre 12. Pendant votre séjour, vous avez discuté avec monsieur et madame Keller, les occupants de la chambre 14, et vous avez remarqué une différence dans la qualité des prestations. Vous avez payé le même prix, pour des chambres très différentes.
Vous rédigez un courrier de réclamation à la direction de l'hôtel : vous comparez les deux chambres. Utilisez le plus possible de possessifs et de démonstratifs (*mon, ma, mes/le mien/celle, ceux…*)

> **Chambre 14 (M. et Mme Keller)**
> – calme
> – vue sur mer
> – exposition sud : soleil toute la journée
> – balcon
> – minibar
> – coffre-fort
> – grande salle de bains avec douche et jacuzzi
> – lit King size avec draps de soie…

> **Chambre 12 (votre chambre)**
> – très bruyante (circulation)
> – vue sur une barre d'immeubles
> – exposition nord : lumière triste, pièces froides
> – pas de confort (salle de bains sur le palier et commune à 3 chambres)
> – lits jumeaux avec couvertures tachées…

# Unité 5 Échanges hors bureau

**É**tude de cas
Trois invités à déjeuner

# Prise de contact
## Chez vous, ça se passe comment ?

**A.** De quels pays viennent ces plats typiques ?

| | | | |
|---|---|---|---|
| 1. les tapas | a. de Chine | 6. les sushis | a. des États-Unis |
| 2. le / la goulache | b. du Mexique | 7. le tzatziki | b. du Japon |
| 3. les rouleaux de printemps | c. de Hongrie | 8. les pâtes | c. du Maghreb |
| 4. les nouilles de riz | d. d'Espagne | 9. les cookies | d. de Grèce |
| 5. le guacamole | e. du Viêtnam | 10. le couscous | e. d'Italie |

**B.** Travaillez en tandem. Posez des questions et répondez.

A : *Connaissez-vous un plat typique de Chine ?*
B : *Les nouilles de riz. C'est une spécialité chinoise. J'aime assez. / J'aime beaucoup.*

**Connaissez-vous d'autres plats typiques ? De quels pays ? Connaissez-vous des spécialités de France ? de Belgique ? de Suisse ? du Canada ? du Sénégal ?**

# Vocabulaire
## Payer un service

**A.** Trouvez l'intrus dans chaque série de mots ou d'expressions.
1. le menu – le plat du jour – (le catalogue) – la carte
2. une entrée – un buffet – un dessert – un plat principal
3. un vin rouge – une eau gazeuse – un soda – un thé vert
4. la collation – le fromage – le déjeuner – le dîner
5. un bon de commande – une facture – une addition – une note
6. signer la facturette – payer en espèces – taper le code secret – régler par carte

**B.** Écrivez en chiffres les nombres suivants.
1. un euro vingt → *1,20 euro*
2. dix-neuf virgule six pour cent
3. zéro six dix quatre-vingt-huit cinquante-quatre zéro un
4. trente-sept euros et soixante et un centimes

**Écrivez les montants en lettres : dans votre pays, combien coûte…**
• un café ou un thé ? • un quotidien ? • une coupe de cheveux pour une femme / un homme ?

**C.** Associez les professions et les lieux de travail.
1. chauffeur de taxi
2. coiffeur / coiffeuse
3. médecin
4. serveur / serveuse
5. pompiste
6. femme de chambre

a. cabinet de consultation
b. station-service
c. voiture
d. bar, café, restaurant
e. salon de coiffure
f. étages d'un hôtel

**Faites des phrases.**
*Le / La chauffeur(e) de taxi travaille dans une voiture.*

**Est-ce que vous donnez un pourboire à ces personnes ?**
*En France, on ne donne pas de pourboire à un médecin.*
*Par contre, si on veut, on donne un petit pourboire au serveur ou à la serveuse dans un café.*

## Lire
### *Quel restaurant choisir ?*

**A.** **Répondez aux questions. Puis posez les questions à votre partenaire. Faites des phrases.**

*D'habitude, je déjeune à 13 heures. Quand je mange à l'extérieur, je vais souvent dans des restaurants chinois. Je n'ai pas de problèmes d'allergie.*

1. À quel moment de la journée prenez-vous votre déjeuner ?
   ☐ À 11 heures.　　☐ À 13 heures.　　☐ À 14 heures.
   ☐ À 16 heures.　　☐ À un autre moment. Lequel ?

2. Quand vous mangez à l'extérieur, vous allez dans des restaurants…
   ☐ traditionnels ?　　☐ végétariens ?　　☐ exotiques ?
   ☐ à service rapide ?　　☐ à la mode ?　　☐ autre ?

3. Êtes-vous allergique…
   ☐ au poisson ?　　☐ au lait ?　　☐ aux œufs ?　　☐ à quelque chose d'autre ?

**B.** **Lisez l'article de magazine. Puis répondez aux questions.**

# À chaque table son ambiance…

*Le choix d'un restaurant n'est jamais innocent en matière de déjeuner d'affaires. Selon le type de rendez-vous, sélectionnez habilement votre établissement.*

Les préférences alimentaires de vos convives sont à prendre en considération avant de réserver. Questionnez-les sur leurs mets favoris. Apprécient-ils la cuisine traditionnelle ? exotique ? Renseignez-vous aussi sur leurs éventuelles allergies (poisson, œuf, lait, arachide, etc.). Le restaurant sélectionné doit être en adéquation avec l'image de votre société, le statut de votre interlocuteur et les objectifs poursuivis. Vous voulez remercier votre partenaire ou le séduire ? Faites appel aux services d'un cuisinier réputé. Vous voulez parler affaires ? Évitez les plats trop lourds, responsables d'une digestion difficile. Côté cuisine, la tendance actuelle est au terroir, au naturel et au bio. Vous optez pour l'originalité ? Pensez à un restaurant thématique : fromages, vins, spécialités de la mer, cuisine sud-américaine ou suédoise… Vérifiez que la carte comporte toutefois quelques plats « traditionnels » pour ceux qui n'apprécient pas vraiment l'originalité. Enfin, le décor est un élément important. Choisissez un cadre agréable, un lieu avec du cachet ou, pourquoi pas, un établissement à la mode. Il est toujours valorisant pour des convives de côtoyer d'autres « VIP ». Préoccupez-vous également de l'agencement du lieu. Prenez en compte le bruit, la disposition des tables et la présence de fumées. Des tables trop grandes ou trop proches ne favorisent pas les conversations confidentielles. Assurez-vous enfin qu'il y a une salle non-fumeurs, un fumoir, ou encore un parking.

Source : *Assistante Plus*, n° 17, février 2006

**D'après l'article, les conseils ci-dessous sont-ils vrais ou faux ?**
1. Informez-vous des goûts des invités. → *vrai*
2. Invitez toujours votre partenaire dans un grand restaurant.
3. Les négociations sont difficiles ? Proposez un repas léger.
4. Vérifiez que les produits du restaurant choisi sont biologiques.
5. Évitez une carte trop originale.
6. Choisissez toujours un restaurant chic et branché.
7. Faites attention à la distance entre les tables.
8. Allez dans un restaurant près du bureau.

**C.** Trouvez les mots de même signification.

*a. un restaurant = g. un établissement*

a. ~~un restaurant~~     e. la tendance     i. l'agencement     m. le décor

b. choisir     f. la disposition     j. vérifier     n. la mode

c. s'assurer     g. ~~un établissement~~     k. opter pour

d. un mets     h. un plat     l. le cadre

**D.** Travaillez en tandem. Dans quel lieu de votre ville est-ce qu'on se rencontre pour parler affaires : restaurant ? chambre de commerce ? club ? bar ? café ? autre ?
Choisissez et présentez un lieu : type, cadre, agencement, carte (est-ce qu'on peut boire ou manger ?).

Lexique p. 140-141

## Point de langue 1
### *Quantités*

Grammaire p. 118

- **Pour indiquer une quantité sans autre précision, on emploie *des*. Quand on veut préciser, on emploie les nombres.**
  – *Vous avez des enfants ?*     – *Oui, j'ai une fille et un garçon.*
  *Je voudrais deux cafés et deux croissants.*

- **Pour indiquer un volume ou une activité, sans autre précision, on emploie *du / de la / de l'*.**
  *Comme boisson, vous prenez de la bière ou du thé ?*
  *La Russie exporte du pétrole et du gaz.*
  *Il y a du vent et de la pluie aujourd'hui.*
  *Ce week-end, vous allez faire du tourisme / de la randonnée / de l'escalade ?*

- **Pour indiquer une quantité zéro, on emploie *pas de / d'*.**
  *Nous n'avons pas de vidéoprojecteur. Je n'ai pas d'enfant.*
  *Elle ne trouve pas de travail. Il ne boit pas d'alcool.*

- **Pour indiquer une grande quantité, on emploie *beaucoup de / d'*.**
  *J'ai beaucoup de rendez-vous aujourd'hui. Elle gagne beaucoup d'argent.*
  *Il n'y a pas beaucoup de clients dans le magasin.*

- **Pour indiquer une petite quantité, on emploie *un peu de / d'* ou *quelques*.**
  *J'ai encore un peu de temps pour faire quelques achats.*
  **Attention !** *quelques = 2, 3, 4, … ≠ plusieurs > 1*

- **L'unité de mesure, le conditionnement ou le mode de préparation permettent également d'indiquer une quantité plus ou moins précise.**
  *un litre de vin – deux kilos de pommes – un baril de pétrole – une bouteille d'eau – une boîte de chocolats – une assiette de crudités – une salade de tomates*

**A.** À votre avis, quels pays sont grands exportateurs des produits alimentaires ci-dessous ?

*L'Espagne, par exemple, est grand exportateur d'huile d'olive.*

huile d'olive – cacao – riz – maïs – bananes – pamplemousses – vanille – poivre – sucre – café

**B.** **Associez un pays avec un produit alimentaire de l'exercice A, page 50.**
**Puis faites des phrases.**

A : *L'Espagne exporte beaucoup de quel produit ?*
B : *L'Espagne ? Elle exporte de l'huile d'olive, beaucoup d'huile d'olive.*
B : *La Thaïlande exporte beaucoup de quel produit ?*
A : *La Thaïlande ? Elle exporte du riz, beaucoup de riz.*

1. Espagne → *de l'huile d'olive*
2. Thaïlande → *du riz*
3. Colombie
4. États-Unis
5. Côte d'Ivoire

6. Madagascar
7. Colombie
8. Indonésie
9. Israël
10. Équateur

**Est-ce que votre pays ou votre région exporte beaucoup de produits alimentaires ? Lesquels ?**

**C.** **Complétez les phrases. Puis posez les questions à votre partenaire et répondez.**

1. Vous avez *de la* famille en France ?
2. Où est-ce qu'on peut acheter _____ aspirine ?
3. Vous écoutez _____ musique classique ?
4. On trouve facilement _____ travail dans votre ville ?
5. Est-ce qu'on fait _____ français à l'école chez vous ?
6. Comment est le temps chez vous ? Il y a toujours _____ soleil ?
7. Vous avez _____ argent liquide sur vous ?
8. Vous ne mangez pas _____ pain le matin au petit-déjeuner ?

## Écouter
### *Faire son choix*

**A.** **Malika (M) et Charles (C) déjeunent ensemble. Ils choisissent des plats dans le menu du jour.**
**20** **Écoutez le dialogue et dites qui commande quoi.**

| 1 | salade de tomates | tarte aux poireaux → M | assiette de crudités |
|---|---|---|---|
| 2 | steak au poivre | côtelettes d'agneau | truite aux amandes |
| 3 | haricots verts | riz créole | pommes vapeur |
| 4 | pichet de vin | bière pression | carafe d'eau |
| 5 | flan au caramel | glace à la vanille | salade de fruits |

**B.** **Remettez en ordre ce dialogue entre une vendeuse et un client dans une boulangerie.**

a. Oui, bonjour ?                                          `1`
b. Vous désirez autre chose ?                              ☐
c. Un pain au chocolat. Et ça, comment ça s'appelle ?      ☐
d. Pour consommer sur place.                               ☐
e. Je voudrais deux croissants.                            `2`
f. Pain aux raisins.                                       ☐
g. C'est pour consommer sur place ou pour emporter ?       ☐
h. Non. Ce sera tout. Merci. Combien je vous dois ?        ☐
i. Et un pain aux raisins. Et puis deux cafés crème.       ☐
j. Et avec ceci ?                                          ☐
k. Ça vous fera dix euros soixante, s'il vous plaît.       `11`

**C.** **Écoutez le dialogue et vérifiez vos réponses.**
**21**

# Point de langue 2
## *Passé composé (1)*

Grammaire p. 119

- **On emploie souvent le passé composé pour indiquer l'effet présent d'une action passée.**
  *Vous avez choisi ? = Je peux prendre la commande ?*
  *Nous avons bien reçu votre lettre du 12 mars. = Nous répondons à votre lettre du 12 mars.*
  *Elle est sortie. = Elle n'est pas dans son bureau.*

- **Avec les négations, on emploie souvent le passé composé pour indiquer l'état présent d'une action.**
  *Nous n'avons pas eu votre livraison. = La marchandise n'est pas là.*
  *Je ne suis jamais allé(e) en Roumanie. = Je ne connais pas la Roumanie.*

- **Le passé composé est formé de deux éléments :**

| | | |
|---|---|---|
| j'ai, tu as, il/elle a, nous avons vous avez, ils/elles ont | + | aimé, travaillé, choisi, fini, dormi, suivi, pris, compris, mis, connu, perdu, pu, su, vécu, voulu, vu, fait, eu, été, … |
| je suis, tu es, il/elle est, nous sommes vous êtes, ils/elles sont | + | allé(e)(s), venu(e)(s), devenu(e)(s), arrivé(e)(s), parti(e)(s), resté(e)(s), retourné(e)(s), passé(e)(s), entré(e)(s), sorti(e)(s), monté(e)(s), descendu(e)(s), … |

**A.** **Formez des phrases de même signification avec les éléments proposés.**

1. Elle n'est pas trop fatiguée ?
2. Je n'ai plus faim.
3. Ils ne sont plus dans leur bureau.
4. Vous êtes reposé(e) ?
5. Il porte une jolie cravate.
6. J'arrive de la cantine.
7. Vous connaissez Rennes ?
8. Notre interprète n'est plus là.

*faire - bon voyage* = *Elle a fait bon voyage ?*
*manger - assez*
*partir*
*dormir - bien*
*mettre - jolie cravate*
*je - déjà - déjeuner*
*être - déjà - à Rennes*
*nous - perdre - interprète*

**B.** **Écoutez les questions 1 à 8. Qu'est-ce que vous répondez (réponses a à h) ?**

**22**

a. Oui merci, très bien.
b. Au Sofitel, près de l'église Saint-Thomas.
c. Oui. Pour moi, le plat du jour, s'il vous plaît.
d. Oui, vous êtes mon invité.
e. Oui, il est là. À la table du fond.
f. Oui, je pense. « Skol » veut dire « à votre santé », c'est ça ?
g. Oui, une table pour deux personnes au nom de Perrin. → 1
h. Oui, vous pouvez débarrasser.

**C.** **Complétez les questions avec les formes appropriées des verbes entre parenthèses. Posez les questions à votre partenaire et répondez.**

1. Vous n'avez jamais *visité* (visiter) Bruges ?
2. Vous n'avez jamais _____ (manger) d'escargots ?
3. Vous n'avez pas encore _____ (voir) le nouveau stade de football ?
4. Vous n'avez jamais _____ (prendre) le Transsibérien ?
5. Vous n'avez jamais _____ (être) à l'île de la Réunion ?

## Gammes
### *Apprécier, proposer*

**A.** Associez les phrases de sens contraire.

| *Appréciations positives* ☺ | *Appréciations négatives* ☹ |
|---|---|
| 1. La carte est variée. | a. C'est trop cher. |
| 2. La cuisine est excellente. | b. On attend parfois longtemps. |
| 3. L'addition est modérée. | c. Il n'y a pas beaucoup de choix. |
| 4. Le service est parfait. | d. Ça manque de cachet. |
| 5. Leurs desserts sont super. | e. On ne mange pas très bien. |
| 6. Le décor est original. | f. C'est de la fabrication industrielle. |

**B.** Jennifer et Grégoire mettent au point les détails d'un programme de visite. Complétez le dialogue avec les mots de l'encadré.

préfère – à côté – ~~invités~~ – exemple – décor – carte – manque – trop loin

GRÉGOIRE : Bien. Et tu as une idée de restaurant pour nos *invités* ?

JENNIFER : On pourrait aller à la « Brasserie de la gare ». C'est rapide et la ____1____ est variée.

GRÉGOIRE : Non, je ____2____ un endroit calme.

JENNIFER : Qu'est-ce que tu penses d'un salon de thé ? « Chez Paul », par ____3____ . Il y a des salades composées. On mange très bien « Chez Paul ».

GRÉGOIRE : Ce n'est pas une bonne idée. Il y a toujours du monde. Et puis ça ____4____ de cachet.

JENNIFER : Et si on allait manger un couscous au « Tlemcen » ? Le ____5____ est original, non ? Et leurs desserts sont délicieux.

GRÉGOIRE : Oui, c'est vrai, le cadre est agréable. Mais c'est ____6____ du bureau.

JENNIFER : Pourquoi pas « L'auberge des adrets », alors ? C'est juste ____7____, la cuisine est excellente et il y a même une terrasse.

**C.** Écoutez et vérifiez vos réponses.

**23**

**D.** Travaillez en tandem. Pensez à un restaurant que vous connaissez. Posez des questions et répondez à votre partenaire avec des appréciations positives ou négatives.

*Le restaurant se trouve où ? Comment est la cuisine / l'ambiance / le décor / la carte / le service... ? Il y a beaucoup de monde à midi / le soir ?*

···· **Expressions à connaître** ·······································································

**Demander une proposition**
Et vous avez une idée de... ?
Et qu'est-ce que vous proposez ?

**Proposer**
On pourrait...
Qu'est-ce que vous pensez de... ?
Pourquoi pas... ?

**Ne pas accepter**
Oui, c'est vrai, ... Mais...
Je ne sais pas si c'est une bonne idée.
Ce n'est pas une bonne idée.
Non, je préfère...

**Accepter**
[C'est une] bonne idée.
Je suis pour.

# Étude de cas
## Trois invités à déjeuner

Vous travaillez chez Soluglobe S.A. La société offre des solutions globales multimédias dans le domaine de la formation des salariés. Le siège se trouve dans un parc d'entreprises à 45 minutes de l'aéroport Nantes Atlantique et à 45 minutes de la ville de Nantes.

Vos trois clients prennent leur avion à partir de 15 heures (embarquement à partir de 14 h 15). Ils sont libres à partir de 11 h 30. Vous invitez vos clients à déjeuner. Vous avez cinq propositions de restaurants. Lequel choisir ?

## L'AUBERGE DU VILLAGE

- restaurant dans un village à 30 minutes de Soluglobe et à 20 minutes de l'aéroport (pas de problème de parking) ; décor de meubles anciens, ambiance intimiste
- durée du repas : 1 h 30 à 2 heures
- menus de 16,40 € à 38,50 €, boissons non comprises ; pas de carte à midi
- cuisine du terroir : poissons au beurre blanc, pâtisserie au sel de Guérande

## LE PARC

- restaurant interentreprises, à 5 minutes de Soluglobe, décor impersonnel, ambiance animée
- durée du repas : 1 heure C'est un libre-service et il y a souvent la queue.
- buffets variés et menu diététique pour 8 à 15 €

## Chez Gwendoline

- salon de thé en ville (problèmes de parking), à 45 minutes de Soluglobe et à 20 minutes de l'aéroport ; décor fonctionnel avec jolie terrasse, ambiance chic et branchée
- durée du repas : 1 heure maximum
- formule déjeuner : 13,50 €, carte de 12 à 18 €, boissons non comprises
- cuisine légère et rapide : salades, tartines, assiettes

## LE CARTHAGE

- restaurant en ville (problèmes de parking), à 30 minutes de Soluglobe, à 15 minutes de l'aéroport ; décor et ambiance de palais des 1001 nuits
- durée du repas : 1 h 30 à 2 heures
- menu déjeuner à 11 €, carte entre 14 et 52 €
- couscous avec viande, poisson, fruits ou végétarien

## L'Atlantique

- restaurant gastronomique, décor de paquebot, ambiance de luxe, dans l'aéroport
- durée du repas : 2 h à 2 h 30
- menus à 35 et 39 €, boissons non comprises
- huîtres, fruits de mer, poissons

## Tâche

1. Vous êtes chargé(e) d'un client.
   En groupe de trois, choisissez votre interlocuteur ou interlocutrice : lisez la fiche A (voir page 107) ou la fiche B (voir page 110) ou la fiche C (voir page 112). Sélectionnez le restaurant qui convient à votre client(e).

2. Discutez avec vos partenaires : expliquez pourquoi vous avez sélectionné ce restaurant.

3. Vous n'avez qu'une voiture pour emmener vos clients au restaurant et à l'aéroport. Quel restaurant choisissez-vous pour vos trois clients ensemble ?

Écrits p. 150

## Écrire

Écrivez un courriel. Vous invitez votre client(e) à déjeuner. Mentionnez le restaurant choisi, sa situation, le décor et l'ambiance, le type de cuisine. Demandez son accord pour pouvoir réserver.

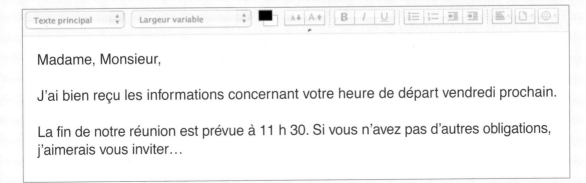

| Texte principal ⬍ | Largeur variable ⬍ | ■ ☐ | A▾ A▴ | B *I* U̲ | ☰ ☷ ⫤ ⫥ | ▤ ▯ ☺ |

Madame, Monsieur,

J'ai bien reçu les informations concernant votre heure de départ vendredi prochain.

La fin de notre réunion est prévue à 11 h 30. Si vous n'avez pas d'autres obligations, j'aimerais vous inviter…

# Bilan 5

## Activité 1

 Vous avez participé, en tant que visiteur, à un salon spécialisé dans votre discipline.
À la cafétéria, le lendemain, votre collègue (resté au bureau) vous demande de raconter la journée.
Jouez la scène.
L'étudiant A pose les questions (exemples : questions sur l'heure d'arrivée, sur les exposants, sur le déroulement de la journée, sur l'intérêt des conférences, etc.) et l'étudiant B raconte sa journée.
Attention, il s'agit d'événements passés ! Si nécessaire, aidez-vous des éléments ci-dessous.

- Arriver au salon à 9 heures
- Attendre 20 minutes pour rentrer
- Visiter les principaux stands
- Assister à la conférence sur... (vous pouvez donner votre point de vue)
- Féliciter le conférencier au sujet de...
- Rencontrer par hasard madame Goran (PDG du principal fournisseur de l'entreprise)

- Accepter son invitation à déjeuner
- Se rendre dans un restaurant
- Discuter affaires, prendre rendez-vous
- Repartir au salon
- Courir pour attraper le train
- Rentrer tard

## Activité 2

Vous racontez ensuite votre soirée. Complétez le texte suivant avec les éléments proposés.

> une tasse de – une assiette de – très peu de – une pile de – un peu –
> la dizaine de – une plaque de – beaucoup de – un bouquet de – quelques

Hier soir, je suis rentré tard après le salon, et comme j'avais encore *beaucoup de* travail, j'ai ramené _____ dossiers à la maison. Pour me faire pardonner, j'ai offert _____ fleurs à ma femme. J'ai dîné en _____ temps, j'ai juste pris _____ soupe et _____ fruits, car je voulais me dépêcher de finir mon travail. J'ai emmené _____ chocolat et _____ thé pour préparer _____ réunions de la semaine prochaine. Je me suis couché très tard mais j'ai quand même pu dormir _____ .

## Activité 3

Hier vers 20 heures, un individu a piraté, au sein même des locaux, le serveur informatique de votre entreprise.
Vous êtes Allan Pancrol et vous restez souvent tard pour travailler dans le calme, mais hier, exceptionnellement, vous êtes parti plus tôt. Comme vous êtes responsable du service informatique, vous faites partie des suspects. La directrice générale a demandé une enquête de police pour trouver le coupable.
L'inspecteur de police demande à chaque employé de rédiger une brève note pour décrire tous ses faits et gestes, à partir du moment où il/elle a quitté son poste de travail. Montrez-vous convaincant et précis, monsieur Pancrol !

Monsieur l'Inspecteur,

Dans le cadre de l'enquête sur le piratage du serveur de l'entreprise, je tiens à vous apporter des renseignements quant à mon emploi du temps d'hier soir.
D'abord, j'ai quitté le bureau à...

Je me tiens à votre entière disposition pour tout complément d'informations et vous prie de recevoir, Monsieur l'Inspecteur, mes sincères salutations.

*AP*

Allan Pancrol
Responsable du service informatique

# Unité **6** Vendre

# **é**tude de cas
Ce téléphone est fait pour vous !

# Prise de contact
## Quel consommateur êtes-vous ?

A. **Où est-ce que vous achetez… ? Faites des phrases.**

*J'achète les cartes de téléphone chez le marchand de journaux ou dans une boutique.*

1. les cartes de téléphone ?
2. votre musique préférée ?
3. les produits de beauté ?
4. les cartouches d'imprimante ?
5. les légumes frais ?
6. les produits d'entretien ?

a. chez le marchand de journaux
b. sur Internet
c. dans une boutique
d. chez l'épicier du coin
e. dans une grande surface
f. dans un grand magasin

B. **De quel type d'achats parlent-elles ? Où font-elles ces achats ? À quelle fréquence ?**
**Écoutez les trois personnes et complétez le tableau.**

24

| Personne | Type d'achats ? | Où ? | À quelle fréquence ? |
|---|---|---|---|
| 1 | *les courses* | ................ | ................ |
| 2 | ................ | *dans un maxidiscompte* | ................ |
| 3 | ................ | ................ | *en janvier et en juillet* |

C. **Quand et où faites-vous les courses de la semaine ? Faites des phrases.**

*Les courses, je les fais chaque soir après le travail dans un supermarché.*

D. **Travaillez en tandem. Choisissez deux types d'achat de l'exercice A ci-dessus et dites où et à quelle fréquence vous achetez ces produits. Employez les expressions ci-dessous.**

une fois par semaine / mois / an
tous les trois / six / neuf mois
chaque début / fin de mois

# Vocabulaire 1
## Conditions de vente

A. **Lisez le prospectus de Fournibureau. Quels mots ou expressions correspondent aux phrases de la page 59 ?**

**FOURNIBUREAU**

▶ *promotions sur articles de bureau*

▶ *garantie "satisfait ou remboursé"*

▶ *livraison sous 48 heures*

▶ *expédition gratuite*

▶ *catalogue sur demande*

*la garantie des prix moins chers !*

**FOURNIBUREAU S.A.**
**Toutes fournitures de bureau**
**Le Bourget – France**

1. Nous faisons des offres spéciales, exceptionnelles. ——> *promotions*
2. Le client est certain de recevoir la commande dans les deux jours.
3. Le client ne paie pas le transport.
4. On rend l'argent au client s'il n'est pas content.
5. Papier, stylos, clé USB, calculette, etc., sont des…

**B.** **Lisez les phrases. Qui dit la phrase ? le vendeur ou le client ?**

1. J'aimerais passer commande. ——> *client*
2. Vous avez la référence de l'article ?
3. Cet article n'est plus disponible.
4. Nous prenons en charge les frais de transport.
5. Quels sont les délais de livraison ?
6. La garantie est valable deux semaines.
7. Je vous remercie pour ces informations.
8. Nous ne sommes pas satisfaits du produit livré.

**C.** **Écoutez le dialogue au téléphone entre le client et la vendeuse. Choisissez la réponse correcte.**

25

1. Quelle est la référence de l'article ?  M-78-65 / ⟨M-78-75⟩
2. La garantie « satisfait ou remboursé » est valable…  *15 jours / 45 jours*
3. Le client veut commander…  *10 unités / 1000 unités*
4. L'article est-il en rupture de stock ?  *Oui / Non*
5. Combien de temps met la livraison pour le Luxembourg ?  *48 h / 72 h*
6. Frais de transport à la charge du vendeur si la commande est…  $\geq 85$ *euros* / $\geq 95$ *euros*

# Lire
## *Recherchons 1 commercial h/f*

**A.** **Associez les expressions (colonne de gauche) et leur définition (colonne de droite).**

1. avoir le sens du challenge
2. être autonome
3. être rigoureux
4. être impliqué

a. avoir de la méthode et de l'ordre.
b. s'investir dans le travail
c. aimer découvrir de nouvelles possibilités
d. savoir travailler seul(e)

**B.** **Quelles sont les parties d'une offre d'emploi ? Lisez l'annonce. Puis donnez un numéro d'ordre à chaque partie.**

---

## ❄ **DHALLUIN SA**

Groupe européen présent depuis 20 ans sur les marchés du FROID et de l'ISOLATION, nous commercialisons une gamme complète de composants (inox, aluminium, composites) pour la fabrication et l'équipement de cuisines professionnelles. En France, le territoire est découpé en deux zones et pour animer le secteur situé au sud de la Loire, nous recherchons

### 1 commercial h / f – France SUD

**Mission :** Entretenir, consolider et développer sur le terrain un portefeuille de fabricants et d'installateurs : analyse du besoin, proposition, négociation et suivi des contrats.

**Profil :** Professionnel de la vente, vous justifiez d'une expérience de 3 à 5 ans dans un secteur similaire et maîtrisez l'outil informatique. Avoir le sens du challenge, être autonome, rigoureux et fortement impliqué, voilà les atouts pour nous convaincre.

**Nous vous offrons les moyens pour réussir :** rémunération attractive (fixe + prime + frais), PC, mobile haut débit, voiture de fonction.

BREUGEL ASSOCIÉS    Merci d'adresser dossier et prétentions sous réf. DHA/COMFS à BREUGEL & ASSOCIÉS, 58 bis allée du canal, 59200 Tourcoing, qui traitera votre dossier en toute confidentialité. E-mail : fbreugel@belnet.fr

---

a. compétences demandées
b. coordonnées du cabinet de recrutement
c. rémunération et outils de travail
d. présentation de l'entreprise ——> *1*
e. description des tâches
f. désignation du poste

**C.** Relisez l'offre d'emploi. Les affirmations ci-dessous sont-elles vraies ou fausses ?

1. Dhalluin S.A. fabrique des composants. ⟶ *faux*
2. Les clients de Dhalluin S.A. sont des professionnels.
3. Le commercial recherché reste dans un bureau.
4. Dhalluin S.A. recherche un commercial h / f expérimenté(e).
5. Dhalluin S.A. offre une formation en informatique.
6. Un cabinet de recrutement reçoit les candidatures.

**D.** Êtes-vous éventuellement intéressé(e)
par cet emploi ? Justifiez votre réponse.

**E.** Associez les expressions de la colonne de gauche
avec les expressions de la colonne de droite.
Ces expressions se trouvent dans l'offre d'emploi.

| | |
|---|---|
| 1. une analyse du | a. gamme de produits |
| 2. une voiture de | b. fonction |
| 3. développer un | c. contrat |
| 4. commercialiser une | d. challenge |
| 5. le suivi du | e. besoin |
| 6. le sens du | f. portefeuille de clients |

## Point de langue 1
### *Passé composé (2)*

Grammaire p. 119

● **On emploie également le passé composé avec des indicateurs de temps comme *ce matin, hier, la semaine dernière, le mois dernier*, avec une date, une période, pour indiquer que l'action est définitivement du passé.**

　*– Qu'est-ce que vous avez fait hier après-midi ?* 　　*– J'ai visité deux clients.*
　*Le mois dernier, je suis allé en mission à Montréal.*
　*Elle a quitté notre entreprise en octobre 2005.*
　*Je suis devenu directeur général du groupe en 2006.*

● **Pour relater le parcours professionnel d'une personne, on emploie souvent le présent.**
　*Carlos Ghosn rejoint Michelin en septembre 1978. En septembre 1996, il intègre Renault.*

**Complétez le compte rendu
d'une tournée en Finlande
et en Estonie.
Employez le passé composé
des verbes entre parenthèses.**

### Rapport de visite
#### Finlande, Estonie

Après le salon de l'agroalimentaire à Cologne, je *suis allé(e)* (aller) à Helsinki. Le 13 octobre, je / j' ___1___ (rencontrer) le directeur des achats d'une chaîne de supermarchés. Toute son équipe ___2___ (goûter) nos produits. Notre agent local ___3___ (savoir) organiser le rendez-vous. Il ___4___ (fournir) du matériel publicitaire et des échantillons en quantités suffisantes.

Le 14 octobre, je / j' ___5___ (être) en rendez-vous avec la responsable marketing d'un grand café d'Helsinki. Nous ___6___ (discuter) de la possibilité d'une semaine française en juin prochain.

Le 15 octobre, je / j' ___7___ (arriver) à Tallinn en Estonie. Je / j' ___8___ (prendre) contact avec un représentant de la chambre de commerce estonienne. Je / j' ___9___ (avoir) l'occasion de parler avec madame Reisid qui s'occupe de l'agroalimentaire.

Je / j' ___10___ (rentrer) au siège à Angers le 16 octobre.

## Vocabulaire 2
### *Location de voiture*

**A.** « louez-la » est une société de location de voitures. La page web ci-dessous s'adresse aux petites et moyennes entreprises (PME). Complétez avec les mots ou expressions de l'encadré.

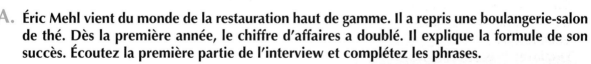

tout compris – au mieux – au plus juste – économiser – commercial

@ http://www.louez_la.com/fr/pme.htm

Démarrage   Dernières nouvelles   Apple ▾   Informations ▾

**Offre pme**

*louez-la* a développé son offre « Programme Entreprise » pour répondre *au mieux* aux besoins de déplacement de vos salariés :

✔ Un tarif avantageux qui permet d'____1____ jusqu'à 30 % et plus par rapport au prix public.

✔ Avec une formule simple et ____2____ (assurance et kilométrage).

✔ Une offre tarifaire adaptée et calculée ____3____ en fonction de votre volume annuel de location.

✔ Un interlocuteur ____4____ unique, à votre écoute dans votre région.

**B.** Relisez la page de « louez-la ». Puis lisez les phrases ci-dessous et choisissez le mot approprié.

1. Les PME *achètent / empruntent / (louent)* des voitures pour les déplacements de leurs salariés.
2. « louez-la » *loue / prête / vend* des voitures à des entreprises.
3. Le prix public est *inférieur / égal / supérieur* au tarif PME.
4. L'assurance est *exclue de / incluse* dans la formule PME.
5. Les prix de « louez-la » sont très *étudiés / bas / élevés*.
6. Un interlocuteur est une personne *à qui / avec qui / de qui* on parle.

## Écouter
### *Vendre*

**26**

**A.** Éric Mehl vient du monde de la restauration haut de gamme. Il a repris une boulangerie-salon de thé. Dès la première année, le chiffre d'affaires a doublé. Il explique la formule de son succès. Écoutez la première partie de l'interview et complétez les phrases.

1. Le rôle des vendeuses est d'*accompagner* l'achat d'une cinquantaine de produits.
2. Elles doivent connaître ces produits pour ____ les clients.
3. Pour cette raison, nos huit vendeuses travaillent à ____ .
4. Elles sont plus épanouies et entièrement ____ à leur travail.
5. Ce sont des ____ de la vente.

**27**

**B.** Écoutez la seconde partie de l'interview et répondez aux questions.

1. Quelles sont les trois recommandations d'Éric Mehl à ses vendeuses ?
2. Qu'est-ce qu'il faut éviter ? Pourquoi ?

## Point de langue 2
### Indicateurs de temps

Grammaire p. 119-120

| DATES ET PÉRIODES | DURÉE ET CHRONOLOGIE |
|---|---|

**DATES ET PÉRIODES**

- *Je suis entrée comme commerciale chez O & C*
  *le 15 octobre 2001.*
  *en octobre 2001.*
  *en 2001.*

- *J'ai travaillé*
  *du 15 octobre 2001 au 31 octobre 2005.*
  *d'octobre 2001 à octobre 2005.*
  *de 2001 à 2005.*

- *J'ai été en congé maternité*
  *jusqu'au 28 février 2006.*
  *jusqu'en février 2006.*

- *J'ai repris le travail chez O & C au service*
  *de la communication*
  *à partir du 1ᵉʳ mars 2006.*
  *à partir de mars 2006.*

**DURÉE ET CHRONOLOGIE**

- *Avant, elle a fait un stage de six mois*
  *dans la même entreprise.*

- *Elle a travaillé comme commerciale*
  ***pendant** quatre ans. **Après**, elle a eu*
  *un enfant. **Au bout de** quatre mois,*
  *elle a repris le travail chez O & C.*

- *Nous sommes en mars 2008.*
  *Elle a repris le travail **il y a** deux ans.*
  *Elle travaille à la communication **depuis***
  *deux ans maintenant.*

**Attention !**
— *Combien de temps êtes-vous resté(e) à Dakar ?* — *Je suis resté(e) ~~pendant~~ deux ans là-bas.*

- ***avant de... ≠ après...***
  *Avant d'être directeur financier chez nous, il a travaillé comme consultant chez KPMG.*
  *Après avoir fait des études de chimie, elle a travaillé dans un laboratoire pharmaceutique.*

### Complétez le parcours professionnel de Greg Cappell. Choisissez le mot approprié.

*Jusqu'en / (De)* 1991 à 1995, Greg Cappell a étudié la gestion des entreprises à l'université de Puget Sound aux États-Unis. *Depuis / Pendant*[1] ses études, il a travaillé comme vendeur dans l'entreprise familiale. Après avoir obtenu son diplôme *dans / en*[2] 1995, il a été gérant d'une boutique d'électronique grand public *il y a / jusqu'en*[3] janvier 1996.

*De / En*[4] février 1996 à juin 1999, il a occupé le poste de chef des ventes, responsable d'une équipe de dix personnes, chez un distributeur d'outils bureautiques. *À partir de / Le*[5] juillet 1999, il a assuré la fonction de responsable des ventes pour le Canada dans un groupe informatique. Il a exercé cette fonction *après / pendant*[6] un an avant de devenir responsable grands comptes pour la vente des mises à jour de logiciels.

*Dans / En*[7] 2002, il a suivi un programme de formation à la gestion des affaires internationales dans une école de commerce à Paris. Il a rejoint notre entreprise *pendant / il y a*[8] trois ans. Le mois *dernier / prochain*[9], il est devenu directeur export pour le Canada.

# Gammes
### *Présenter un produit*

**A.** À l'occasion d'un salon de l'électroménager, un acheteur d'une chaîne d'hypermarchés rencontre un distributeur de fours de cuisine. Écoutez le dialogue et complétez la fiche de produit.

**28**

| | |
|---|---|
| **Modèle :** *LX37* | |
| **Caractéristiques :** | – four avec capacité de ___1___ litres<br>– 2 plaques de cuisson |
| **Public cible :** | jeunes couples qui ___2___ |
| **Couleurs proposées :** | ___3___, noir, ___4___ |
| **Avantages du produit :** | – ___5___ en même temps dans le four et sur les 2 plaques<br>– design : ___6___ et soigné<br>– simple à ___7___ et à nettoyer |
| **Prix distributeur :** | ___8___ euros |
| **Durée de la garantie :** | ___9___ ans |
| **Délais de livraison :** | ___10___ semaines |

**B.** Observez les expressions à connaître. Réécoutez le dialogue. Repérez les expressions que vous entendez.

**28**

.. **Expressions à connaître** ............................................

| ACHETEUR | VENDEUR |
|---|---|
| | **Aborder quelqu'un**<br>Est-ce que je peux vous renseigner ? |
| **Demander des informations**<br>J'aimerais des informations sur… | **Accepter**<br>Voici notre modèle le plus demandé. |
| **Cible ?**<br>Quel est le public cible ? | Nous ciblons les jeunes couples qui… |
| **Couleurs ?**<br>Vous proposez quelles couleurs ? | Nous proposons… |
| **Avantages ?**<br>Quels sont les avantages du produit ? | Vous pouvez…<br>C'est un très bon rapport qualité-prix. |
| **Prix ?**<br>Quel est le prix ? | Le prix est de… |
| **Garantie ?**<br>La garantie est de combien de temps ? | La garantie est de… |
| **Livraison ?**<br>Quels sont les délais de livraison ? | Nous pouvons livrer dans un délai de… |

**C.** Travaillez en tandem. Vous êtes au salon de l'électronique de loisir. L'étudiant(e) A est responsable achat des boutiques « Mobilis » et veut acheter des navigateurs GPS : voir page 111. L'étudiant(e) B est distributeur de navigateurs GPS : voir page 108. Jouez le dialogue.

# Étude de cas
## Ce téléphone est fait pour vous !

## Contexte

« La boutique du téléphone » S.A. vend des téléphones fixes et mobiles de toutes les marques. Elle a des magasins dans les centres-villes. Le personnel de vente conseille les clients dans le choix du téléphone et des options et accessoires.

Deux clients sont dans le magasin : l'un(e) est responsable commercial(e), l'autre est étudiant(e).

### Téléphones mobiles

| Mobile | Prix | Caractéristiques | Autres fonctions |
|---|---|---|---|
| Kivi gris 6301 | 99 euros | • écran couleur<br>• organiseur avec agenda, calendrier, liste de tâches<br>• répertoire de 200 noms<br>• fonctionne en Europe et en Asie | • réveil, calculatrice<br>• fonction mains libres<br>• textos |
| Roquère blanc 07 | 259 euros | • écran couleur<br>• organiseur, répertoire de 1000 noms<br>• baladeur (stockage possible de 200 chansons)<br>• fonctionne dans tous les pays | • réveil, calculatrice<br>• textos, messagerie instantanée<br>• écouteurs sans fil fournis |
| Pak noir 600 | 339 euros | • double écran (téléphone à clapet)<br>• appareil photo, enregistreur vidéo<br>• fonctionne dans tous les pays | • réveil, calculatrice, jeux<br>• textos, messages multimédias<br>• sonneries 64 tons<br>• kit piéton mains libres fourni |

### Options ou accessoires

| | |
|---|---|
| Câble allume-cigare pour recharger la batterie dans la voiture | 15 € |
| Câble pour transférer des données vers le PC | 51 € |
| Kit piéton mains libres | 69 € |
| Étui en cuir noir | 25 € |
| Cédérom pour créer sonneries, photos et vidéos | 25 € |
| Façade interchangeable pour personnaliser le mobile | 20 € |

## Tâche

Travaillez en groupes de quatre. Deux personnes jouent le rôle de vendeur (voir page 112). Deux personnes jouent les clients (voir page 111).

1. Lisez votre fiche. Dans chaque groupe, un vendeur/une vendeuse conseille un client/une cliente dans le choix de son téléphone.

2. Le personnel de vente (rôle A) se réunit et parle de la réalisation de l'objectif de vente. Les clients (rôles B et C) se réunissent et parlent de leur achat.

Écrits p. 150

## Écrire

Vous travaillez dans un magasin de «La boutique du téléphone ». Vous êtes en congé demain. Écrivez un courriel à votre collègue Michèle. Vous lui expliquez quel téléphone (avec options ou accessoires) veut le client. Demandez à votre collègue de commander la référence au fournisseur car elle n'est pas en stock. Le client veut l'appareil pour mardi.

| Texte principal ▲▼ | Largeur variable ▲▼ | ■ | A▼ A▲ | **B** *I* U̲ | ▤ ▤ ▤ ▤ | ▤ ▯ ☺ |

> Bonjour Michèle,
> Un client, Monsieur Maurin, a commandé un téléphone aujourd'hui.
> Il s'agit du…

# Bilan 6

## Activité 1

Votre partenaire et vous travaillez pour une chaîne de télévision. Voici les résultats d'une enquête menée pour mieux connaître son public. Vous êtes tous les deux chargé(e)s d'en faire le rapport. Chacun à votre tour, construisez des phrases avec les informations graphiques (utilisez le plus possible les indicateurs de temps).

*Pendant les 3 premiers trimestres, le nombre de ruptures de contrats d'abonnement a baissé mais il a de nouveau augmenté au quatrième trimestre.*

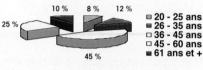

Âge du public (2006)

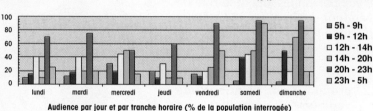

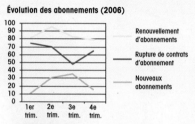

Évolution des abonnements (2006)

Renouvellement d'abonnements
Rupture de contrats d'abonnement
Nouveaux abonnements

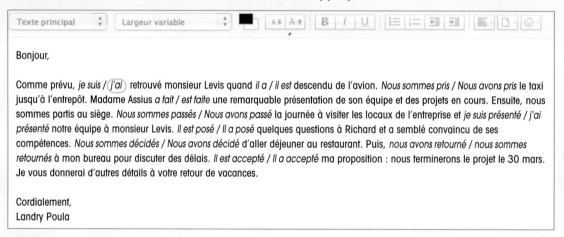

Audience par jour et par tranche horaire (% de la population interrogée)

## Activité 2

Dans le cadre d'un appel d'offre, votre collègue reçoit monsieur Levis, le client : il souhaite connaître votre entreprise. Votre collègue veut envoyer un message à votre patron parti en vacances. Il vous demande de l'aider à le formuler. Choisissez la forme appropriée.

| Texte principal ⬍ | Largeur variable ⬍ | ⬛ | A⬇ A⬆ | B I U | ☰ ☷ ⬅ ➡ | ▤ ▯ ☺ |

Bonjour,

Comme prévu, *je suis / (j'ai)* retrouvé monsieur Levis quand *il a / il est* descendu de l'avion. *Nous sommes pris / Nous avons pris* le taxi jusqu'à l'entrepôt. Madame Assius *a fait / est faite* une remarquable présentation de son équipe et des projets en cours. Ensuite, nous sommes partis au siège. *Nous sommes passés / Nous avons passé* la journée à visiter les locaux de l'entreprise et *je suis présenté / j'ai présenté* notre équipe à monsieur Levis. *Il est posé / Il a posé* quelques questions à Richard et a semblé convaincu de ses compétences. *Nous sommes décidés / Nous avons décidé* d'aller déjeuner au restaurant. Puis, *nous avons retourné / nous sommes retournés* à mon bureau pour discuter des délais. *Il est accepté / Il a accepté* ma proposition : nous terminerons le projet le 30 mars. Je vous donnerai d'autres détails à votre retour de vacances.

Cordialement,
Landry Poula

## Activité 3

Voici les étapes du parcours professionnel de Tito Guarnieri. À partir des notes ci-dessous, écrivez un article sur le modèle de l'article concernant Greg Cappell, page 62.

*De 1983 à 1987, Tito Guarnieri a suivi une formation en restauration option cuisine à Lyon.*

1983-1987 : suit formation en restauration option cuisine à Lyon, travaille comme cuisinier dans restaurant familial
1987-1990 : occupe le poste de chef de rayon produits frais dans supermarchés (Paris et Avignon)
1991-1995 : assure fonction d'attaché commercial dans société de vente de produits laitiers (secteur Rhône-Alpes)
1995 : devient chef des ventes, responsable d'une équipe de huit personnes
1996 : suit formation de management
1997-2000 : est responsable grands comptes pour la vente des produits du terroir
2001 : rejoint Sandrini, fabricant de cafetières italiennes, en tant que chef des ventes pour la France

# Unité **7** Collaborer

# **É**tude de cas
### Restructuration à la banque Bonvoisin

**A.** Quelles propositions correspondent à votre expérience professionnelle (travail ou stage) ?

1. Les gens travaillent dans un bureau…
   a. la porte fermée.
   b. la porte ouverte.
   c. à plusieurs.
   d. paysager.

2. À la réunion de service, les participants…
   a. écoutent surtout.
   b. posent des questions.
   c. sortent parfois pour téléphoner.
   d. arrivent souvent en retard.

3. Mon entreprise peut me joindre par téléphone ou par courriel…
   a. la nuit.
   b. le week-end.
   c. pendant les vacances.
   d. seulement pendant les heures de travail.

4. Dans mon entreprise, on porte…
   a. un tailleur / un costume.
   b. une tenue décontractée.
   c. un vêtement de protection.
   d. un uniforme.

5. Quand il y a un dossier urgent à traiter,
   a. je rentre tard le soir.
   b. je commence tôt le matin.
   c. je ne modifie pas mes horaires.
   d. j'emporte le dossier à la maison.

6. Dans les entreprises de mon pays, on a beaucoup de respect pour…
   a. la fonction et le titre.
   b. l'âge et l'expérience.
   c. la performance individuelle.
   d. le travail en équipe.

**B.** Comparez vos réponses avec celles d'un partenaire du groupe. Y a-t-il de grandes différences ? Quels points sont identiques ? Lesquels sont différents ?

**A.** D'après vous, quelles sont les qualités essentielles de ces responsables (a à d) ? Sélectionnez une qualité pour chaque responsable dans chaque menu.

| responsable marketing | responsable finances | responsable ressources humaines | responsable commerciale |
|---|---|---|---|
| **a** | **b** | **c** | **d** |

⟶ *3, 7, 10*

| Menu 1 : avoir… | Menu 2 : être… | Menu 3 : se montrer… |
|---|---|---|
| 1. une grande capacité d'analyse | 5. disponible | 9. organisé(e) |
| 2. de l'humour | 6. méthodique | 10. confiant(e) |
| 3. de l'enthousiasme | 7. créatif(-ive) | 11. attentif(-ive) |
| 4. du temps pour les autres | 8. sympathique | 12. percutant(e) |

**Écrivez un paragraphe sur chaque responsable.**

*La personne responsable du marketing a de l'enthousiasme, est créative, se montre…*

**B.** Quels sont les savoir-faire typiques des quatre responsables de l'exercice A, page 68 ?
Lisez et choisissez. Pensez à des exemples de votre travail pour justifier vos réponses.

1. savoir proposer des solutions de manière réaliste et positive
2. savoir présenter des idées de manière claire et structurée ⟶ *responsable marketing*
3. savoir prévoir les conséquences de manière naturelle et rapide
4. savoir reconnaître les compétences de manière juste

**C.** Avec quel type de manager ou de collègue préférez-vous travailler ? Discutez avec votre partenaire.

*Je préfère travailler avec une personne méthodique, qui a de l'humour...*

Lexique p. 147

## Écouter
### Accorder / Obtenir une promotion

**29**

**A.** Pancho Nunes, responsable de compte dans une société de services informatiques, discute avec Laura Szabo, son adjointe. À l'ordre du jour : la désignation d'un chef sur un nouveau projet. Écoutez la première partie du dialogue et complétez le profil ci-dessous.

Il faut une personne *exigeante*. Elle doit savoir fixer __1__ . Elle doit __2__ un bon contact avec le client. Elle doit respecter __3__ . Il faut une personne __4__ .

**30**

**B.** Écoutez la deuxième partie du dialogue. Dites si les affirmations sont vraies ou fausses.

1. La dernière mission de Leila s'est mal passée. ⟶ *faux*
2. Elle est à Sofia depuis six mois.
3. Elle a coordonné le travail de manière efficace.
4. C'est une personne fiable concernant les délais.
5. Elle n'aime pas le contact avec les gens.
6. Elle a dirigé le projet en Bulgarie.
7. Elle se montre très motivée.

## Point de langue 1
### Pronoms compléments (1)

Grammaire p. 120-121

- Quand on parle à propos d'une personne précise (de lui/d'elle, d'eux/d'elles), on emploie :
  **LE / LA / L'/ LES** – *Vous appelez le technicien / la cliente / les commerciaux ?*
  – *Oui, je l' / les appelle tout de suite. (← appeler quelqu'un)*

  **LUI / LEUR** – *Vous téléphonez au technicien / à la cliente / aux commerciaux ?*
  – *Oui, je lui / leur téléphone tout de suite. (← téléphoner à quelqu'un)*

- Quand on parle l'un à l'autre (moi ↔ vous, nous ↔ vous, moi ↔ toi), on emploie :
  **ME / M'** *Vous m'envoyez un fax de confirmation ? (← envoyer à quelqu'un)*
  **NOUS** *Vous nous attendez depuis longtemps ? (← attendre quelqu'un)*
  **VOUS** *Je vous invite au restaurant. (← inviter quelqu'un)*
  **TE / T'** *Je te réponds par courriel. (← répondre à quelqu'un)*

- Quand on parle à propos de relations entre des personnes d'un groupe, on emploie :
  **NOUS** *Nous nous sommes rencontrés à Montréal.*
  **VOUS** *Vous vous entendez bien tous les deux ?*
  **SE/ S'** *Ils / Elles ne se parlent plus.*
  *On se voit la semaine prochaine, d'accord ?*

- Quand on parle de l'action d'une personne sur elle-même, on emploie *ME / M'* ou *VOUS* ou *SE / S'* ou *TE / T'* ou *NOUS.*
  *Je m'achète un nouvel ordinateur.* *Vous vous levez à quelle heure ?* *Elle s'est assise.*
  *Ils se sont couchés.* *Nous nous sommes dépêchés.* *Tu t'es rasé ?*

**A.** Choisissez le pronom approprié (phrases 1 à 9). Le pronom complément désigne quelle personne ou quel groupe de personnes (a à i) ?

1. Vous l' / *lui* avez téléphoné à propos de la livraison ?
2. Je *la / lui* vois cet après-midi.
3. Vous *les / leur* avez envoyé les marchandises ?
4. Est-ce que ce marché *les / leur* intéresse ?
5. Vous *les / leur* invitez à votre pot de départ ?
6. Vous l' / *lui* avez attendu longtemps ?
7. Est-ce que mardi 14 heures *le / lui* convient ?
8. Est-ce qu'on l' / *lui* embauche ?
9. Vous pouvez l' / *lui* aider ?

a. entreprises clientes
b. personne qui demande un RDV
c. fournisseur
d. collègue débordé(e)
e. personne qui a pris RDV
f. candidat(e) à un poste
g. membres d'un autre service
h. entreprises concurrentes
i. personne en retard

**B.** Aurélie tient un blog sur la Toile. Elle raconte sa vie au bureau. Aujourd'hui, elle a eu une mauvaise journée. Lisez l'extrait ci-dessous et complétez avec des pronoms compléments.

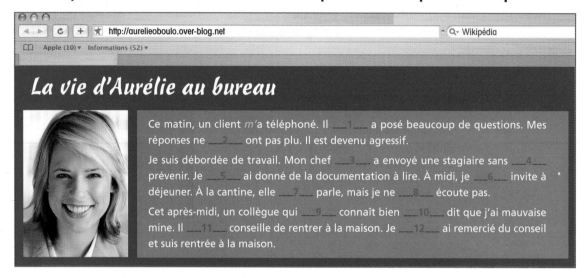

**La vie d'Aurélie au bureau**

Ce matin, un client *m'*a téléphoné. Il ___1___ a posé beaucoup de questions. Mes réponses ne ___2___ ont pas plu. Il est devenu agressif.

Je suis débordée de travail. Mon chef ___3___ a envoyé une stagiaire sans ___4___ prévenir. Je ___5___ ai donné de la documentation à lire. À midi, je ___6___ invite à déjeuner. À la cantine, elle ___7___ parle, mais je ne ___8___ écoute pas.

Cet après-midi, un collègue qui ___9___ connaît bien ___10___ dit que j'ai mauvaise mine. Il ___11___ conseille de rentrer à la maison. Je ___12___ ai remercié du conseil et suis rentrée à la maison.

**C.** Écoutez les phrases 1 à 6. À quel moment peut-on entendre ces phrases ? Associez les phrases et les moments ci-dessous.

31

a. au moment d'embarquer
b. à l'heure de déjeuner
c. à la veille des congés ———➤ *phrase 1*
d. au moment d'entrer dans un bureau
e. pendant une réunion
f. au moment d'accueillir un visiteur

**D.** Travaillez en tandem. Avez-vous encore des contacts avec vos camarades de promotion (école, université) ? Faites des phrases. Employez les verbes de l'encadré.

appeler – écrire – envoyer – inviter – raconter – rencontrer – réunir – téléphoner – voir

*J'ai encore des contacts avec des camarades de l'université.*
*On ne se voit pas souvent.*
*On se rencontre une fois par an au restaurant.*
*On s'envoie des cartes au nouvel an.*
*On se téléphone quand on cherche un autre poste...*

# Lire
## Collègues français

**A.** Trouvez l'intrus dans chaque série de mots. C'est toujours le contraire des deux autres.

1. humble – arrogant(e) – modeste
2. calme – passionné(e) – excité(e)
3. gentil(le) – sympa – agressif(-ive)
4. concret(-ète) – hors sujet – factuel(le)
5. râleur(-euse) – critique – constructif(-ive)
6. accommodant(e) – légaliste – souple

**B.** Une journaliste française a interrogé des cadres étrangers dans des entreprises en France. Comment jugent-ils leurs collègues français ? Lisez les fiches d'identité a à d. Puis lisez rapidement les réponses 1 à 4. Qui a répondu quoi ?

**a.** Asger Esping, 29 ans, chef de projet en marketing et développement commercial dans une entreprise de cosmétiques.

**b.** Thérèse Lou, 33 ans, directrice marketing dans une entreprise d'équipement informatique. | 1

**c.** Ernesto Troilo, 51 ans, responsable commercial grands comptes dans une entreprise internationale de déménagement.

**d.** Sumati Bhadmi, 26 ans, coordinatrice dans une société de développement informatique.

**1** Les Taïwanais passent beaucoup de temps au bureau et ne prennent pas une à deux heures pour déjeuner dehors. Dans la société taïwanaise, on ne parle que de travail d'équipe. On ne se met pas en avant. Il faut rester humble.

**2** Après un an et demi de travail en France, je m'habitue seulement maintenant au ton parfois passionné, presque agressif, des gens en réunion. Les Français argumentent beaucoup ; en Inde, c'est impensable. Dans mon pays, le concept de hiérarchie est très important. Les Indiens ont beaucoup de respect pour l'âge et l'expérience. Autre différence : les Français protègent beaucoup leur vie privée. Ils ne mélangent pas collègues de travail et amis. À part les jeunes célibataires, je ne suis pas invitée chez mes collègues ; dans mon pays par contre, c'est courant.

**3** Les Français tournent beaucoup autour du pot ; dans les pays scandinaves, nous sommes plus concrets. Les réunions doivent être courtes, nous ne partons pas trop tard du bureau, donc nous ne parlons pas des dernières vacances ou de la maladie du petit. En France, vous êtes assez râleurs mais vous êtes bosseurs et très impliqués dans votre travail.

**4** Il y a un respect plus important des procédures, une façon de travailler plus structurée ici. En Argentine, l'instabilité de l'économie est trop grande pour faire des projets, donc parfois les gens s'impliquent moins dans leur travail. Enfin, j'apprécie la souplesse des Français par rapport aux Américains, trop légalistes.

**C.** Relisez les réponses 1 à 4 de l'exercice B. Dans quelle réponse trouvez-vous les affirmations ci-dessous ?

| Les collègues français... | 1 | 2 | 3 | 4 |
|---|---|---|---|---|
| a. prennent beaucoup de temps pour déjeuner. | X | | | |
| b. s'investissent beaucoup dans leur travail. | | | | |
| c. veulent briller individuellement. | X | | | |
| d. parlent de tout et de rien pendant les réunions. | | | | |
| e. discutent beaucoup et dans le désordre. | | | | |
| f. ont de la méthode dans leur manière de travailler. | | | | |
| g. restent longtemps au bureau. | | | | |
| h. séparent vie au bureau et vie personnelle. | | | | |

**D.** Repérez dans les réponses de l'exercice B, page 71, des expressions équivalentes aux mots en gras.

1. Chez nous, couper la parole aux gens, **ça ne se fait pas.** ❷ = *c'est impensable*
2. Dans mon pays, faire la fête au bureau, **c'est fréquent.** ❷
3. Chez nous, les gens **n'entrent pas directement dans le sujet.** ❸
4. Dans mon pays, les gens **travaillent beaucoup.** ❸

**E.** Travaillez en tandem. Avez-vous travaillé avec des collègues ou étudié avec des camarades francophones ? Parlez de ce que vous avez observé pendant des réunions ou des cours, sur les méthodes de travail ou l'organisation.

## Point de langue 2
## il faut ; avoir besoin de ; devoir

Grammaire p. 121

- Pour exprimer un besoin, une nécessité, on emploie *avoir besoin de* ou *il faut*.

  | | |
  |---|---|
  | *Qu'est-ce qu'il vous faut ?* | = *Vous avez besoin de quoi ?* |
  | *Qui est-ce qu'il vous faut ?* | = *Vous avez besoin de qui ?* |
  | *Il vous faut combien de temps ?* | = *Vous avez besoin de combien de temps ?* |
  | *Il vous faut combien de personnes ?* | = *Vous avez besoin de combien de personnes ?* |

- Pour exprimer une nécessité :
  – pour tout le monde, on emploie *il faut*.
     *Il faut prendre une décision. Il a fallu reporter le rendez-vous.*
  – pour la personne concernée, on emploie *devoir* ou *il me / vous / lui / leur / te / leur faut*.
     *Il / Elle doit prendre une décision. Il lui faut prendre une décision.*

- Pour exprimer une probabilité, on emploie souvent *devoir*.
  *Il a dû partir, il n'y a plus de lumière dans son bureau.*
  – *Vous devez être fatigué(e) ?*   – *Non, ça va, merci. Le voyage n'a pas été très fatigant.*

- Pour exprimer une dette, on emploie également *devoir*.
  – *Je vous dois combien ?*   – *Tenez, voilà la facture. Vous me devez 30 euros.*

**A.** Écoutez les dialogues 1 à 4. Associez les dialogues et les thèmes a à d.

32

a. Problème relationnel
b. Problème de météo ⟶ *dialogue 1*

c. Problème d'intégration
d. Problème de motivation

**B.** Réécoutez les dialogues 1 à 4. Complétez le tableau.

32

| | Qu'est-ce qui se passe ? | Qu'est-ce qu'il faut faire ? |
|---|---|---|
| Klaus | *il y a une tempête de neige* <br> ......1...... | ......2...... |
| Loredana | ......3...... <br> *elle a besoin de vacances* | ......4...... <br> *il faut lui dire* |
| Dimitri | *il est trop discret* <br> ......5...... <br> *il ne prend jamais de risques* | *il faut lui faire des compliments sur son travail* <br> ......6...... |
| Sabine | ......7...... <br> *elle ne s'intéresse qu'aux résultats* | ......8...... |

**C.** Travaillez en tandem. Faites des dialogues. Employez les éléments proposés (→).

**A :** *Je ne sais pas comment faire. Il me faut des conseils.*
**B :** *Tu as vraiment besoin de conseils ?*
**B :** *Elle est débordée. ...*

1. Je ne sais pas comment faire.                → *des conseils*
2. Elle est débordée.                           → *de l'aide*
3. Vous avez des lacunes en bureautique.        → *une formation*
4. Je reçois un client aujourd'hui.             → *une salle de réunion*
5. Je fais une présentation aujourd'hui.        → *le vidéoprojecteur*
6. Elle ne comprend pas ce retard.              → *une explication*
7. Il est très fatigué.                         → *du repos*
8. Le chef veut te voir.                        → *les chiffres de vente du mois dernier*

**D.** Serge manage une équipe de quatre personnes. Lisez et complétez les évaluations de l'équipe avec les mots de l'encadré.

> efficace – solutions – méthodique – coopératif – engagements

1. Abdel est *coopératif*, mais il manque de méthode.
2. Georges est créatif, mais il ne tient pas toujours ses ............ .
3. Mélanie est ............, mais elle ne tolère pas les erreurs.
4. Wendy est précise et ............, mais elle ne propose pas de ............ nouvelles.

**Sélectionnez une amélioration nécessaire (a à d) pour chaque personne. Faites des phrases avec *devoir*.**

*Abdel doit se fixer des objectifs.*

a. accepter les autres
b. planifier son temps
c. ~~se fixer des objectifs~~
d. prendre des initiatives

**E.** Travaillez en tandem. Vous avez perdu le contact avec un(e) ami(e). Imaginez son parcours : vous le racontez à votre partenaire.

*J'ai connu Maurice il y a dix ans. Depuis, il a dû faire des études. Il a dû faire un stage aux États-Unis. Il a dû intégrer un centre de recherches. Il a toujours voulu être chercheur.*

# Gammes

## Négocier avec son n + 1

**A.** Christophe est le responsable hiérarchique (= le n + 1) de Milena. Dans ce dialogue, les réponses de Christophe sont dans le désordre. Remettez ses réponses dans l'ordre en fonction des remarques de Milena.

### Milena

1. Je peux te parler ? C'est à propos de Didier.
2. Je pense qu'il n'est pas à l'aise dans l'équipe.
3. Je reconnais qu'il est compétent. Mais il est toujours devant son ordinateur.
4. Mais on ne peut pas lui parler.
5. Oui et non. Il est gentil mais je crois qu'il préfère les machines au contact avec les gens.

### Christophe

a. Il n'a pas l'esprit d'équipe ? ☐

b. Vas-y, je t'écoute. ☑

c. Tu veux dire qu'il ne correspond pas à l'image de ton service, c'est ça ? ☐

d. Il n'est pas à l'aise ? ☐

e. Il est très concentré, si je comprends bien. ☐

**B.** Écoutez le dialogue et vérifiez vos réponses.

33

**C.** Rejouez le dialogue de l'exercice B avec un(e) partenaire. Employez les éléments ci-dessous. Vous parlez de Samantha.

| n | n + 1 |
|---|---|
| • appréciée des clients, en retard à ses rendez-vous | • a beaucoup de travail |
| • toujours prise, ne va pas aux réunions | • manque d'organisation |
| • efficace, ne s'intéresse qu'à ses résultats | • veut prendre des responsabilités |

**D.** Travaillez en tandem. Étudiant(e) A : vous jouez le rôle du n + 1. Vous voulez des informations sur l'avancement du projet Alpha. Lisez la fiche p. 108. Étudiant(e) B : vous jouez le rôle du responsable du projet Alpha. Vous répondez aux questions de votre n + 1 : lisez la fiche p. 110. Préparez puis jouez le dialogue. Employez des expressions à connaître.

--- Expressions à connaître ---

| COLLABORATEUR(-TRICE) | N + 1 |
|---|---|
| **Aborder le sujet**<br>C'est à propos de... | **Aborder le sujet**<br>Ce projet, ça se passe bien ?<br>À propos, le projet Alpha, où est-ce que vous en êtes ?<br>Vas-y, je t'écoute. / Allez-y, je vous écoute. |
| **Exposer le problème**<br>J'ai des soucis concernant...<br>Tania est malade.<br>Je pense / Je crois que...<br>Il me faut une personne en plus.<br>Nous avons des délais à respecter. | **Faire préciser**<br>Quel est le problème ?<br>Qui peut la remplacer ?<br>Si je comprends bien, ...<br>Vous voulez dire que...<br>Il y a un budget pour... ? |
| **Présenter une solution**<br>Alors, il faut engager...<br>À mon avis, il faut... | **Conclure**<br>Je vais voir ce qu'on peut faire.<br>Je vous tiens au courant. |

# Étude de cas
## Restructuration à la banque Bonvoisin

## Contexte

Bonvoisin S.A. est une banque de taille moyenne basée à Luxembourg. Elle doit fusionner avec la banque grecque Trapézès de taille identique.

Le service de l'organisation de la banque Bonvoisin est un service transversal. Il propose de l'aide et du conseil aux différents départements de la banque. Deux responsables dirigent le service. Huit manageurs gèrent les équipes. Les membres des équipes sont des consultants internes : ils font des missions et participent à des projets pendant une période déterminée. Les départements de la banque sont leurs clients.

Dans la perspective de la fusion, les deux responsables du service de l'organisation doivent réduire le personnel. Par ailleurs, pour améliorer l'image de marque du service, ils veulent garder des gens créatifs, enthousiastes et confiants.

**Le cas de deux manageurs d'équipe du service de l'organisation**

Dans le service de l'organisation de Bonvoisin, Erica Noussli et Arthur Tramoni sont manageurs d'équipe. L'une des personnes peut rester dans le service, l'autre doit partir pour occuper un autre poste dans un département de la banque. Qui reste dans le service ? Qui quitte le service ? Voilà la question.

## Tâche

 Travaillez en tandem. Vous êtes les deux responsables du service de l'organisation. Vous examinez le cas des manageurs d'équipe.

Étudiant(e) A : vous préférez garder Erica Noussli dans le service (voir fiche p. 110).

Étudiant(e) B : vous préférez garder Arthur Tramoni dans le service (voir fiche p. 112).

Lisez la fiche. Discutez le cas. Prenez une décision.

Écrits p. 151

## Écrire

Vous êtes responsable du service de l'organisation à la banque Bonvoisin. Écrivez un courriel à Soraya, une collègue des ressources humaines. Vous la vouvoyez. Vous lui dites qu'Erica ou Arthur quitte le service. Vous lui parlez de ses qualités. Peut-elle la ou le recevoir et lui indiquer les postes vacants correspondant à son profil ? Vous la remerciez d'avance.

| Texte principal ⇕ | Largeur variable ⇕ | ■ □ | A+ A↑ | B I U | ☰ ☷ ☶ ☵ | ☰ ▯ ☺ |
|---|---|---|---|---|---|---|

Bonjour Soraya,

J'attire votre attention sur le cas d'... .
Dans la perspective de la fusion, ...

# Bilan

Vous êtes Lars Duto, le responsable hiérarchique (n+1) de Neil Zuni, chef de projet. Vous venez de lui faire passer son entretien annuel d'évaluation. Vous avez pris des notes : rédigez un courriel à la DRH pour en faire le compte rendu. Vous utiliserez les outils linguistiques pour exprimer l'obligation, le besoin, la nécessité.

| Bilan | Axes de progrès | Actions à mener |
|---|---|---|
| – objectifs atteints comme chef de projet pour Epsilon, sauf pour les délais ; <br> – réactions individuelles satisfaisantes face aux changements structurels (fusion), mais problèmes de gestion d'équipe. | – éviter la perte de temps liée à la lenteur de la prise de décision ; <br> – être à l'écoute de ses collaborateurs ; <br> – les accompagner au changement ; <br> – être capable de déléguer davantage à des personnes-clés. | – organisation de réunions hebdomadaires en groupe limité ; <br> – répartition des tâches par personne et non par secteur ; <br> – participation à un stage de formation en management. |

Voici comment vous pouvez commencer votre courriel (ceci n'est qu'une suggestion) :

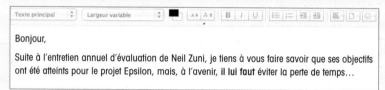

Bonjour,

Suite à l'entretien annuel d'évaluation de Neil Zuni, je tiens à vous faire savoir que ses objectifs ont été atteints pour le projet Epsilon, mais, à l'avenir, **il lui faut** éviter la perte de temps...

## Activité 2

L'étudiant(e) A est désespéré(e) et vient voir l'étudiant(e) B, délégué(e) du personnel. Il/Elle ne sait plus comment réagir face au comportement agressif de son chef !
L'étudiant(e) A fait la liste des comportements désagréables : *il lui fait sans cesse des reproches, il l'humilie devant tout le monde, il ne le/la félicite jamais...)* et demande conseil à l'étudiant(e) B *(que doit-il/elle répondre quand il dit que..., qu'est-ce qu'il faut faire s'il continue...).*
L'étudiant(e) B donne des conseils pour aider son/sa collègue et ami(e) : *il/elle a peut-être besoin de vacances, il lui faut prendre du recul, il/elle ne doit pas écouter tout ce qu'il lui dit...*
Accordez-vous quelques minutes de préparation avec votre partenaire avant de jouer ce jeu de rôles.

## Activité 3

Vous préparez une formation à destination de chefs de projets. Ils sont responsables d'équipes de 8 à 10 collaborateurs. Pour commencer, ils doivent répondre à ce questionnaire : complétez-le, avec des pronoms compléments.

1. Pour motiver vos équipes,
   ❏ vous ___ décrivez les retombées positives qu'un projet pourra avoir.
   ❏ vous ___ menacez de ne pas avoir de prime de fin d'année si les objectifs ne sont pas atteints.

2. Face au changement,
   ❏ vous ___ adaptez facilement, votre équipe se sent rassurée, et garde confiance en elle.
   ❏ votre équipe s'adapte facilement et vous essayez de ___ imiter.

3. Deux collaborateurs viennent ___ voir pour se plaindre d'un collègue,
   ❏ vous ___ écoutez puis vous ___ proposez de jouer le rôle de médiateur.
   ❏ vous ___ demandez de régler le problème directement, car cela ne ___ regarde pas.

4. Un matin, sur le chemin du bureau, vous rencontrez par hasard une ancienne collègue, vous dites :
   ❏ Voilà mon numéro, appelle-___ pour boire un café.
   ❏ Ne ___ dis pas que tu n'as pas le temps, je ___ invite à déjeuner ce midi !

# Unité **8** Commercialiser

**É**tude de cas
Les eaux de Saintourse

# Prise de contact
## Quels sont vos besoins ?

**A.** Vous testez un questionnaire de sondage sur l'utilisation des dictionnaires. Notez les réponses de votre partenaire sur une feuille de papier. Pour les questions 1 à 3, numérotez les réponses, de la plus importante (1) à la moins importante (4). Pour les questions 4 à 6, cochez la réponse appropriée.

**1.** Vous utilisez un dictionnaire surtout :
a. à l'occasion d'un voyage. ☐
b. à la maison. ☐
c. au bureau. ☐
d. à l'occasion d'une formation. ☐

**2.** Comme support, vous utilisez surtout :
a. un dictionnaire papier. ☐
b. un dictionnaire électronique de poche. ☐
c. un cédérom sur ordinateur. ☐
d. une base de données sur internet. ☐

**3.** Pour vous, un dictionnaire doit être :
a. détaillé. ☐
b. avec des illustrations. ☐
c. avec beaucoup d'exemples. ☐
d. structuré. ☐

**4.** Votre tranche d'âge :
a. 15 – 24 ans ☐
b. 25 – 49 ans ☐
c. 50 – 64 ans ☐
d. 65 ans et plus ☐

**5.** Vous êtes :
a. étudiant(e) ☐
b. actif(-ive) ☐
c. retraité(e) ☐

**6.** Sexe :
a. femme ☐
b. homme ☐

**B.** Faites la synthèse des résultats du groupe. Pour les réponses 1 à 3, que fait la majorité ? Pour les réponses 4 à 6, indiquez des pourcentages. Faites des phrases.

*La majorité des personnes sondées utilisent un dictionnaire à l'occasion d'un voyage...*
*L'échantillon compte 60 % de femmes et 40 % d'hommes.*

# Vocabulaire
## Le numérique

**A.** Aménagez le local d'une grande surface de produits électroniques de loisir. L'aménagement doit être rentable pour le vendeur et agréable pour le futur client. Les flèches (→) indiquent le sens de circulation des futurs clients. Associez les produits (1 à 15, page 79) et les rayons ou services (a à o) sur le plan.

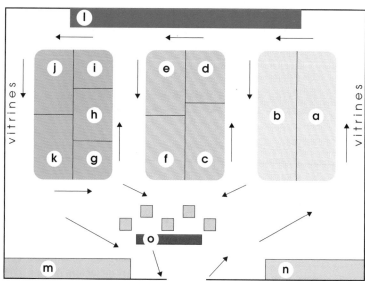

| | | |
|---|---|---|
| 1. appareils photo | 6. consoles de jeu | 11. ordinateurs |
| 2. baladeurs audio et vidéo | 7. écrans plats ———→ o | 12. promotions |
| 3. caisses | 8. lecteurs de DVD | 13. service après-vente |
| 4. caméscopes | 9. livraison | 14. accessoires informatiques |
| 5. cinéma à domicile | 10. logiciels | 15. téléphones mobiles ———→ a |

**34**

**B.** Valérie travaille chez S.O.S.-MICRO, société de dépannage d'ordinateurs à domicile. Elle explique à un client comment se connecter à la messagerie électronique. Écoutez Valérie. Puis associez les mots pour former des expressions.

| | | | |
|---|---|---|---|
| 1. cliquer sur | a. une adresse | 5. le fournisseur | a. d'utilisateur |
| 2. taper | b. un onglet | 6. la page | b. d'accès |
| 3. sélectionner | c. la machine | 7. le nom | c. de passe |
| 4. redémarrer | d. une icône | 8. le mot | d. d'accueil |

**C.** Complétez les phrases.

1. Vous cliquez sur l'icône du navigateur. *La fenêtre* s'ouvre.
2. ............. affiche maintenant la page d'accueil.
3. Pour ............. la boîte à lettres, vous cliquez sur « Déconnexion ».
4. Ah tiens, ça ............. ! Je crois que l'ordinateur a planté.

**34**

**D.** Réécoutez Valérie et vérifiez vos réponses de l'exercice C.

Lexique p. 139-140

## Écouter
### Une jeune pousse

**A.** Associez les mots ou expressions 1 à 4 avec la définition appropriée (a à d).

1. un(e) internaute
2. un concept
3. du sur-mesure
4. un modèle économique

a. des produits ou services adaptés aux besoins précis du client
b. une stratégie pour être rentable
c. une personne qui surfe (ou navigue) sur internet
d. une idée de produit ou de service qui répond à un besoin

**35**

**B.** Aziz Diallo est patron d'une jeune pousse. Cette jeune entreprise internet a développé un logiciel qui a beaucoup de succès. Aziz a besoin d'argent pour son entreprise. Il est en contact avec Lætitia Eudanla, une investisseuse. Écoutez la première partie du dialogue et choisissez la fin de phrase appropriée.

1. Le logiciel permet de...
a. passer beaucoup de temps devant l'écran.
b. trouver l'information recherchée de manière rapide.
c. naviguer entre les pages de manière rapide.

2. Avec ce logiciel, l'internaute peut créer...
a. une page personnalisée.
b. un bureau personnalisé.
c. un navigateur personnalisé.

**36**

**C.** Écoutez la deuxième partie du dialogue. Choisissez les réponses appropriées.

1. Quelle est la cause du succès du logiciel ?
a. Le prix du logiciel.
b. La publicité faite par les utilisateurs.
c. Les fonctionnalités du logiciel.
d. La publicité faite dans les médias.

2. Parmi ces six fonctionnalités, lesquelles ne sont pas mentionnées dans le dialogue ?
a. Afficher l'horoscope.
b. Relever les courriels.
c. Visualiser des vidéos.
d. Ajouter des fils d'actualité.
e. Créer une liste de tâches.
f. Trouver le meilleur prix.

**37**

**D.** Écoutez la troisième partie du dialogue. Complétez les phrases.

Notre logiciel *est* et restera gratuit. Nous étudions ___1___ pistes. La plus intéressante est celle de la ___2___ contextuelle. Nous avons des informations sur l'internaute ___3___ . Et en fonction de son ___4___, nous affichons ___5___ des recommandations de lecture ou des idées pour des ___6___ .

# Point de langue 1
*Projets, prévisions, programmations, engagements*

Grammaire p. 122

● **Mots ou expressions pour indiquer le futur :**

| | | | |
|---|---|---|---|
| tout à l'heure | bientôt | prochainement | le mois prochain... |
| ce soir | demain soir | la semaine prochaine | |
| dans cinq minutes | dans deux jours | dans trois semaines... | |

● **Pour parler d'un projet, on emploie souvent la forme composée du futur (*aller* + verbe), la forme simple du futur ou même le présent.**
→ *Notre entreprise va bientôt déménager, dans six mois pour être précis.* (= le projet est en voie de réalisation)
→ *Notre nouveau baladeur sortira l'année prochaine.* (= le projet est planifié)
→ — *Quand est-ce que vous viendrez à Tunis ?*
— *Je viens le mois prochain.*
(= le projet est une réalité à 99 %)

● **Pour indiquer une prévision, une programmation, un engagement, on emploie souvent la forme simple du futur.**
→ *L'année prochaine, il y aura 2 % d'inflation dans la zone euro.* (= ce sont les prévisions d'un institut de conjoncture)
→ *Demain, il fera beau sur toute la Méditerranée.* (= ce sont les prévisions d'un service de météo)
→ *Nos bureaux seront fermés du 23 juillet au 15 août.* (= c'est programmé)
→ *Vous visiterez notre site de production mercredi après-midi.* (= voilà votre programme de visite)
→ *Je vous rappellerai demain matin.* ( = c'est une promesse)

**A.** **Vous allez participer à la Foire internationale d'Alger. Faites une chronologie de vos tâches. Formez des phrases avec le passé composé, le présent ou la forme composée du futur.**

1. prendre décision de participer à Foire d'Alger (*il y a cinq mois*)
   → *Nous avons pris la décision de participer à la Foire d'Alger il y a cinq mois...*
2. fixer budget (*en novembre dernier*)
3. s'inscrire comme exposant à Foire d'Alger (*en janvier de cette année*)
4. traduire plaquette de présentation (*en ce moment*)
5. réserver billets d'avion et chambres d'hôtel (*la semaine prochaine*)
6. distribuer invitations à prospects et clients (*dans un mois*)
7. envoyer matériel pour stand (*un mois avant le début de la Foire*)

**B.** **Delphine Dernani du département de la communication présente la campagne publicitaire pour le lancement d'une console de jeux vidéo. Complétez le document.**

Au mois d'avril, nous *enverrons* (envoyer) des courriels à 500 000 personnes pour annoncer la bonne nouvelle. En mai et en juin, nous __1__ (diffuser) des informations sur les forums internet : par exemple, quels jeux __2__ (être) disponibles, quels films, quels accessoires. Fin juin, nous __3__ (inviter) des journalistes, des distributeurs, des célébrités au Palais des festivals à Cannes où ils __4__ (découvrir) la console. Pendant l'été, nous __5__ (passer) des annonces publicitaires dans les magazines. En octobre, nous __6__ (démarrer) une campagne d'affichage dans les stations de bus et de métro. Fin novembre, il y __7__ (avoir) des messages publicitaires à la télévision et à la radio. La console __8__ (sortir) le 2 décembre.

**C.** **Écoutez le document et vérifiez vos réponses.**

38

**D.** **Consultez votre agenda. Qu'est-ce que vous avez fait la semaine dernière ? Qu'est-ce que vous allez faire la semaine prochaine ? les mois prochains ?**
**Avez-vous planifié l'été prochain ? Qu'est-ce que vous ferez ?**

# Lire
## Les marchés du parfum

**A.** **Associez les phrases de même signification.**

1. Nous vendons des parfums sous licence.
2. Nous proposons une large gamme d'articles.
3. La grande distribution commercialise nos produits.
4. Nous travaillons avec des sous-traitants.

a. Nous ne fabriquons pas nos produits.
b. Vous trouvez nos parfums dans les supermarchés.
c. Nous répondons aux besoins de publics différents.
d. Nous avons payé pour utiliser la marque.

**B.** **Lisez l'article ci-dessous et complétez la fiche d'identité de l'entreprise.**

## Fragrances de PAROUR

*Lune d'été* ou *Perle d'Or* pour les femmes, *Parfum d'Homme* ou *Génération 2000* pour les hommes, les parfums Parour connaissent un grand succès à l'international. Fabriqués dans le Nord de la France, ils sont vendus dans 80 pays à des prix très compétitifs : entre 12 et 20 euros pour un grand flacon de 100 millilitres.

Créée à Paris en 1986 par des hommes d'affaires d'origine libanaise, la société Parour exporte au Moyen-Orient, en Europe centrale et orientale et jusqu'en Amérique du Sud. En 1999, elle a racheté la Compagnie européenne de parfums (CEP), une société qui vend à la grande distribution en Europe occidentale.

Les produits ? Ce sont des parfums « *de très bonne qualité, conçus et fabriqués en France avec la collaboration des meilleurs sous-traitants, ce qui nous a permis d'accrocher la clientèle* », explique Ramy Ghandour, le président.

Ses objectifs ? Il veut créer une dizaine de jus par an et les lancer selon une politique de marque ciblée (Lomani, Giorgio Valenti, Rémy Latour, Kristel Saint-Martin). L'entreprise fabrique et distribue aussi des parfums sous licence comme Disney Baby et Pokémon.

Parfums Parour ne peut pas faire de coûteuses campagnes de publicité. Ses atouts sont la qualité des produits, une image de fabricant français et une large gamme d'articles. Ils doivent permettre de satisfaire une clientèle d'hommes et de femmes aux goûts différents, partout dans le monde.

La contrefaçon est un gros problème. Les copies apparaissent sur le marché trois mois seulement après le lancement de l'original et sont vendues au quart du prix. Pour une petite société comme Parour, la seule défense c'est l'attaque : il faut toujours créer de nouveaux produits.

Sources : www.parfums-parour.fr

1. Dénomination sociale : _____
2. Date de création : _____
3. Nom, prénom du président : _____
4. Zones d'exportation : _____

5. Marques de parfum : _____
6. Atouts : qualité des produits, _____
7. Problème : _____
8. Solution : _____

**C.** **Relisez l'article « Fragrances de Parour ». Répondez aux questions. Faites des phrases.**

1. Quelle est l'image des produits vendus par Parfums Parour ? (*paragraphe 3*)
2. Quelle est la politique de prix de Parfums Parour ? (*paragraphe 1*)
3. La société Parfums Parour fait-elle beaucoup de publicité dans les médias ? (*paragraphe 5*)
4. Les parfums de la CEP sont présents dans quel type de commerce ? (*paragraphe 2*)

# Point de langue 2
## Comparer et apprécier

Grammaire p. 122-123

| Isabelle et Jacques | sont | | très | disponibles. | |
|---|---|---|---|---|---|
| Isabelle | est | | la plus | disponible | de mes collègues. |
| Isabelle | est | beaucoup | plus | disponible | qu'Olivier. |
| Isabelle | est | un peu | plus | disponible | que Jacques. |
| Jacques | est | presque | aussi | disponible | qu'Isabelle. |
| Olivier | est | un peu | moins | disponible | que Paola. |
| Olivier | est | beaucoup | moins | disponible | qu'Isabelle. |
| Paola | n'est pas | | très / assez | disponible. | |
| Olivier | est | | le moins | disponible | de mes collègues. |

- — Je parle *mieux* français *qu'*allemand.
  — Et moi, je parle *moins bien* français *qu'*allemand.

- — Mon espagnol est *meilleur que* mon portugais.
  — Et moi, mon espagnol est *moins bon que* mon portugais.

- Il y a *plus de* neige ici *qu'au* Québec.
  Ils prennent *autant de* médicaments *que* les Français.
  L'Algérie exporte *moins de* gaz *que* de pétrole.

- À Genève, on dépense *plus qu'à* Bratislava.
  Elle voyage *autant* en Afrique *qu'en* Asie.
  Cette voiture consomme *moins que* la mienne.

**A.** Associez les éléments 1 à 8 et les mots de l'encadré pour comparer. Faites des phrases.

bon marché – bon(ne) – grand(e) – large – léger(-ère) – pratique – rapide – sain(e)

1. boire de l'eau / boire un soda  ⟶  *Boire de l'eau est plus sain que boire un soda.*
2. une voiture de course / une voiture de tourisme
3. une voiture d'occasion / une voiture neuve
4. le chocolat au lait / le chocolat noir
5. un marché de masse / un marché de niche
6. une feuille A3 (29,7 x 42 cm) / une feuille A4 (21 x 29,7 cm)
7. un agenda papier / un agenda électronique
8. un ordinateur de bureau / un ordinateur portable

**B.** Votre entreprise va participer à des salons. Vous êtes intéressé(e) par un modèle de présentoir portable pour brochures. Écoutez la réponse du fournisseur au téléphone pour compléter le tableau ci-dessous.

39

Présentoirs portables pour brochures

| | | Y 73 | Y 83 |
|---|---|---|---|
| 1 | Références | Y 73 | Y 83 |
| 2 | Hauteur | 160 cm | 160 cm |
| 3 | Largeur | | |
| 4 | Longueur (présentoir plié dans le sac) | | |
| 5 | Poids | | 6,2 kg |
| 6 | Prix | 279 € | |

### Reformulez maintenant la réponse du fournisseur.

*Donc, si j'ai bien compris, la référence Y 73 est aussi haute que l'Y 83...*

# Gammes
## *Prendre part à une discussion*

**A.** Béatrice, Gaëlle et Jean-Michel sont chargés d'études marketing dans une entreprise
agroalimentaire. Ils sont en réunion. Ils réfléchissent au positionnement d'un fromage
conditionné en petits cubes. Écoutez le dialogue et choisissez la réponse appropriée.

40

1. Jean-Michel veut cibler un autre public pour le fromage en petits cubes. Lequel ?
   **a.** Les juniors.          **b.** Les jeunes.          **c.** Les seniors.

2. D'après Jean-Michel, les petits cubes de fromage sont...
   **a.** faciles à préparer.       **b.** bon marché.       **c.** faciles à manger.

3. Les petits cubes seront présentés dans des assiettes,
   **a.** avec des fourchettes.    **b.** emballés.       **c.** sans emballage.

4. Béatrice pense que les petits cubes de fromage ne sont pas...
   **a.** assez jolis.          **b.** assez savoureux.    **c.** assez variés.

**B.** Réécoutez le dialogue. Complétez les phrases ci-dessous, extraites du dialogue.

40

1. Je ne suis pas _____ d'accord avec toi, Gaëlle.
2. Mais est-ce que c'est la tranche d'âge la plus intéressante ? Je ne _____ .
3. _____ s'adresser aux célibataires et aux couples de 18 à 30 ans ?
4. Ah moi _____ bien. Mais quel sera le positionnement du produit ?
5. Mais c'est _____ comme idée !
6. _____, il faut plus de saveurs. Plus de goûts différents.

**C.** Relisez les phrases de l'exercice B.
Que fait la personne quand elle parle ?

a. elle propose une idée
b. elle argumente de manière nuancée
c. elle expose son point de vue
d. elle a un autre point de vue
e. elle approuve une idée

**D.** Formez des groupes de trois personnes. Vous êtes en réunion. Étudiant(e) A : lisez la fiche
page 108. Étudiant(e) B : lisez la fiche page 110. Étudiant(e) C : lisez la fiche page 107.
Pendant la réunion, vous discutez du nom du fromage en petits cubes, de son prix et
du choix des publicités dans les médias et hors médias. L'objectif est de connaître les points
de vue de chaque personne, pas de prendre une décision.

---

**Expressions à connaître**

| | |
|---|---|
| **Demander un point de vue**<br>Qu'est-ce que vous pensez de cette idée ?<br>Vous n'êtes pas de mon avis ? | **Exposer un point de vue**<br>Je pense / trouve que...<br>À mon avis / D'après moi, ... |
| **Partager un point de vue**<br>Je suis du même avis [que...]<br>C'est aussi mon avis.<br>Je suis [tout à fait] d'accord avec vous / toi. | **Avoir un autre point de vue**<br>Je suis tout à fait d'accord avec toi. Mais...<br>Je ne suis pas [tout à fait] d'accord avec vous / toi. |
| **Proposer une idée**<br>Moi, je propose...<br>Pourquoi ne pas... ? | **Argumenter de manière nuancée**<br>C'est vrai que... Mais...<br>Je veux bien. / Je ne suis pas contre. Mais... |
| **Approuver une idée**<br>Mais c'est pas mal comme idée !<br>C'est une très bonne idée, je trouve. | **Passer à un autre sujet**<br>Pour [ce qui est de] ...<br>Concernant... |

# Étude de cas
## Les eaux de Saintourse

Saintourse inc. est une société multinationale basée dans la province du Québec au Canada. La société vend des eaux naturelles et pures en bouteilles de plastique, en bouteilles de verre ou en boîtes de métal.

Pour pénétrer un nouveau marché, elle identifie les concurrents et elle définit des types de consommateurs potentiels sur ce marché. Puis elle propose des eaux en fonction de ces cibles.

### Concurrents sur le marché

| Marque | Prix | Contenance | Boissons vendues dans les |
|---|---|---|---|
| La Meilleure (eau plate) | 1,30 € 3,60 € | 50 cl 6 x 1 L | sandwicheries supermarchés en ligne |
| Chatodo (eau légèrement pétillante) | 3,00 € 4,50 € | 50 cl 1 L | restaurants, hôtels épiceries fines, traiteurs |
| Otfontaine (eau gazeuse) | 2,70 € 3,50 € | 33 cl 75 cl | bars, boîtes de nuit épiceries fines, traiteurs |

### Profils des consommateurs potentiels

• Femmes, 25-50 ans, cadres dans le secteur des services, habitent en banlieue et travaillent en ville, ont toujours une bouteille d'eau avec elles.

• Jeunes femmes et jeunes gens, 25-35 ans, travaillent dans les technologies de l'information, la finance ou le conseil aux entreprises, habitent dans les grandes villes, aiment les nouveautés.

• Femmes et hommes, actifs ou seniors, 35-65 ans, aisés, habitent en ville ou à la campagne, apprécient les bons repas, ne boivent pas beaucoup d'alcool ou pas du tout.

## Tâche

Faites une réunion en petit comité. Répondez aux questions. Mettez-vous d'accord sur une position commune. Présentez le point de vue de votre groupe aux membres de la classe.

1. Étudiez l'offre des concurrents. Parmi les trois profils de consommateurs potentiels, vous devez cibler un seul profil. Lequel allez-vous cibler pour pénétrer ce nouveau marché ?

2. À quel type de commerce allez-vous vendre le produit ?

3. Quel type d'eau, quel conditionnement (contenances et couleurs des contenants), quel nom allez-vous proposer de commercialiser ?

**Vente dans les :**
• bars, boîtes de nuit
• épiceries fines, traiteurs
• restaurants, hôtels
• sandwicheries
• supermarchés en ligne

**Type d'eau ?**
• eau plate
• eau légèrement
  pétillante
• eau gazeuse

**Conditionnement ?**
• bouteille plastique
• bouteille de verre
• canette

**Contenance ?**
• 33 cl
• 50 cl
• 75 cl
• 1L

**Nom ?**
• Saintourse
• Beauval
• Mireio
• ACHE2ZO

**Couleur du contenant ?**
• incolore
• bleu
• vert
• rouge

Écrits p. 154

## Écrire

Rédigez un descriptif de cette eau naturelle et pure pour la page d'un supermarché en ligne ou d'une brochure d'épicerie fine.

F
I
C
H
E

P
R
O
D
U
I
T

Nom :

Prix :

Conditionnement :

Information :

*La source de ... se trouve à ...*

*Naturelle et pure, l'eau ... est idéale pour ...*

Conservation :

*À conserver ...*

Consommation :

*À boire ...*

# Bilan 8

## Activité 1

Vous travaillez pour une entreprise de construction ferroviaire. Elle doit réaliser le tunnel ferroviaire entre le Maroc et l'Espagne. Vous devez mettre en place des outils informatiques pour permettre la communication entre les différents acteurs (bureau d'études, chantier…).

Nous sommes en août. Vous présentez à la nouvelle / au nouveau stagiaire l'état d'avancement du projet *(Nous avons déjà fait…)* et vous lui donnez des instructions sur ce qu'il/elle fera au cours des mois à venir (en vert sur le planning). *(Vous serez chargé(e) des enquêtes…).*

Il/Elle vous pose de nombreuses questions sur la manière de procéder. *(Comment ferai-je pour mener des enquêtes sur le terrain ? Est-ce vous allez m'accompagner ? Quels outils je devrai utiliser pour l'analyse…)*

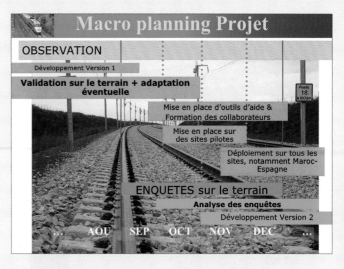

## Activité 2

Vous êtes journaliste pour un magazine d'informations pour les consommateurs. Vous avez publié dans le dernier numéro un article sur les lave-vaisselle. Les lecteurs n'ont pas trouvé toutes les réponses à leurs questions et vous ont écrit. Vous êtes maintenant chargé(e) de leur répondre. Aidez-vous des fiches-produit ci-dessous.

**Christine, Bourg-en-Bresse :** *Pourriez-vous comparer le rapport qualité-prix des 3 lave-vaisselle ?*
**Alphonse, Paris 12ᵉ :** *Parmi ces 3 machines, quelle est la plus discrète ?*
**Aurélia, Vittel :** *Vous n'avez pas mentionné les différences en termes de consommation, pouvez-vous en dire plus ?*
**Jean-Robert, Bruxelles :** *La durée de garantie est-elle la même pour les 3 produits proposés ?*
**Pablo, Toulouse :** *Ma cuisine est un mouchoir de poche, lequel me conseillez-vous ?*

| Lave-vaisselle Huit poules AZ21 | Lave-vaisselle Zaille GR45 | Lave-vaisselle Philippe BY68 |
|---|---|---|
| **GAMME :** premier prix / moyenne gamme / haut de gamme | **GAMME :** premier prix / moyenne gamme / haut de gamme | **GAMME :** premier prix / moyenne gamme / haut de gamme |
| **RAPPORT QUALITÉ/PRIX :** excellent / correct / mauvais | **RAPPORT QUALITÉ/PRIX :** excellent / correct / mauvais | **RAPPORT QUALITÉ/PRIX :** excellent / correct / mauvais |
| **CAPACITÉ :** 4 couverts | **CAPACITÉ :** 12 couverts | **CAPACITÉ :** 8 couverts |
| **CONSOMMATION EN EAU :** élevée / moyenne / économie d'énergie | **CONSOMMATION EN EAU :** élevée / moyenne / économie d'énergie | **CONSOMMATION EN EAU :** élevée / moyenne / économie d'énergie |
| **CONSOMMATION ÉLECTRIQUE :** élevée / moyenne / économie d'énergie | **CONSOMMATION ÉLECTRIQUE :** élevée / moyenne / économie d'énergie | **CONSOMMATION ÉLECTRIQUE :** élevée / moyenne / économie d'énergie |
| **GARANTIE :** 1 an / 3 ans / 5 ans | **GARANTIE :** 1 an / 3 ans / 5 ans | **GARANTIE :** 1 an / 3 ans / 5 ans |
| **ENCOMBREMENT :** H29 x L56 x P50 | **ENCOMBREMENT :** H79 x L75 x P55 | **ENCOMBREMENT :** H79 x L45 x P50 |
| **NIVEAU SONORE :** élevé / modéré / silencieux | **NIVEAU SONORE :** élevé / modéré / silencieux | **NIVEAU SONORE :** élevé / modéré / silencieux |
| **PRIX :** 1099 € | **PRIX :** 379 € | **PRIX :** 549 € |

# Unité **9** Organiser

**É**tude de cas
À vous de parler !

A. **De quelle entreprise s'agit-il ? Associez les phrases 1 à 12 et les noms des sociétés ou des groupes de l'encadré.**

> BenQ – JCDecaux – Nestlé – PSA Peugeot Citroën – Carrefour – Adecco –
> Ikea – Inditex – Air Liquide – Geox – Schlumberger – ~~Sanofi-Aventis~~

1. Elle emploie 33 000 visiteurs médicaux. ──▶ *Sanofi Aventis*
2. Elle a déposé des brevets pour un système de chaussures qui respirent.
3. Elle gère le mobilier urbain de 1400 villes ou agglomérations dans 37 pays.
4. Elle est spécialisée dans les gaz industriels et médicaux.
5. Son usine de Trnava en Slovaquie produit des véhicules.
6. Zara est la marque phare de ce groupe.
7. Son catalogue est imprimé à 160 millions d'exemplaires en 25 langues.
8. Il détient la marque San Pellegrino dans son portefeuille.
9. Elle possède des centres de recherche à Stavangen (Norvège) et à Dahrhan (Arabie Saoudite).
10. Elle a créé le premier hypermarché : en France, en 1963.
11. Elle fournit du personnel intérimaire aux entreprises.
12. Elle a repris la division téléphonie mobile de Siemens.

B. **Le siège de la société mère de cinq des groupes de l'exercice A se trouve en France. D'après vous, quels sont ces cinq groupes ? Vous trouverez les solutions des exercices A et B à la page 111.**

C. **Dans votre ville ou dans votre région, quelles sont les entreprises les plus dynamiques ? Qu'est-ce qu'elles produisent comme biens ou services ? Elles emploient beaucoup de monde ?**

A. **Dans les entreprises de livraison de pizzas à domicile, il y a cinq acteurs : le client (CL), le réceptionniste au téléphone (RT), le préparateur de commandes (PC), le cuisinier (CS) et le livreur (LV). Qui fait quoi ? Attribuez les actions ci-dessous à leurs acteurs.**

a. fabrique la pizza
b. livre le client
c. formule sa commande
d. reçoit un appel ──▶ *RT*
e. prépare les autres éléments de la commande
f. propose des compléments de commande
g. saisit les coordonnées du client
h. charge le sac et la mobylette
i. met la pizza dans un carton
j. programme et prévient le livreur
k. encaisse le paiement

l. prend la commande
m. rassemble les éléments de la commande
n. cuit la pizza dans le four
o. donne le prix et le délai de livraison
p. lance la fabrication de la pizza

B. **Mettez les actions de l'exercice A dans l'ordre chronologique.**

1 : *Le réceptionniste au téléphone reçoit un appel.*
2 : .................

**C.** Associez les mots pour former des expressions.
Ce sont des activités typiques d'une entreprise de livraison de pizzas à domicile.

1. entretenir
2. concevoir
3. diriger
4. prendre, livrer
5. gérer

a. les emplois du temps
b. les équipements
c. les commandes
d. les pizzas et les menus
e. la pizzeria

6. organiser
7. veiller
8. assurer
9. s'occuper
10. fabriquer

a. à l'hygiène
b. les pizzas
c. des achats
d. la commercialisation
e. la gestion comptable

**D.** Classez les activités de l'exercice C dans le tableau ci-dessous.

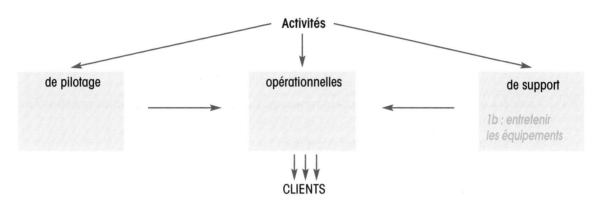

Activités

de pilotage — opérationnelles — de support

1b : entretenir les équipements

CLIENTS

**E.** Travaillez en groupe. Choisissez un petit boulot d'étudiant : restauration rapide, distribution de journaux gratuits, récolte de fruits, etc. Quels sont les acteurs ? Quelles sont les actions ?

Lexique p. 144-147

# Écouter
## Portrait d'une PME

**A.** Marie-Pierre de Farcy dirige une petite société familiale, Luminescence S.A. L'entreprise produit et vend des luminaires. Écoutez l'interview de la dirigeante. Elle cite des chiffres (voir ci-dessous). Pour chaque chiffre, écrivez de quoi il s'agit.

a. 90 ........
b. 9 millions de *chiffre d'affaires*
c. 52 % à ........
d. 4000 *références produits*
e. 380 000 ........
f. 2000 *pièces expédiées par jour*

g. 43 ........
h. 700 000 ........
i. 50 % de ........
j. 80 % de ........
k. 20 % *de la gamme renouvelée chaque année*

**B.** Réécoutez l'interview de Marie-Pierre de Farcy.
Les affirmations ci-dessous sont-elles vraies ou fausses ?

1. Luminescence S.A. est basée à Toulouse. → *faux*
2. L'entreprise vend des luminaires de tous les styles.
3. Les clients sont des détaillants et des grossistes.
4. L'entreprise s'est engagée sur les délais de livraison.
5. L'entreprise a diminué les délais de fabrication.
6. Maintenant, l'entreprise gère mieux les stocks.
7. Luminescence S.A. travaille avec des fournisseurs du monde entier.
8. Le marketing de Luminescence S.A. est très développé.
9. Luminescence S.A. a son propre bureau d'études.
10. La société s'informe des tendances actuelles dans les salons.

## Point de langue 1
### *Faire le point sur un projet*

Grammaire p. 123

- *Nous allons construire une nouvelle usine en Europe centrale.* = *c'est prévu*
  *Nous venons de visiter tous les sites candidats.* = *c'est récent*
  *Nous avons choisi le lieu pour le futur site de production.* = *c'est décidé*
  *Nous sommes sur le point d'acheter les terrains.* = *c'est imminent*
  *Nous sommes en train de négocier avec les autorités locales.* = *ça se passe en ce moment*
- **On emploie souvent** *être en train de* **pour focaliser une action dans un projet.**
  *– Qu'est-ce que vous faites en ce moment ?*
  *– On va déménager dans une semaine. Je mets de l'ordre dans mes affaires. Je suis en train de classer et d'archiver des dossiers. Je mets beaucoup de choses à la corbeille.*

**A.** Lisez les questions a à g. Écoutez les réponses 1 à 7. Trouvez pour chaque question la réponse appropriée.

42

    **a.** Tu sais qui sera le nouveau directeur du service ?    ☐

    **b.** Vous avez rédigé cette note ?    ☐

    **c.** Vous allez exporter ?    1

    **d.** Vous avez parlé à votre banquier ?    ☐

    **e.** Vous avez des contacts avec un partenaire français ?    ☐

    **f.** Est-ce qu'ils ont les moyens techniques de développer ces produits ?    ☐

    **g.** Vous avez déjà choisi le site d'implantation ?    ☐

**B.** Lisez l'article sur la croissance de Super Sport. Complétez avec les mots de l'encadré.

accélérer – agrandir – basée – capital – contrat – magasins –
ouvrir – propriétaire – réseau – spécialisée – surfaces

**Super Sport** est une enseigne *spécialisée* dans les articles de sport.
Née en 1990 et ___1___ à Rennes, elle possède 52 ___2___ dans l'Ouest et le Sud de la France.
C'est un ___3___ de moyennes ___4___ de 1300 mètres carrés.
Son ___5___, Pierre le Duff, vient d' ___6___ un bureau de représentation à Shenzhen en Chine.
Il est en train d' ___7___ de 2000 mètres carrés la plateforme logistique de Rennes.
Il est sur le point de signer un ___8___ avec un sportif célèbre pour une ligne de vêtements de sport.
Pour ___9___ le développement de l'enseigne, il va ouvrir le ___10___ de la société à des investisseurs.

Source : article de Stanislas DU GUERNY, *Les Échos*,
18/01/2006.

**C.** Vous avez des projets en cours dans votre travail, vos études ou votre vie privée. Choisissez un projet : où en êtes-vous ? Discutez avec votre partenaire.

*Mon entreprise veut m'envoyer en France. J'ai déjà pris contact avec des collègues là-bas. Je viens de trouver un logement pour ma famille et moi. Mon entreprise est en train de faire les démarches pour le permis de travail...*

## Vocabulaire 2
### Parler chiffres

**43**

**A.** Silvana Pahor est directrice financière dans une entreprise de biotechnologie.
Elle fait le point sur les chiffres de vente. Écoutez Silvana et complétez le tableau.

CHIFFRE D'AFFAIRES EN MILLIONS D'EUROS

|  | au premier semestre | au troisième trimestre | annuel |
|---|---|---|---|
| cette année : | .............. | .............. | .............. |
| l'an dernier : | 3,6 | 0,4 | .............. |

**B.** Complétez les phrases.

1. L'an dernier, nous ........ un chiffre d'affaires de huit virgule quatre millions d'euros.
2. Pour le premier semestre de cette année, nos ventes ........ quatre virgule six millions.
3. Au troisième trimestre, elles ont baissé ........ l'an dernier.
4. Elles ........ deux millions d'euros.
5. Nous ferons ........ huit virgule six millions de chiffre d'affaires cette année.
6. Soit une augmentation ........ dix pour cent par rapport à l'an dernier.

**43**
**C.** Réécoutez Silvana et vérifiez vos réponses.

**D.** Arrondissez les chiffres ci-dessous. Employez *plus de* ou *près de*.
a. 14 000 200 000
b. 6 900 000

**E.** Observez le diagramme ci-dessous. Ce sont les prévisions de population sur les cinq continents pour 2025, en millions et en pourcentage. Faites des phrases.

*En 2025, l'Afrique aura environ 1,3 milliard d'habitants et représentera 17 % de la population mondiale.*

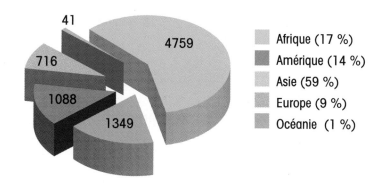

41
716
1088
1349
4759

Afrique (17 %)
Amérique (14 %)
Asie (59 %)
Europe (9 %)
Océanie (1 %)

## Lire
### Le groupe Bic

**A.** Trouvez l'intrus dans chaque série de mots.

1. le rasoir – le feutre – le stylo à bille – le ruban correcteur
2. une hausse – une augmentation – une baisse – une croissance
3. la filiale – la PME – la société mère – le groupe
4. une usine – un distributeur agréé – un atelier – une unité de production

**B.** Lisez les deuxième et troisième paragraphes de l'article sur le groupe Bic.
Remplissez la fiche d'identité de l'entreprise.

### Bons résultats de Bic

Ils remplissent une fonction précise : tracer une ligne, produire une flamme, couper un poil. Ils sont à prix raisonnable. Ils répondent à des normes strictes de qualité et de sécurité. Ils font partie de
5 la vie quotidienne de millions de consommateurs. Ce sont des produits Bic.

La société existe depuis plus de 50 ans. Le chiffre d'affaires s'élève à 1,4 milliard d'euros. Les stylos et les articles de papeterie représentent
10 52 % des ventes, les briquets 27 % et les rasoirs environ 17 %. Le groupe Bic emploie près de 9000 personnes sur les cinq continents. Il possède 23 usines à travers le monde. Il commercialise ses produits par des filiales ou des distributeurs agréés
15 dans plus de 160 pays. Il vient de fêter son cent milliardième stylo à bille vendu !

Malgré la hausse du coût des matières premières et la concurrence de la grande distribution avec ses petits prix, le groupe Bic a enregistré une
20 augmentation des ventes de 6,5 % par rapport à l'exercice précédent. Ce qui correspond à l'objectif fixé par Bruno Bich et Mario Guevara, respectivement Président du Conseil d'Administration et Directeur Général de la maison mère basée à Clichy près de
25 Paris. Dans leur communiqué, les dirigeants de la société tablent sur une croissance d'environ 4 % cette année.

Dans l'activité papeterie où le groupe détient les marques Bic, Bic Kids, Sheaffer, Stypen, Tipp-
30 Ex et Wite-Out, la croissance repose sur une stratégie de présence des produits la plus large possible, un engagement sur la qualité et le lancement de produits à forte valeur ajoutée. À titre d'exemple pour le marché asiatique, Bic
35 vient d'ouvrir une unité de production en Chine et de lancer un nouveau stylo avec une encre adaptée aux climats chauds et humides.

Sources : www.bicworld.com

---

1. Nom : *Bic*
2. Siège du groupe : ........................
3. Dirigeants : ........................
4. Vente de : •........................
   •........................
   •........................

5. Vente dans : ........................
6. Chiffre d'affaires : ........................
7. Effectif : ........................
8. Nombre d'usines : ........................

---

**C.** Lisez l'article en entier. Choisissez la réponse appropriée.

1. Les produits Bic sont des produits…
   **a.** bas de gamme. **b.** haut de gamme. **c.** de consommation courante.

2. Les stylos et articles de papeterie font…
   **a.** plus de la moitié **b.** près de la moitié **c.** la moitié
   …du chiffre d'affaires.

3. Pour l'année en cours, les dirigeants prévoient une croissance…
   **a.** plus **b.** moins **c.** aussi
   …importante que celle de l'année passée.

4. Quel est le titre approprié pour le quatrième paragraphe ?
   **a.** Bic sur les marchés d'Asie. **b.** Les trois priorités de Bic. **c.** L'image de marque de Bic.

**D.** Répondez aux questions. Faites des phrases.

1. Quelle est l'activité qui fait le moins de chiffre d'affaires ?
2. Le contexte économique n'est pas très favorable pour Bic. À cause de quoi ?

**E.** Bic vend des produits de consommation courante sur des marchés de masse.
Quels sont ses atouts ? Quels sont les risques de ce positionnement ? Connaissez-vous
des exemples d'autres entreprises dans la même situation ?

## Point de langue 2
### *Le conditionnel présent*

Grammaire p. 123

On emploie *aimer, devoir, falloir, pouvoir, vouloir, être, avoir* au conditionnel présent pour exprimer :
→ **une demande respectueuse :**
*J'aimerais vous voir dans mon bureau après la réunion.*
*Tu as de la monnaie ? Il me faudrait deux pièces de 50 centimes.*
*Vous pourriez nous expliquer comment est organisé le service ?*
*Je voudrais votre avis sur la question.*
*Auriez-vous la clé de la salle [, par hasard] ?*
*Est-ce qu'il serait possible de baisser la climatisation ? Il fait trop froid ici.*
→ **un conseil :**
*Vous devriez rentrer à la maison. Vous avez l'air fatigué.*
*Il faudrait parler de ce problème à la prochaine réunion.*
→ **une suggestion :**
*On pourrait les inviter au restaurant...*
*Vous devriez peut-être prendre des vacances. Qu'est-ce que vous en pensez ?*
→ **une probabilité ou une éventualité :**
*Cette année, nous devrions vendre 150 000 exemplaires de notre machine à expresso.*
*Toyota pourrait devenir le numéro un mondial de l'automobile.*

**A.** **Écrivez des phrases pour les situations suivantes.**
1. Au téléphone, vous voulez parler à monsieur Elstir. ⟶ *Est-ce que je pourrais parler à monsieur Elstir ?*
2. Vous suggérez à un(e) ami(e) d'apprendre le français.
3. Vous n'avez pas de stylo. Vous demandez à votre voisin(e).
4. Vous conseillez à votre client(e) de réduire le coût des achats.
5. Vous demandez à votre partenaire de parler un peu plus lentement.
6. Vous êtes en réunion. Vous suggérez une pause.
7. Vous demandez à votre hôte de visiter le bureau d'études.
8. Vous parlez à votre collaborateur(-trice). Vous voulez ce rapport pour après-demain.

**B.** **Complétez les phrases avec les mots de l'encadré.**

agrandir – créer – diminuer – doubler –
fusionner – s'installer – ouvrir – remplacer

1. Cette nouvelle implantation devrait *créer* 120 emplois.
2. La messagerie instantanée pourrait _____ le téléphone fixe.
3. L'école devrait bientôt _____ ses locaux.
4. Le chiffre d'affaires devrait _____ cette année.
5. Un parc de loisirs pourrait _____ dans la région.
6. Cette entreprise pourrait _____ bientôt un bureau en France.
7. Les deux bourses devraient _____ à l'automne prochain.
8. Les réserves de pétrole devraient progressivement _____ .

**C.** **Dans votre région, des entreprises ou des organismes ouvrent, ferment, s'agrandissent, réduisent
leur personnel, fusionnent avec d'autres. Choisissez un exemple. Expliquez quelle est son
activité et quelles sont les perspectives. Employez *devrai(en)t* ou *pourrai(en)t*.**

# Gammes

## Commencer un exposé

**A.** Francesco Serafini, chef de produit pour les lunettes solaires, commence sa présentation devant des commerciaux. Dans quel ordre entendez-vous les phrases a à f ? Numérotez les cases.

**44**

a. Pour finir, je vous présenterai l'argumentaire de vente pour les opticiens. ☐

b. Je parlerai d'abord des tendances du marché. ☐

c. À la fin de ma présentation, vous aurez une idée de notre stratégie de vente. ☐

d. Je suis venu vous parler de notre nouvelle collection de lunettes solaires. ☐

e. Bonjour tout le monde, je m'appelle Francesco Serafini. ☐ 1

f. Ensuite, j'aborderai les caractéristiques du produit. ☐

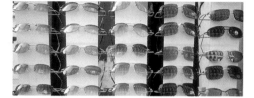

**B.** Réécoutez Francesco Serafini. Associez les phrases de l'exercice A avec les intentions 1 à 4 ci-dessous.

**44**

1. annoncer le plan ——▸ a
2. saluer, se présenter
3. formuler l'objectif
4. annoncer le sujet

**C.** Travaillez en tandem. Choisissez le rôle A ou B et lisez la fiche correspondante. Préparez le début d'un exposé à l'aide de ces indications. Puis commencez l'exposé. Votre partenaire joue l'auditoire.

| Fiche A | | |
|---|---|---|
| **Thème :** | mise en place du progiciel de gestion intégré (PGI) | |
| **Plan :** | 1 | fonctionnalités du progiciel |
| | 2 | réorganisation des services : achats, production, ventes |
| | 3 | calendrier de cette réorganisation |
| **Objectif :** | donner une idée plus claire des changements dans l'entreprise | |

| Fiche B | | |
|---|---|---|
| **Thème :** | baisse des ventes de stylos à bille | |
| **Plan :** | 1 | les chiffres |
| | 2 | les explications : hausse du coût des matières premières, concurrence de la grande distribution |
| | 3 | les stratégies possibles |
| **Objectif :** | donner des éléments d'information suffisants pour prendre des décisions | |

### ⋯ Expressions à connaître ⋯

**Saluer, se présenter**
[Mesdames et messieurs,] bonjour.
Je m'appelle... / Je suis...

**Annoncer le sujet**
Je suis venu(e) vous parler de...
Je vais vous parler de...
Ce sera le thème de mon intervention.

**Formuler l'objectif**
À la fin de mon exposé / ma présentation, vous aurez...
Le but de mon intervention est de vous donner...

**Mettre à l'aise**
Je suis très heureux(-euse) de...
Je suis content(e) d'avoir l'occasion de...

**Annoncer le plan**
D'abord / Ensuite / Enfin, ...
Je vous parlerai / donnerai / présenterai...
Pour finir, je répondrai à vos questions.

**Introduire une partie**
En premier lieu / Pour commencer, je vais vous parler de...
En second lieu, ...
Pour terminer, ...

**Conclure**
En résumé, ...
– Avez-vous des questions ? – Oui, j'aimerais savoir si / qui / combien / comment / quel(le) ...
D'autres questions ?
Je vous remercie de votre attention.

# tude de cas
## À vous de parler !

## Contexte

Dans les clubs de rhétorique, des personnes de toutes professions et de tous pays s'exercent à parler en public. Ils viennent chaque semaine au club pendant deux heures, de 19 heures à 21 heures.

L'exercice du discours préparé consiste à parler pendant environ une minute sur un canevas.

Vous participez à un club de rhétorique.
Cette semaine, le thème du discours préparé est :
« Présentez votre entreprise ».

## Tâche

1. Travaillez en groupes de trois personnes. Choisissez le rôle A, B ou C. Lisez la fiche A, B ou C (voir page 110).

2. Lisez le canevas. Préparez la présentation de votre entreprise. Préparez les réponses aux questions à la fin de l'intervention.

3. Présentez votre entreprise aux membres du groupe. Répondez aux questions à la fin de l'intervention.

4. Discutez en groupe des interventions. Qu'est-ce que vous avez apprécié ? Expliquez pourquoi.

Écrits p. 154

## Écrire

Vous êtes chargé(e) de communication dans votre entreprise. Écrivez un court texte de présentation pour la page « Qui sommes-nous ? » du site web de l'entreprise.

# Bilan 9

## Activité 1

Étudiant A : Vous êtes le PDG d'une grande entreprise. Vous sortez de réunion. Ordre du jour : les prévisions pour l'année prochaine. Une conférence de presse vous attend.

Étudiant B : Vous êtes journaliste, vous posez des questions au PDG.

Il s'agit de prévisions, et, à la fin de la conférence, de conseils. Vous pouvez donc utiliser les différentes formes de futur et le conditionnel présent.

Journaliste : « *Comment vont évoluer les ventes ?* » / PDG : « *Elles devraient augmenter de 18 %.* »

| Journaliste | PDG |
|---|---|
| *poser des questions sur :*<br>– les ventes<br>– le chiffre d'affaires<br>– le groupe<br>– la DRH<br>– les nouveaux produits<br>– les enseignes | *répondre :*<br>– ventes : augmenter de 18 %<br>– chiffre d'affaires : atteindre 75 millions d'euros<br>– groupe : devenir n°1 mondial<br>– DRH : recruter plusieurs milliers de personnes<br>– nouveaux produits : avoir beaucoup de succès<br>– enseignes : se multiplier à travers le monde<br>– entreprises concurrentes : prévoir une baisse du chiffre d'affaires, devoir prendre des mesures pour faire face au succès de mon entreprise ! |

## Activité 2

Voici l'emploi du temps de votre journée. Complétez les phrases avec les outils : *aller + infinitif* ; *venir de + infinitif* ; *être sur le point de + infinitif* ; *être en train de + infinitif*.

1. Il est 12 h 15, je ........ (*sortir*) de réunion.
2. À 13 h 00, je ........ (*déjeuner*).
3. À 14 h 04, je ........ (*commencer*) la rédaction du compte rendu de réunion.
4. Il est 16 h 35, je ........ (*finir*) de gérer mon courriel et je ........ (*prendre*) une pause café.
5. À 18 h 00, je ........ (*finir*) de préparer mes réunions, je ........ (*éteindre*) mon ordinateur et je ........ (*partir*).

## Activité 3

Votre entreprise prévoit de lancer sur le marché une nouvelle boisson énergétique : Olympix. Vous sortez de réunion. Vous avez fait l'état des lieux de l'avancement du projet. Vous rédigez par courriel un compte rendu à votre n+1. Utilisez les outils linguistiques des deux activités précédentes.

| Tâche | faite | en cours | à faire |
|---|---|---|---|
| sélectionner l'équipe projet | DRH | | |
| finir l'analyse des besoins | Max Pims | | |
| mener l'étude de marché | Suzy Golau | | |
| rédiger l'analyse des 2 étapes précédentes | | | Max Pims + Suzy Golau |
| si ok : concevoir les prototypes | | Paola Tinoca | |
| réfléchir sur la campagne de pub | | Tom Singer | |
| sélectionner les distributeurs | | Suzy Golau | |
| lancer le produit sur le marché | | | moi |
| dresser le bilan à lancement + 2 mois | | | moi |

Vous pouvez commencer ainsi votre courriel :

| Texte principal ⬍ | Largeur variable ⬍ | ■ | A+ A+ | B | I | U | ≣ ≣ ≣ ≣ | ▣ | ▢ ▢ |
|---|---|---|---|---|---|---|---|---|---|

Bonjour,
Suite à la réunion de ce mardi, je vous informe de l'état d'avancement du projet Olympix.
La DRH **vient de** sélectionner l'équipe projet. Max Pims…

# Unité **10** Compétences

**É**tude de cas
Recrutement chez

# Prise de contact
## Un travail intéressant, c'est quoi ?

A. À quelle occasion êtes-vous en contact avec ces professionnels ? Imaginez une situation.

*1. Pour le pharmacien, c'est quand on doit acheter un médicament.*

1. un pharmacien
2. un agent immobilier
3. un facteur
4. un coursier

5. un libraire
6. une nourrice
7. un plombier
8. un généraliste

9. un homme de ménage
10. un gardien d'immeuble
11. un fleuriste
12. un banquier

B. Quels sont les critères d'un travail intéressant pour vous ? Numérotez par ordre de priorité les critères ci-dessous. Puis comparez vos priorités avec celles de votre partenaire.

*Pour moi, un travail intéressant, c'est en priorité...*

1. travailler…
   a. en indépendant(e). ☐
   b. dans une petite société. ☐
   c. dans un grand groupe. ☐
   d. dans une entreprise connue. ☐
   e. dans un secteur d'avenir. ☐

2. a. faire un travail passionnant. ☐
   b. avoir des objectifs et les moyens. ☐
   c. diriger un service. ☐
   d. conduire un projet de A à Z. ☐
   e. pouvoir se former. ☐
   f. pratiquer plusieurs langues. ☐

3. a. partager la même culture. ☐
   b. bien s'entendre avec les supérieurs. ☐
   c. avoir des collègues sympathiques. ☐
   d. avoir des collaborateurs compétents. ☐
   e. rencontrer beaucoup de gens. ☐

4. a. avoir une bonne rémunération. ☐
   b. avoir des avantages sociaux. ☐
   c. travailler dans un bureau confortable. ☐
   d. travailler près de la maison. ☐
   e. voyager beaucoup. ☐

# Vocabulaire
## Formation + expérience = compétences

A. Nominalisez les mots soulignés et reformulez les phrases.
**Quels noms sont féminins (*une*) ? Quels noms sont masculins (*un*) ?**

*1. Animation d'une équipe de 5 vendeurs / une animation*

1. J'ai <u>animé</u> une équipe de 5 vendeurs.
2. J'ai <u>rédigé</u> des comptes rendus.
3. J'ai <u>classé</u> de la documentation.
4. J'ai <u>collaboré</u> au site web en français.

5. J'ai <u>pris</u> contact avec les clients potentiels.
6. J'ai <u>encadré</u> 15 personnes.
7. J'ai <u>géré</u> les réclamations des clients.
8. J'ai <u>proposé</u> des plans d'action.

B. Jens recherche un poste de responsable du marketing. Il fait une liste de ses compétences. Dans quelle catégorie rangez-vous chaque compétence ?

| Compétences | | |
|---|---|---|
| a. organisationnelles | c. sociales | e. en langues |
| b. techniques | d. informatiques | f. artistiques |

1. Je parle couramment anglais. ——→ e
2. J'ai lancé de nouveaux produits sur le marché.
3. J'ai l'habitude des environnements multiculturels.
4. Je me débrouille en français.
5. Je joue du violoncelle.

6. Je manage une équipe de 20 personnes.
7. J'ai conçu des stratégies de communication.
8. Je pratique des langages comme Java et .Net.
9. Je suis membre d'un groupe de jazz.
10. Je suis capable de motiver une équipe.

C. Listez trois expériences professionnelles (de stage ou de votre travail actuel). Ajoutez une formation. Puis faites des phrases.

*Dans mon travail actuel, j'ai ouvert un bureau de représentation à Casablanca. J'ai lancé un nouveau produit sur le marché marocain. Je pratique le français avec mes clients. J'ai fait des études de commerce international.*

Lexique p. 144-147

# Lire
## Un CV en France

**A.** Raymond Loewy a envoyé un curriculum vitae (CV) à un cabinet de recrutement. Complétez avec les titres de rubrique dans l'encadré.

> EXPÉRIENCE PROFESSIONNELLE – LANGUES – PROJET PERSONNEL – COMPÉTENCES – LOISIRS – INFORMATIQUE – FORMATION

---

Raymond LOEWY
4 rue de Chicoutimi, F-75018 Paris
Tél. : +33 (0)6 44 33 22 11
rloewy@perso.com
Canadien, 32 ans

### Responsable Marketing et Développement
MBA, secteur des médias, encadrement, autonomie,
français, anglais, allemand, espagnol, mobilité internationale

......1......

▶ Marketing : veille et analyse de l'information, conception stratégique, marchés à l'international
▶ Management : conduite de projets
▶ Personnalité : créatif, pragmatique, autonome, esprit d'équipe

......2......

| | |
|---|---|
| Depuis 2004 | *The Anderson School of Management, Université de Californie à Los Angeles (UCLA)* |
| | • Préparation d'un **MBA** en **stratégie marketing internationale**. |
| | • Semestre d'études à l'École des hautes études commerciales (HEC). |
| | • Fin du programme MBA : juin 2007. |
| 2002 | *Ludwig-Maximilians-Universität (LMU), Munich, Allemagne* |
| | Master en **économie** politique (*Diplom*). |
| 1997 | *Université de l'État de Californie, Long Beach, États-Unis* |
| | Licence de journalisme (*Bachelor of Arts*). |

*EXPÉRIENCE PROFESSIONNELLE*

| | |
|---|---|
| 1998 - 2003 | *Journaliste économique à la* **radio** : |
| | *BAYERISCHER RUNDFUNK, Munich, Allemagne* |
| | • Documentation, rédaction, mise en ondes et passages à l'antenne. |
| | • Analyses et commentaires sur l'actualité financière, économique et des entreprises. |
| 1996 - 1997 | *Journaliste à la* **télévision** *: CBS EVENING NEWS, Los Angeles, États-Unis* |
| | • Participation au journal d'informations télévisé. |
| | • Sélection des dépêches d'agences de presse. |
| | • Documentation, vérification des faits sur des sujets d'actualité. |

......3......

| | |
|---|---|
| Été 1997 | Organisation et *réalisation* d'un tour d'Amérique du Sud avec 8 personnes. |

......4......

| | | |
|---|---|---|
| Bilingue anglais-allemand | Français et espagnol courants | Notions de japonais |

......5......

Maîtrise des outils bureautiques (Microsoft Office), internet et des logiciels de montage numérique (Cool Edit Pro, SADiE).
Bonnes connaissances des logiciels de PAO (Xpress, Illustrator, Photoshop).

......6......

| | |
|---|---|
| Musique : | Clarinette, membre d'un orchestre de danse. |
| Randonnées : | Dans les Andes, au Japon (Hokkaido), en Nouvelle-Zélande, en Australie. |

**B.** Dans le CV de Raymond Loewy, deux rubriques n'ont pas de titre.
Quelle est la formulation la plus appropriée pour résumer chaque rubrique ?

a. État civil et coordonnées

b. Données privées

c. Profil personnel

d. Projet professionnel

**C.** Relisez le CV de Raymond Loewy.
Les affirmations sont-elles vraies ou fausses ?

1. Raymond Loewy habite en France en ce moment. ———► *vrai*
2. Il pourrait travailler dans l'industrie culturelle.
3. Il a un profil de commercial.
4. Il a travaillé en France.
5. Il a travaillé pendant ses études.
6. Il sait fabriquer une émission de radio de A à Z.
7. Il a travaillé dans une agence de presse aux États-Unis.
8. Il a fait des reportages en Amérique du Sud.
9. Il a voyagé sur les cinq continents.

**D.** Répondez aux questions suivantes. Dans votre pays,

1. pour demander du travail, est-ce qu'il faut rédiger un CV ? remplissez-vous un formulaire de candidature ?
2. le CV a combien de pages ? y a-t-il une photo ? une signature ? la date ? des références ?
3. la formation et l'expérience sont-elles présentées dans l'ordre chronologique ou rétrochronologique ?
4. le modèle de CV européen (le CV Europass) est-il utilisé ?

## Point de langue 1
### *L'imparfait*

Grammaire p. 124

Pour exprimer un retour en arrière (un flash-back), on emploie l'imparfait.

| AVANT | CHANGEMENTS DE SITUATION | MAINTENANT |
|---|---|---|

Je *travaillais* à la télévision.
Je *faisais* des émissions à la radio.

Je suis en train de faire un MBA.
Je suis disponible à partir de juillet 2007.

J'ai travaillé comme journaliste
puis j'ai repris les études.

**A.** Associez les questions du recruteur 1 à 7 et les réponses du candidat a à g.

1. À l'époque, qu'est-ce que vous faisiez ?
2. C'était une grande entreprise ?
3. Quelle était son activité ?
4. Qu'est-ce qu'il faisait, votre responsable ?
5. Et vous, quel était votre rôle ?
6. Quelles étaient les qualités nécessaires ?
7. Vous avez fait d'autres stages ?

a. Elle organisait des salons dans 30 pays.

b. Il définissait les plans de communication.

c. Oui. Dans une banque. Pendant six mois.

d. J'étais assistant du responsable marketing.

e. Moyenne. Il y avait 150 collaborateurs.

f. Le sens du contact et la capacité à négocier.

g. Je contactais les agences de publicité.

**B.** Complétez le dialogue avec les verbes entre parenthèses. Employez l'imparfait.

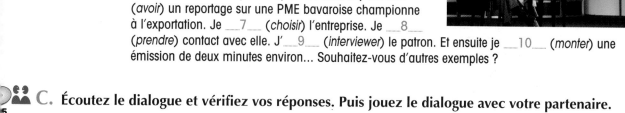

CONSULTANTE : Qu'est-ce que vous *aviez* (*avoir*) comme responsabilités chez CBS ?

R. LOEWY : J'___1___ (*être*) journaliste stagiaire. Je ___2___ (*faire*) une sélection des dépêches d'agence. C'___3___ (*être*) un travail de recherche et de vérification des faits.

CONSULTANTE : Mm, je vois. Et à Munich, qu'est-ce que vous ___4___ (*faire*) ?

R. LOEWY : Je ___5___ (*travailler*) dans une radio d'information en continu. Par exemple chaque semaine, il y ___6___ (*avoir*) un reportage sur une PME bavaroise championne à l'exportation. Je ___7___ (*choisir*) l'entreprise. Je ___8___ (*prendre*) contact avec elle. J'___9___ (*interviewer*) le patron. Et ensuite je ___10___ (*monter*) une émission de deux minutes environ... Souhaitez-vous d'autres exemples ?

**C.** Écoutez le dialogue et vérifiez vos réponses. Puis jouez le dialogue avec votre partenaire.

5

**D.** Pensez à un stage de votre vie professionnelle. Votre partenaire vous pose les questions de l'exercice A, page 100. Puis changez les rôles.

## Écouter
### *Un entretien de recrutement*

**A.** Complétez les phrases avec les mots de l'encadré.

que – comment – quels – qu'est-ce qui – ~~pourquoi~~ – où

1. *Pourquoi* avez-vous choisi cette formation ?
2. _____ vous motive pour ce poste ?
3. _____ sont vos atouts pour ce poste ?
4. _____ allez-vous manager vos collaborateurs ?
5. _____ faites-vous pendant vos loisirs ?
6. _____ serez-vous dans cinq ans ?

**B.** Raymond Loewy postule pour un poste de responsable marketing et développement dans l'audiovisuel en France. Écoutez le dialogue entre la consultante en recrutement et lui. Le profil de Raymond Loewy correspond-il aux exigences du poste ? Pour chaque exigence, répondez par oui ou par non.

46

**Le candidat / La candidate doit...**
1. être de niveau bac + 5. ⟶ *oui*
2. avoir une expérience des médias.
3. être intéressé(e) par les technologies de l'information.
4. avoir une expérience de 3 ans dans la vente.
5. parler couramment le français, l'anglais et le japonais.
6. être capable de diriger une équipe dans plusieurs pays.
7. pouvoir piloter un projet dans les délais.

**C.** À votre avis, quelles sont les exigences pour un poste de vendeur(-euse) dans une boutique de luxe ? et pour un poste de gardien(ne) d'immeuble ?

**D.** Quels sont vos atouts à votre poste actuel ou pour votre future profession ?

# Point de langue 2
## *Pronoms compléments (2)*

Grammaire p. 124

- On emploie *en* dans un contexte de quantité et avec des verbes comme *avoir besoin de, se charger de, s'occuper de, se servir de.*
  - *– Vous avez des tickets de métro ?*
  - *– Vous supervisiez combien de personnes ?*
  - *– Les visiteurs ont posé beaucoup de questions ?*
  - *– Vous avez rencontré des clients ?*
  - *– Vous vous occupez de ce problème ?*
  - *– Vous avez besoin de ce rapport pour quand ?*

  - *– Oui, j'en ai. / Non, je n'en ai pas.*
  - *– J'en supervisais quinze.*
  - *– Oui, ils en ont posé beaucoup.*
  - *– Oui, j'en ai rencontré quelques-uns.*
  - *– D'accord, je m'en occupe.*
  - *– J'en ai besoin pour lundi prochain.*

- On emploie *le, la, l', les* quand on fait allusion à une personne, une chose ou une idée.
  - *Le français, vous le parlez couramment ?*
  - *Vous le rencontrez quand, ce client ?*
  - *Vous la garez où, votre voiture ?*
  - *Vous l'avez reçu, ce fax ?*
  - *On va les recevoir quand, les marchandises ?*
  - *– Vous croyez que c'est une bonne idée ?*       *– Oui, je le pense.*

- Attention ! On place le pronom complément après le verbe qui indique l'action, à l'impératif positif :
  - *Achètes-en deux, une pour moi aussi !*
  - *Ce formulaire, remplissez-le en lettres capitales, s'il vous plaît.*

## A. Associez les questions 1 à 8 et les réponses a à h.

1. Vous avez fait d'autres stages en entreprise ?
2. Vous parlez plusieurs langues ?
3. Vous auriez de la monnaie sur 50 euros ?
4. Vous voulez combien de copies du CV ?
5. Vous les financez comment, vos études ?
6. Vous avez une ordonnance du médecin ?
7. Comment faites-vous avec les enfants ?
8. Vous aviez combien de collaborateurs ?

a. Non, désolé(e), je n'en ai pas.
b. J'en avais vingt-cinq.
c. J'en pratique deux.
d. Je les mets à la crèche le matin.
e. Oui, j'en ai fait plusieurs.
f. Oui, tenez, la voici.
g. Il en faudrait trois.
h. J'ai demandé un crédit à la banque.

## B. Vous entendez les phrases 1 à 8. Lisez les thèmes a à h. Réécoutez maintenant les phrases 1 à 8. À quel thème fait allusion chaque phrase entendue ?

47

a. employés
b. invités
c. feutres
d. café
e. doctorat
f. numéro de téléphone ——→ *phrase 1*
g. rédiger le compte rendu
h. Pierre a démissionné.

## C. Associez les débuts de phrases de la colonne de gauche avec les éléments de la colonne de droite.

1. Vous savez vous en servir,
2. Vous en jouez tous les jours,
3. Vous l'attendez depuis longtemps,
4. Je vais la recevoir quand,
5. Je le voudrais bien cuit,
6. Vous en avez déjà reçu en entretien,
7. Vous devez l'enregistrer,
8. Je peux en envoyer d'ici,
9. Vous en pensez quoi,

a. des fax ?
b. des candidats ?
c. de cet appareil ?
d. de cette solution ?
e. du piano ?
f. la réponse ?
g. mon steak.
h. le bus ?
i. votre bagage.

# Gammes
## *Parler de ses compétences*

**A.** Posez les questions ci-dessous à votre partenaire.
Puis changez les rôles.

1. Est-ce que vous avez déjà été responsable d'une équipe ?
2. Aimez-vous voyager, connaître d'autres cultures ?
3. Où avez-vous appris cette langue (*choisissez-en une*) ?
4. Quelle est votre expérience de la vente ?
5. Faites-vous des réunions avec vos collaborateurs ?
6. Vous avez rédigé un mémoire de fin d'études ?
7. Vous avez créé une entreprise, c'est exact ?

**B.** Vous êtes recruteur(-euse). Vous voulez plus d'informations sur les compétences du candidat.
Associez les demandes de précision a à g et les questions 1 à 7 de l'exercice A.

a. Et quel était le sujet ?
b. Et qu'est-ce que vous faisiez pendant ce stage ?
c. C'était dans quel secteur ? ⟶ *question 1*
d. Comme s'est passée celle de la semaine dernière ?
e. Et quelle était l'activité de cette boutique ?
f. Et dans votre travail, vous le pratiquez ?
g. Oui mais pour le travail, vous étiez souvent en déplacement ?

**C.** Écoutez les dialogues 1 à 7. Vérifiez vos hypothèses.
**48**

**D.** Réécoutez les dialogues 1 à 7. Sur quel type de compétence ou d'aptitude avez-vous des
**48** informations ?

- compétences en langues
- compétences en marketing
- compétences commerciales
- créativité
- mobilité géographique
- aptitude à l'organisation
- aptitude à l'encadrement ⟶ *dialogue 1*

**E.** Travaillez en tandem. Choisissez un type de compétence ou d'aptitude. Pensez à votre propre
expérience. Écrivez deux questions et deux réponses sur le modèle des dialogues
de l'exercice C. Jouez le dialogue.

---

### Expressions à connaître

| | RECRUTEUR(-EUSE) | CANDIDAT(E) |
|---|---|---|
| **Compétences** | – Est-ce que vous avez [déjà] été... ?<br>– Avez-vous [déjà] planifié / organisé / ... ?<br>– Quelle est votre expérience de... ?<br>– Quelles sont vos fonctions actuelles ?<br>– Quelle[s] langue[s] parlez-vous ?<br>– Quelle est votre formation ? | – J'ai fait / mis en place / créé / collaboré à /<br>animé / développé / encadré / géré /<br>organisé / managé / été / ...<br>– Actuellement, je suis chargé(e) de...<br>– Je suis bilingue tchèque-allemand.<br>– J'ai fait des études de... |
| **Preuves** | – Quel était votre rôle [exactement] ?<br>– Qu'est-ce que vous faisiez ?<br>– Comment avez-vous appris... ? | – J'étais chef des ventes.<br>– Je faisais des travaux de recherche sur...<br>– J'ai séjourné deux ans en Égypte. |
| **Motivation** | – Pourquoi avez-vous choisi cette formation ?<br>– Qu'est-ce qui vous motive pour ce poste ?<br>– Quels sont vos atouts pour ce poste ? | – J'ai appris à...<br>– Je souhaite...<br>– Je peux / Je suis capable de... |

#
# Étude de cas
## Recrutement chez marcAVista

## Contexte

marcAVista A.G. est une agence de marques basée à Munich en Allemagne. L'agence s'occupe de placer des produits de marque (boissons, montres, bagages, produits de beauté, vêtements, hôtels, etc.) dans des films ou téléfilms, des chansons, des romans, des jeux vidéo. Elle contacte et informe les entreprises sur les projets des producteurs ou des éditeurs. Elle négocie des contrats au nom et pour le compte des entreprises intéressées, – les annonceurs –, avec les producteurs ou éditeurs. Elle perçoit un pourcentage sur les affaires réalisées.

marcAVista veut développer son activité. L'agence ouvre un bureau de représentation à Paris. Elle recherche un(e) responsable commercial(e) et marketing pour la France, l'Italie et l'Espagne. Aujourd'hui, le directeur adjoint chargé du développement international et le responsable des ressources humaines sont à Paris. Ils reçoivent deux personnes en entretien de recrutement. Lisez l'extrait de la fiche de préparation à l'entretien.

## Tâche

1. Travaillez en groupes de quatre personnes.
   Directeur(-trice) adjoint(e) et responsable des ressources humaines : voir page 111.
   Candidat(e) A : voir page 112.
   Candidat(e) B : voir page 109.
   Lisez votre fiche. Préparez l'entretien.

2. Jouez l'entretien.

3. Directeur(-trice) adjoint(e) et responsable des ressources humaines discutent pour décider qui est le bon candidat à ce poste.

## Critères de recrutement

| Il faut : | pour pouvoir : |
|---|---|
| des compétences en marketing et commerciales | ▸ détecter les besoins dans les projets des producteurs et des éditeurs ;<br>▸ présenter l'activité de marcAVista aux annonceurs potentiels ;<br>▸ négocier des contrats avec les producteurs et les éditeurs |
| une aptitude à l'encadrement | ▸ constituer et animer une équipe de commerciaux ; |
| de la créativité | ▸ mettre en ligne les projets des producteurs et des éditeurs ;<br>▸ imaginer des solutions pour les annonceurs, les producteurs et les éditeurs ; |
| une aptitude à l'organisation | ▸ coordonner le travail des collaborateurs (3 commerciaux et 2 administratifs) et avec le siège à Munich ; |
| des compétences en langues | ▸ discuter avec les partenaires au stade de la conception des projets. Maîtrise de deux langues et connaissances dans les trois autres parmi ces langues : français, allemand, anglais, italien, espagnol ; |
| de la mobilité géographique | ▸ participer aux salons et événements professionnels (Cannes, Berlin, Venise, San Sebastian, Toronto, etc.). |

Écrits p. 153

## Écrire

Vous avez choisi votre candidat(e). Vous avez discuté de certains détails au téléphone.

En tant que responsable des ressources humaines, vous écrivez maintenant une lettre d'engagement.

Précisez le poste, le lieu de travail, la date d'embauche, la rémunération annuelle, le nombre de jours de congés payés et les autres avantages accordés.
Donnez le nom de la personne à contacter pour l'entrée en fonction à Paris.

Objet : lettre d'engagement
P.J. : un double de la lettre d'engagement
Copie à : Istvan Marai, développement international

Madame, / Monsieur,

J'ai le plaisir de vous confirmer votre engagement...

# Bilan 10

**Activité 1**

Complétez vos réponses au recruteur : utilisez des pronoms compléments.

*« – Vous avez rempli le formulaire ? – Oui, je l'ai rempli. »*

1. – Avez-vous de l'expérience dans le domaine des télécommunications ? – Non, ........ .
2. – Êtes-vous mobile géographiquement ? – Oui, ........ .
3. – Avez-vous passé le DELF, pour évaluer votre niveau en français ? – Non, ........ .
4. – Est-ce que vous aimez les voyages ? – Oui, ........ .
5. – Faites-vous du sport en équipe ? – Avant, ........ mais aujourd'hui, ........ plus.
6. – Parlez-vous le mandarin ? – Oui, ........ .
7. – Lisez-vous des œuvres littéraires étrangères ? – Oui, ........ une par mois.
8. – Voulez-vous poser des questions ? – Oui, voudrais ........ une.

**Activité 2**

Enquête au sein du groupe : votre vie d'avant… avant d'exercer ce métier, avant d'arriver dans cette entreprise, dans cette ville, dans ce pays, etc.

**A.** Posez des questions aux autres membres du groupe. Vous devez trouver des points communs entre trois personnes du groupe et vous, en rapport avec votre vie passée (lieu de travail, poste occupé, domaine professionnel, loisirs…). Vous pouvez poser des questions comme :

*Où habitiez-vous ? / Quel métier exerciez-vous ? / Combien d'heures par semaine aviez-vous l'habitude de travailler ? / Quelles étaient vos activités sportives ou de loisirs ? / Partiez-vous en voyage d'affaires/d'agrément ? / Pour quelles raisons vouliez-vous venir ici ? …*

**B.** Présentez ensuite à l'ensemble du groupe les trois personnes repérées. Le groupe vous pose alors des questions pour trouver ces points communs.

**Activité 3**

Les choses ont bien changé depuis le rachat de votre entreprise par un important investisseur. Les délégués du personnel proposent un forum de discussion où les employés donnent leur point de vue. Réagissez à la prise de position de Madame Brice comme proposé.
(N'hésitez pas à ajouter vos propres idées pour décrire la situation d'avant !)

| Auteur | Message |
|---|---|
| Madame Brice, 53 ans, secrétaire de direction | ☐ Posté le : 5 juin 2007 12 h 50      Sujet du message : mécontentement |
| | Aujourd'hui, ce n'est plus un plaisir de travailler. On n'est pas motivé. On craint d'être licencié. On ne travaille plus dans une bonne ambiance. On ne s'entend pas avec notre chef. La direction ne nous écoute pas, elle ne pense pas au bien-être de ses employés. Nos salaires n'augmentent plus et nous avons des difficultés financières. |
| | ☐ Posté le : 6 juin 2007 18 h 04      Sujet du message : regrets |
| | *Je suis d'accord avec madame Brice : avant, c'était un plaisir de travailler. Moi, j'étais content de me lever le matin ! On était motivé. On ne …* |

Terminé

# Fiches d'activités

### ◀ Page 10, Vocabulaire 2, C

**Étudiant(e) A**

| | |
|---|---|
| **Posez des questions sur :** | **Répondez aux questions de l'étudiant(e) B :** |
| 1. Aldi | 2. Danone – France |
| 3. Lenovo | 4. H & M – Suède |
| 5. Alcan | 6. Marks & Spencer – Royaume-Uni |
| 7. Škoda | 8. Benetton – Italie |
| 9. Samsung | 10. Allianz – Allemagne |

### ◀ Page 32, Point de langue 2, C

**Étudiant(e) A**

1. Vous allez au travail en voiture.
2. Vous finissez votre journée de travail à quatre heures.
3. Vous mettez un quart d'heure pour déjeuner.
4. Vous sortez avec des amis.
5. Vous mettez le portable dans la poche de la veste.

### ◀ Page 35, Étude de cas : *Problèmes de qualité chez Komcheswa*

**Étudiant(e) B : client(e) de Komcheswa**

Vous passez un coup de fil à l'agence Komcheswa de Genève. Vous habitez une maison Komcheswa près de Beaumont (à proximité de Genève). Vous n'êtes pas content(e).

- Vous donnez des précisions sur la mauvaise qualité des prestations.
- Vous souhaitez changer de maison ou un remboursement du montant de la location.
- Vous voulez parler au responsable de l'agence.
- Vous êtes d'accord sur la proposition.

### ◀ Page 83, Gammes, D

**Étudiant(e) C**

Vous êtes d'accord avec le nom proposé par A et le prix proposé par B.
Vous êtes pour un autre type de campagne publicitaire.

- Nom : *Si petit Si joli*
- Prix : 2,60 euros le paquet de 28 petits cubes

Vous êtes pour :
- des affiches dans le métro et sur les bus ;
- un parrainage de fêtes d'étudiants dans les universités et les écoles de commerce ou d'ingénieurs.

### ◀ Page 43, Gammes, B

**Étudiant(e) A**

**Vous êtes réceptionniste à l'hôtel Charlotte à Bruxelles.**
**Jouez le dialogue avec les indications suivantes :**

- Vous répondez au téléphone. Vous donnez le nom de l'hôtel.
- Vous vérifiez sur le calendrier des réservations. Réservation de deux chambres simples pour trois nuits, du mardi 21 janvier au vendredi 24 janvier : possible.

- Chambre simple : 129 euros par personne. En offre spéciale jusqu'au 28 février : seulement 65 euros.
- Oui, petit-déjeuner compris.
- Oui, parking. Tarif de 9 euros par jour.
- Non, pas restaurant.
- Règlement par carte ?
- Numéro de carte et date d'expiration ?
- Code de vérification à trois chiffres ?

### ◀ Page 55, Étude de cas : *Trois invités à déjeuner*

**Fiche A**

- Votre interlocutrice, madame Zeïtoun, est directrice des ressources humaines. Elle vient s'informer de vos produits et services. C'est un contact sérieux et intéressant.
- Goûts en matière de cuisine : apprécie la grande cuisine, aime bien les ambiances orientales.

# Page 74, Gammes, D

## Étudiant(e) A : responsable hiérarchique

Vous voulez des informations sur l'avancement du projet Alpha. Posez des questions à votre collaborateur(-trice). Vous le/la vouvoyez.

- projet Alpha ?
- nature du problème ?
- rôle de Tania dans l'équipe ?

- la remplacer par un autre membre de l'équipe ?
- budget pour engager un consultant externe ?

Vous concluez le dialogue.

# Page 10, Vocabulaire 2, C

## Étudiant(e) B

**Posez des questions sur :**

2. Danone
4. H & M
6. Marks & Spencer
8. Benetton
10. Allianz

**Répondez aux questions de l'étudiant(e) A :**

1. Aldi – Allemagne
3. Lenovo – États-Unis
5. Alcan – Canada
7. Škoda – République tchèque
9. Samsung – Corée du Sud

# Page 32, Point de langue 2, C

## Étudiant(e) B

1. Vous allez au travail à scooter.
2. Vous finissez votre journée de travail à six heures.
3. Vous mettez une heure pour déjeuner.

4. Vous restez en famille.
5. Vous mettez le portable dans le porte-documents.

# Page 63, Gammes, C

## Étudiant(e) B : distributeur de navigateurs GPS

Lisez la fiche de description du produit ci-dessous. Répondez aux questions du responsable achat des boutiques « Mobilis ». Imaginez d'autres détails.

| | |
|---|---|
| *Modèle le plus demandé :* | navigateur GPS pour la voiture, Poucet 400 |
| *Caractéristiques :* | écran tactile ; carte de l'Europe intégrée ; autonomie de 8 heures |
| *Public cible :* | conducteurs qui détestent lire une carte routière |
| *Couleurs proposées :* | blanc, gris, bleu |
| *Avantages du produit :* | possibilité de fixer le navigateur sur le tableau de bord, de recharger la batterie sur l'allume-cigare et de planifier un voyage ; écran tactile simple à utiliser |
| *Prix :* | 280 euros |
| *Garantie :* | 1 an |
| *Livraison :* | 1 semaine |

# Page 40, Point de langue 1, E

## Étudiant(e) A

Votre partenaire commercial vient dans votre ville le mois prochain. Il prépare son voyage et vous demande des informations. Utilisez les informations ci-dessous pour répondre à ses questions.

- dans le centre-ville

**B :** *Mon hôtel se trouve où ?*
**A :** *Votre hôtel se trouve dans le centre-ville.*

- dans le quartier des affaires

- près du port
- à 50 kilomètres de la ville
- à l'hôtel, dans une salle de conférence
- à la chambre de commerce

# Page 83, Gammes, D

## Étudiant(e) A

Vous commencez la réunion.

Vous proposez le nom pour le fromage en petits cubes.

- Nom : *Si petit Si joli*
- Prix : 2,20 euros le paquet de 28 petits cubes

Vous êtes pour :

- des publicités à la télévision et au cinéma ;
- des publicités sur les téléphones mobiles.

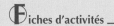

## ◀ Page 104, Étude de cas : *Recrutement chez marcAVista*

### Candidat(e) B

| | |
|---|---|
| *État civil :* | S. Vidal, 33 ans, célibataire |
| *Formation :* | MBA en gestion des industries du luxe, diplômé(e) d'une école de commerce |
| *Parcours professionnel :* | • stage long (9 mois) comme assistant(e) marketing chez un producteur de champagne ; |

            • chef des ventes dans une entreprise de cosmétiques aux États-Unis, responsable de 5 vendeurs (pendant 3 ans) ;

            • stage long (9 mois) dans une maison de haute couture ;

            • chargé(e) de communication dans une multinationale du luxe (depuis 1 an) ;

            • actuellement, salaire brut annuel de 49 000 euros ;

            • loisirs : voyages, jeux vidéo, cinéma, pratique du taï chi.

Pendant votre préparation à l'entretien, pensez à : 1. des preuves de vos compétences. Si nécessaire, imaginez des détails ;
2. la motivation : pourquoi voulez-vous changer de travail ? 3. des questions à poser aux recruteurs.
Au début de l'entretien, vous saluez votre interlocuteur(-trice) et vous vous présentez (nom et fonction actuelle).

## ◀ Page 25, Étude de cas : *Enquête au cabinet Viola*

### Étudiant(e) B : employé(e) du cabinet Viola

**Choisissez un rôle. Utilisez les informations pour répondre aux questions de l'enquêteur(-trice).**

**Rôle 1 : Hôte(sse) d'accueil standardiste**
- *Travail (qu'est-ce que vous faites ?)* : vous accueillez les visiteurs, répondez au téléphone, prenez les messages, planifiez les bureaux pour les employés et les salles de réunion.
- *Horaires de travail :* de neuf heures du matin à six heures du soir, du lundi au vendredi.
- *Pauses :* une pause d'un quart d'heure le matin.
- *Déjeuner :* de une heure à deux heures. Vous sandwichez d'habitude dans le centre commercial.
- *Conditions de travail :* le travail est intéressant, mais vous êtes toujours débordé(e). Le salaire n'est pas très élevé. Vous souhaitez une pause l'après-midi, une deuxième personne à l'accueil, des horaires variables et un restaurant d'entreprise.

**Rôle 2 : Stagiaire**
- *Travail (qu'est-ce que vous faites ?)* : vous faites un stage de fin d'études de six mois. Vous étudiez, préparez, archivez des dossiers.
- *Horaires de travail :* de neuf heures du matin à neuf heures du soir, du lundi au vendredi. En juillet et en août, c'est calme : vous quittez le travail à cinq heures.
- *Pauses :* pas de pauses à heure fixe.
- *Déjeuner :* de une heure à deux heures. Vous déjeunez d'habitude dans un restaurant rapide.
- *Conditions de travail :* le travail est passionnant, mais les conditions ne sont pas bonnes. Vous travaillez dans un espace partagé avec 20 autres personnes. Vous souhaitez un bar dans l'entreprise pour discuter avec les collègues.

**Rôle 3 : Assistant(e) confirmé(e)**
- *Travail (qu'est-ce que vous faites ?)* : vous assistez le senior et partez avec lui en mission dans les entreprises clientes. Vous examinez les comptes et faites la synthèse.
- *Horaires de travail :* en haute saison, vous ne comptez pas vos heures. Vous travaillez parfois le week-end.
- *Pauses :* pas de pauses à heure fixe.
- *Déjeuner :* en mission, vous déjeunez et dînez d'habitude avec le senior dans les restaurants et les hôtels. Le cabinet rembourse les frais.
- *Conditions de travail :* le travail est intéressant. Vous êtes en contact avec des entreprises variées. Mais après chaque mission, vous avez une note comme à l'école. Vous n'avez pas de vie personnelle. Vous souhaitez un téléphone portable.

**Rôle 4 : Directeur(-trice) de mission**
- *Travail (qu'est-ce que vous faites ?)* : vous prospectez les entreprises, vous faites une offre, vous planifiez les missions des seniors avec leurs équipes, vous faites le budget. Vous êtes manager.
- *Horaires de travail :* de septembre à mai, vous travaillez dix à douze heures par jour. Vous ne travaillez jamais le week-end.
- *Pauses :* pas de pauses à heure fixe.
- *Déjeuner :* vous déjeunez souvent avec les clients au restaurant.
- *Conditions de travail :* vous appréciez les méthodes de travail du cabinet. Vous connaissez des entreprises variées. Mais le travail est routinier. Vous souhaitez un poste à l'étranger ou un travail à temps partiel.

## ◀ Page 35, Étude de cas : *Problèmes de qualité chez Komcheswa*

### Étudiant(e) A : employé(e) à l'agence Komcheswa de Genève

**Vous recevez un coup de fil d'un(e) client(e) mécontent(e).**

- Vous demandez des précisions et écoutez.
- Vous vous excusez.
- Vous refusez les solutions proposées par le client. Vous ne pouvez pas décider.
- Giovanna Bruni, la responsable de l'agence de Genève, est en rendez-vous à l'extérieur. Vous rappelez dans une heure environ.

# Page 74, Gammes, D

## Étudiant(e) B : responsable du projet Alpha

**Vous répondez aux questions de votre n + 1. Vous le/la vouvoyez.**

- soucis concernant les délais
- Tania malade depuis une semaine
- fait la coordination avec l'équipe indienne

- autres membres de l'équipe débordés. Nécessité d'engager un consultant externe
- pas de budget. Nécessité de livrer le produit la semaine prochaine

# Page 83, Gammes, D

## Étudiant(e) B

**Vous n'êtes pas d'accord avec les idées et propositions de A.**
- Nom : *Saveurs & Délices*
- Prix : 2,60 euros le paquet de 28 petits cubes

**Vous êtes pour :**
- des publicités dans des magazines et à la radio ;
- des publicités sur des sites internet, des blogues, des émissions de radio en baladodiffusion.

# Page 95, Étude de cas : *À vous de parler !*

### Fiche A

*Poste :* responsable de la qualité dans une unité de montage de voitures, groupe Pécégé
*Profil :* • vend 3,4 millions d'unités dans le monde et par an
• coopère avec des constructeurs italien, turc et japonais pour produire des pièces de voiture communes
*Chiffre d'affaires :* • l'année dernière : 56,9 milliards d'euros • l'année précédente : 56,4 milliards d'euros
*Résultat avant charges et impôts :*
• l'année dernière : 2,1 milliards d'euros
• l'année précédente : 2,4 milliards d'euros
*Effectif :* 207 000 employés
*Projets :* • vient de lancer de nouvelles marques en Chine et dans les pays du Mercosur • est sur le point de commercialiser une voiture à moteur hybride (à essence/électrique)
*Responsabilités :* • dirige une équipe de 20 ingénieurs et techniciens
• peut stopper la production s'il y a un problème

### Fiche B

*Poste :* chargé(e) de communication, Électriciens du Monde
*Profil :* • organisation de solidarité internationale, à but non lucratif
• fournit des formations et des installations électriques dans des villages au Mali
*Budget annuel :* • 9 millions d'euros
• 70 % viennent des entreprises partenaires, 30 % sont des subventions de la Commission de Bruxelles
*Effectif :* 6 salariés, 3 stagiaires, 10 bénévoles au siège de l'organisation
*Projets :* • est en train d'organiser un congrès sur les énergies renouvelables
• cherche des financements auprès des compagnies pétrolières
• va créer un lycée professionnel au Mali
*Responsabilités :*
• publie une lettre d'informations sur Internet
• communique avec les entreprises partenaires dans le secteur de l'énergie

### Fiche C

*Poste :* représentant(e) pour les livres avec illustrations (vie pratique, tourisme, jeunesse, etc.), groupe Ailache
*Profil :* • est leader dans le domaine des médias (livres, produits culturels, presse magazine, radios, chaînes de télévision)
• est présent dans 43 pays
*Chiffre d'affaires :* • l'année dernière : 8,9 milliards d'euros • l'année précédente : 8,5 milliards d'euros
*Résultat avant charges et impôts* • l'année dernière : 600 millions d'euros • l'année précédente : 640 milliards d'euros
*Effectif :* 30 000 employés à travers le monde
*Projets :* • vient de lancer des livres pour la jeunesse à l'occasion de la sortie d'un film pour enfants • est sur le point de lancer des jeux éducatifs sur les téléphones mobiles
*Responsabilités :* • présente la production de livres aux responsables des achats des grandes surfaces • négocie avec ces responsables les quantités de livres, le matériel publicitaire, les remises

# Page 55, Étude de cas : *Trois invités à déjeuner*

## Fiche B

- Votre interlocutrice, madame Perez, est responsable de formation. Elle vient suivre une formation pour l'utilisation de vos produits et services. C'est une cliente fidèle.
- Goûts en matière de cuisine : apprécie la cuisine authentique, aime bien les restaurants qui ont du cachet.

# Page 75, Étude de cas : *Restructuration à la banque Bonvoisin*

## Étudiant(e) A : responsable du service
**Vous préférez garder Erica Noussli dans le service.**

*Vos informations sur Erica :*
- depuis six mois au service de l'organisation
- s'entend bien avec les collègues
- analyse bien les dossiers, client toujours satisfait

*Vos informations sur Arthur :*
- travaille beaucoup : c'est un bosseur
- parfois agressif en réunion
- parfois désagréable avec les collègues
- client pas toujours satisfait

*Expressions à utiliser : oui, mais... ; c'est vrai, mais... ; par contre... ; je crois que...*

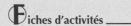

## ◀ Page 88, Prise de contact, A et B, Corrigé

*Les réponses à l'exercice B sont les noms en gras.*

1. Schlumberger (Antilles néerlandaises)
2. Geox (Italie)
3. **JC Decaux (France)**
4. **Air Liquide (France)**
5. **PSA Peugeot Citroën (France)**
6. Inditex (Espagne)
7. Ikea (Pays-Bas)
8. Nestlé (Suisse)
9. **Sanofi-Aventis (France)**
10. **Carrefour (France)**
11. Adecco (Suisse)
12. BenQ (Taïwan)

## ◀ Page 65, Étude de cas : *Ce téléphone est fait pour vous !*

### B Client : responsable commercial(e) d'une petite entreprise
- Vous voyagez souvent en voiture en France, rarement à l'étranger.
- Vous êtes en déplacement. Votre mobile est cassé.
- Nouveau mobile : besoins professionnels + écoute de la musique.
- Votre budget : 400 euros maximum.

### C Client : étudiant(e)
- Vous allez passer une année à l'étranger, en Chine.
- Nouveau mobile : pour garder le contact avec famille, amis, professeurs + baladeur numérique.
- Votre budget : 400 euros (cadeau d'anniversaire des grands-parents).

## ◀ Page 63, Gammes, C

### Étudiant(e) A : responsable achat des boutiques « Mobilis »
Vous voulez acheter des navigateurs GPS. Votre partenaire est distributeur de navigateurs. Posez des questions sur :
- le modèle le plus demandé ;
- le public intéressé ;
- les couleurs proposées ;
- les avantages du produit ;
- le prix distributeur ;
- la durée de la garantie ;
- les délais de livraison.

## ◀ Page 104, Étude de cas : *Recrutement chez marcAVista*

### Directeur(-trice) adjoint(e) chargé(e) du développement international
Vous interviewez le candidat A (E. Vittorini, 49 ans, marié(e), deux enfants), puis le candidat B (S. Vidal, 33 ans, célibataire).
**Canevas de l'entretien :**
- vous recevez la personne : vous saluez et vous vous présentez (nom et fonction)
- vous présentez rapidement marcAVista
- vous proposez de traiter les points suivants :
  – compétences en marketing et commerciales ;
  – aptitude à l'organisation ;
  – capacité à trouver des solutions pour les clients
- posez vos questions, prenez des notes
- posez une question sur la motivation du candidat
- le candidat a-t-il des questions ?
- vous remerciez le candidat

**Votre proposition pour ce poste :**
- salaire brut annuel : 75 K€ (= 75 000 euros)
- 5 semaines de congés payés par an
- prime sur objectif de chiffre d'affaires atteint

### Responsable des ressources humaines
Vous interviewez le candidat A (E. Vittorini, 49 ans, marié(e), deux enfants), puis le candidat B (S. Vidal, 33 ans, célibataire).
**Canevas de l'entretien :**
- vous recevez la personne : vous saluez et vous vous présentez (nom et fonction)
- vous présentez rapidement le poste proposé ;
- vous proposez de traiter les points suivants :
  – aptitudes à l'encadrement ;
  – mobilité géographique ;
  – compétences en langues
- posez vos questions, prenez des notes
- posez une question sur la motivation du candidat
- le candidat a-t-il des questions ?
- vous remerciez le candidat

**Votre proposition pour ce poste :**
- salaire brut annuel : 75 K€ (= 75 000 euros)
- 5 semaines de congés payés par an
- prime sur objectif de chiffre d'affaires atteint

## ◀ Page 33, Gammes, D

### Étudiant(e) B : client(e)
- Vous vous présentez au téléphone et vous demandez le correspondant.
- Vous dites avoir des problèmes avec la commande.
- Vous donnez des précisions sur le premier problème : ramettes de papier couleur (trois couleurs à choisir) souhaitées, et non pas papier blanc.
- Vous donnez des précisions sur le second problème : 50 ramettes et non 500.
- Vous acceptez une solution proposée (nouvel envoi cette semaine).
- Vous saluez.

## ● Page 55, Étude de cas : *Trois invités à déjeuner*

### Fiche C
- Votre interlocuteur, monsieur Schwarzwald, est PDG d'une petite entreprise en pleine croissance. Il vient signer un contrat important. C'est un nouveau marché pour votre société, Soluglobe.
- Goûts en matière de cuisine : apprécie une cuisine diététique car il veut maigrir. Aime bien les ambiances chics et branchées.

## ● Page 75, Étude de cas : *Restructuration à la banque Bonvoisin*

### Étudiant(e) B : responsable du service
**Vous préférez garder Arthur Tramoni dans le service.**

*Vos informations sur Arthur :*
- depuis quatre ans au service de l'organisation
- personne passionnée par son travail
- propose des idées nouvelles, client toujours enthousiasmé

*Vos informations sur Erica :*
- travaille beaucoup : c'est une bosseuse
- a des difficultés d'adaptation
- personne trop discrète, n'enthousiasme pas le client
- manque d'assurance, ne se montre pas confiante

*Expressions à utiliser : oui, mais... ; c'est vrai, mais... ; par contre... ; je crois que...*

## ● Page 104, Étude de cas : *Recrutement chez marcAVista*

### Candidat(e) A
*État civil :* E. Vittorini, 49 ans, marié(e), deux enfants

*Formation :* diplômé(e) d'une école de cinéma

*Parcours professionnel :* • production de films (films publicitaires et 1 long métrage) après l'école ; • congé parental de 3 ans pour élever les enfants ; • gestion et programmation d'un multiplexe de 20 salles de cinéma (pendant 4 ans) ; • création et développement d'une agence de voyages en ligne : offre de circuits touristiques en Europe (pendant 8 ans) ;

• randonnées à travers l'Europe (pendant 1 an) ; • chargé(e) de communication dans un musée des médias (depuis 3 ans) ; • actuellement, salaire brut annuel de 60 000 euros ; • loisirs : réalisation de films numériques.

Pendant votre préparation à l'entretien, pensez à :
1. des preuves de vos compétences. Si nécessaire, imaginez des détails ; 2. la motivation : pourquoi voulez-vous changer de travail ? 3. des questions à poser aux recruteurs.
Au début de l'entretien, vous saluez votre interlocuteur(-trice) et vous vous présentez (nom et fonction actuelle).

## ● Page 65, Étude de cas : *Ce téléphone est fait pour vous !*

### A Vendeur/Vendeuse
- Découvrez les besoins du client : posez des questions. Questions pour vous aider :
  - *quel type de matériel utilisez-vous ? fixe ou mobile ?*
  - *pour le travail ? pour les loisirs ?*
  - *qu'est-ce vous faites avec le téléphone ? où ? quand ?*
- Reformulez les besoins du client : *Si j'ai bien compris, vous cherchez un téléphone...*
- Proposez un produit avec options ou accessoires.
Votre objectif de vente est de réaliser un chiffre de 350 euros minimum (il y a une prime à la fin du mois !).

## ● Page 25, Étude de cas : *Enquête au cabinet Viola*

### Étudiant(e) A : enquêteur(-trice) RH
**Vous interrogez un(e) employé(e) du cabinet Viola. Notez les informations.**
- Poste : (quel poste / occuper ?)
- Travail : (qu'est-ce que / faire ?)
- Horaires de travail : (quels / être / horaires de travail ?)
- Pauses : (quand / faire / pauses ?)
- Déjeuner : (quand et où / prendre / déjeuner ?)
- Conditions de travail : (qu'est-ce que / apprécier / dans / travail ?)

## ● Page 33, Gammes, D

### Étudiant(e) A : responsable du service commercial
- Vous répondez au téléphone.
- Vous demandez des précisions.
- Vous vous excusez.
- Vous vous excusez une nouvelle fois et vous proposez des solutions.
- Vous remerciez et saluez.

## ● Page 43, Gammes, B

### Étudiant(e) B
**Vous voyagez pour affaires. Vous réservez des chambres pour vous et un(e) collègue. Jouez le dialogue avec les indications suivantes :**
- Vous donnez votre nom. Vous voulez réserver deux chambres simples pour trois nuits, du 21 au 24 janvier.
- Prix de la chambre ?
- Petit-déjeuner compris ?
- Parking ?
- Restaurant ?
- Oui, carte Visa.
- Numéro de carte : 1325 9786 4005 5775. Date d'expiration : fin mars 2008.
- Code de vérification : 124

# Grammaire

## 1 *Ne... pas* ; questions avec réponses *oui, non, si* ; présenter ; questionner

### NE... PAS

● On emploie *ne... pas* devant une consonne excepté *h*.
*Je suis biologiste, je **ne** suis **pas** médecin.*
*Elle **ne** s'appelle **pas** Céline, elle s'appelle Cécile.*

● On emploie *n'... pas* devant a, e, i, o, u, y et h.
*J'ai la clé du bureau, je **n'**ai **pas** la clé de la salle.*
*Il travaille à Madrid mais il **n'**habite **pas** à Madrid.*

● Parfois, quand on parle avec des amis, on supprime *ne* ou *n'*.
*Elle travaille **pas** à Paris, elle travaille à Lille.*
*Il est **pas** belge, il est canadien.*
*Je suis **pas** malade, je suis fatigué(e).*

### QUESTIONS AVEC RÉPONSES *OUI, NON, SI*

● Pour vérifier une information, on a trois manières de poser la question.

**Conversation courante**

| | |
|---|---|
| – *Vous êtes canadienne ?* | – *Oui [, je suis canadienne].* |
| – *Vous vous appelez Céline Nadaud ?* | – *Non, moi, c'est Cécile Nadaud.* |
| – *Est-ce que vous travaillez à Milan ?* | – *Oui [, je travaille à Milan].* |
| – *Est-ce que vous habitez à Milan ?* | – *Non, j'habite à Bergame.* |

**Langue écrite ou officielle**
*Êtes-vous marié(e) ?*          ☐ *Oui.*          ☐ *Non.*
*Vos enfants regardent-ils la télévision ?*          ☐ *Oui.*          ☐ *Non.*

● Pour vérifier une information, on pose parfois la question avec une négation.
– *Vous **n'**avez **pas** la clé ?*     – ***Si**, j'ai la clé du bureau mais pas la clé de la salle de réunion.*
– *Vous **n'**êtes **pas** belge ?*     – ***Non**, je suis suisse.*

### PRÉSENTER QUELQU'UN

● On présente souvent une personne à une autre personne avec *voici*.
***Voici** Noriko Miike. Elle est japonaise et elle travaille à Paris.*

● On emploie *c'est* pour une personne absente de la conversation.
*C'est qui ?*              *Elle, **c'est** Birgit Figari. **C'est une** consultante. **C'est une** Allemande.*
*Qui est-ce que c'est ?*                              ou :
*Qui est-ce ?*              *Lui, **c'est** Alberto Fernandez. **Il est** ingénieur. **Il est** argentin.*

● On emploie souvent *voilà* pour annoncer une personne.
***Voilà** Gabrielle ! = Gabrielle arrive !*

### QUESTIONNER

| Conversation courante | | Langue écrite ou officielle |
|---|---|---|
| *Votre partenaire, c'est **qui** ?* | ***Qui est-ce qui** est votre partenaire ?* | ***Qui** est votre partenaire ?* |
| *Elle travaille **où** ?* | ***Où est-ce qu'**elle travaille ?* | ***Où** travaille-t-elle ?* |
| *Où tu es ? / Tu es **où** ?* | ***Où est-ce que** tu es ?* | ***Où** es-tu ?* |
| *Virginie fait son stage **où** ?* | ***Où est-ce que** Virginie fait son stage ?* | ***Où** Virginie fait-elle son stage ?* |
| *Vous faites **quoi** ce soir ?* | ***Qu'est-ce que** vous faites ce soir ?* | ***Que** faites-vous ce soir ?* |
| *Vous faites **quoi** comme métier ?* | ***Qu'est-ce que** vous faites comme métier ?* | ***Quel** est votre métier ?* |
| *Vous vous appelez **comment** ?* | ***Comment est-ce que** vous vous appelez ? **Quel** est votre nom ?* | ***Comment** vous appelez-vous ?* |
| *Vous épelez votre nom **comment** ?* | ***Comment est-ce que** vous épelez votre nom ?* | ***Comment** épelez-vous votre nom ?* |

## ❙ LE PRÉSENT

● **Les terminaisons des verbes au présent** (voir *Conjugaison*, pages 125-134)

| Pour les verbes types comme : | les terminaisons du présent sont : | | | | | |
|---|---|---|---|---|---|---|
| | **je, j'** | **tu** | **il, elle, on** | **nous** | **vous** | **ils, elles** |
| accueillir, acheter, changer, commencer, demander, employer, épeler, espérer, étudier, offrir, travailler | *-e* | *-es* | *-e* | *-ons* | *-ez* | *-ent* |
| boire, choisir, connaître, conclure, conduire, courir, devoir, écrire, éteindre, lire, mettre, partir, plaire, recevoir, savoir, servir, suivre, tenir, venir, vivre, voir | *-s* | *-s* | *-t* | *-ons* | *-ez* | *-ent* |
| prendre, vendre | *-ds* | *-ds* | *-d* | *-ons* | *-ez* | *-ent* |
| pouvoir, vouloir | *-x* | *-x* | *-t* | *-ons* | *-ez* | *-ent* |

*aller, avoir, dire, être* et *faire* ont des terminaisons différentes de ces verbes types.

● **Les emplois du présent**

On emploie le présent pour :
→ parler d'une action au moment précis de la parole :
– *Qu'est-ce que tu fais ?*      – *Je mange avec des clients dans un restaurant.*
                                – *Je marche dans la rue.*
                                – *Je suis en voiture, je vais voir un client.*

→ parler d'un caractère permanent d'une personne ou d'une chose :
*Elle travaille chez Minolta.*                *Elle apprend le français.*
*Le siège de SAP se trouve à Mannheim en Allemagne.*  *Il étudie l'économie.*
*Carlos Ghosn parle plusieurs langues.*      *Elle aime faire du sport.*
*Le climat est humide en Guyane.*             *Il a trois enfants.*

→ parler d'une habitude :
*D'habitude, il part à huit heures de la maison.*
*Le soir, il regarde la télévision.*

→ raconter des événements :
*Carlos Ghosn rejoint Michelin en septembre 1978. En septembre 1996, il intègre Renault.*

→ parler d'un engagement dans le futur :
*Je vous rappelle demain, c'est promis !*
*Dans une semaine, je suis en vacances.*

## ❙ LES QUESTIONS *QUAND ? QUELLE HEURE ? QUEL JOUR ? QUELLE DATE ?*

| Conversation courante | | Langue écrite ou officielle |
|---|---|---|
| *Vous partez* **quand / à quelle heure ?** | **Quand / À quelle heure est-ce que** *vous partez ?* | **Quand / À quelle heure** *partez-vous ?* |
| *Le technicien vient* **quand** *pour la réparation ?* | **Quand est-ce que** *le technicien vient pour la réparation ?* | **Quand** *le technicien vient-il pour faire la réparation ?* |
| *On est* **quel jour / quelle date** *aujourd'hui ?* | **Quel jour / Quelle date est-ce qu'**on est *aujourd'hui ?* | **Quel jour / Quelle date** *sommes-nous aujourd'hui ?* |
| *Il est* **quelle heure ?** | **Quelle heure est-ce qu'**il est ? | **Quelle heure** *est-il ?* |

## LA QUESTION *QU'EST-CE QUI ?*

*Qu'est-ce qui vous plaît dans votre travail ?*
*Qu'est-ce qui ne marche pas / ne fonctionne pas ?*
*Qu'est-ce qui vous arrange comme date ?*

*Qu'est-ce qui est important pour vous ?*
*Qu'est-ce qui vous motive pour ce poste ?*
*Qu'est-ce qui vous ferait plaisir ?*

## LES EXPRESSIONS DE TEMPS ET DE FRÉQUENCE

- On place les expressions de temps au début ou à la fin de la phrase. Cela dépend du contexte.
– *Qu'est-ce que tu fais comme sport ?*     – *Je fais de la natation **deux fois par semaine**.*
– *Tu ne fais pas beaucoup de sport, non ?*     – *Si. **Une fois par semaine**, je vais au club de gym.*

- On place les expressions de fréquence après le verbe.
*Je mange **parfois** à la cantine.*                *Le copieur est **rarement** en panne.*

- On emploie *jamais* avec *ne* ou *n'* avant le verbe.
– *Vous **ne** prenez **jamais** la voiture ?*     – *Non, **jamais**. Je vais à pied au travail.*
*Il **n'**est **jamais** à l'heure pour les réunions.*

---

## 3 *C'est, ce sont ; il y a, il est, il fait ; les négations ; les questions*

## C'EST, CE SONT

- Pour **identifier** quelqu'un ou quelque chose,

on pose la question :                on répond :

| – *Qui* est-ce ? | – *C'est* Werner Bach.<br>– *Ce sont* des clients. |
|---|---|
| – *Qu'est-ce que* c'est ? | – *C'est* un lecteur de musique.<br>– *Ce sont* des raquettes de tennis. |

- Pour **confirmer** une information,

on pose la question :                on répond :

| – Est-ce que *c'est* Anna Bach ? | – *Oui, **c'est** elle / Non, **ce n'est pas** elle.* |
|---|---|
| – Est-ce que *ce sont* des clients ? | – *Non, **ce ne sont pas** des clients,<br>**ce sont** des visiteurs.* |

- Pour *montrer* des endroits, on emploie également *c'est* ou *ce sont* avec *ici*, *là* ou *là-bas*.
*Ici, **c'est** la cuisine. Là, **ce sont** les chambres. Là-bas, **c'est** le balcon.*

## IL Y A ; IL EST ; IL FAIT

- *Il y a* indique la **présence** de quelqu'un ou de quelque chose.
*Il y a un client à la réception.*                *Il y a un bureau d'information à l'entrée.*
*Il y a cinq personnes dans mon service.*                *Il y a des ordinateurs dans cette salle.*

- Pour **dire l'heure**, on emploie *il est*.
– *Il est quelle heure ?*                – *Il est une heure et demie de l'après-midi.*
– *Quelle heure est-il ?*                – *Il est treize heures trente.*

- Pour **dire le temps de la météo**, on emploie *il fait* ou *il y a*.
– *Il fait quel temps chez vous ?*                – *Il fait beau / mauvais.*
– *Quel temps fait-il chez vous ?*                – *Il y a du soleil / du vent / de la neige / ...*

# LES NÉGATIONS

| Verbes à la forme affirmative | Verbes à la forme négative |
|---|---|
| On regarde la télévision. | → On **ne** regarde **pas** la télévision. |
| Elle prend toujours le métro pour aller au travail. | → Elle **ne** prend **pas toujours** le métro. |
| Il prend parfois la voiture. | → Il **ne** prend **jamais** la voiture. |
| Il prend souvent la voiture. | → Il **ne** prend **pas souvent** la voiture. |
| Nous vendons encore cet article. Nous vendons toujours cet article. | → Nous **ne** vendons **plus** cet article. |
| Le copieur est déjà réparé. | → Le copieur **n'**est **pas encore** réparé. Le copieur **n'**est **toujours pas** réparé. |
| Elle fait la cuisine tous les jours. | → Elle **ne** fait la cuisine **que** le week-end. Elle fait la cuisine **seulement** le week-end. |

 = *[prière de] ne pas stationner*      = *[prière de] ne pas fumer*

# LES QUESTIONS

| | Conversation courante | | Langue écrite ou officielle |
|---|---|---|---|
| **qui** | C'est qui dans ce bureau ? | Qui est-ce qui est dans ce bureau ? | Qui est dans ce bureau ? |
| **quoi** | Il y a quoi dans cette salle ? | Qu'est-ce qu'il y a dans cette salle ? | Qu'y a-t-il dans cette salle ? |
| **où** | Vous habitez où ? | Où est-ce que vous habitez ? | Où habitez-vous ? |
| **quand** | Vous arrivez quand ? | Quand est-ce que vous arrivez ? | Quand arrivez-vous ? |
| **comment** | On prononce ce mot comment ? | Comment est-ce qu'on prononce ce mot ? | Comment prononce-t-on ce mot ? |
| **combien** | Il y a combien de personnes dans votre service ? | Combien de personnes est-ce qu'il y a dans votre service ? | Combien de personnes y a-t-il dans votre service ? |
| **pourquoi** | Vous ne travaillez pas aujourd'hui, pourquoi ? | Pourquoi est-ce que vous ne travaillez pas aujourd'hui ? | Pourquoi ne travaillez-vous pas aujourd'hui ? |

## 4 Les possessifs et les démonstratifs ; *savoir, connaître, pouvoir, vouloir*

# LES POSSESSIFS

Les possessifs indiquent une relation d'appartenance à une personne ou à plusieurs personnes. Ils représentent un mot de genre masculin ou féminin, au singulier ou au pluriel.

● Appartenance à **une** personne

| | **le** train | | **l'**avion (*m.*) | | **l'**adresse (*f.*) | | **la** clé | | **les** collègues **les** horaires **les** adresses | |
|---|---|---|---|---|---|---|---|---|---|---|
| **moi** | mon | le mien | mon | le mien | mon | la mienne | ma | la mienne | mes | les mien(ne)s |
| **toi** | ton | le tien | ton | le tien | ton | la tienne | ta | la tienne | tes | les tien(ne)s |
| **lui/elle** | son | le sien | son | le sien | son | la sienne | sa | la sienne | ses | les sien(ne)s |
| **vous** | votre | le vôtre | votre | le vôtre | votre | la vôtre | votre | la vôtre | vos | les vôtres |

● Appartenance à **des** personnes

|  | le train | | l'avion (*m.*) | | l'adresse (*f.*) | | la clé | | les collègues<br>les horaires<br>les adresses | |
|---|---|---|---|---|---|---|---|---|---|---|
| **nous** | *notre* | *le nôtre* | *notre* | *le nôtre* | *notre* | *la nôtre* | *notre* | *la nôtre* | *nos* | *les nôtre* |
| **vous** | *votre* | *le vôtre* | *votre* | *le vôtre* | *votre* | *la vôtre* | *votre* | *la vôtre* | *vos* | *les vôtres* |
| **eux/elles** | *leur* | *le leur* | *leur* | *le leur* | *leur* | *la leur* | *leur* | *la leur* | *leurs* | *les leurs* |

*Voici* **mon** *adresse. Quelle est* **la vôtre** *?*
**Son** *avion arrive à 18 h 45,* **le mien** *à 19 h 20. Et* **le vôtre** *?*
*Quels sont* **vos** *horaires de travail ?* **Les miens** *sont du lundi au samedi, de 10 heures à 19 heures.*

## ◖ LES DÉMONSTRATIFS

| **le** train | | **l'**avion<br>(*m.*) | | **l'**adresse<br>(*f.*) | | **la** clé | | **les** horaires<br>(*m.pl.*) | | **les** horaires<br>(*f.pl.*) | |
|---|---|---|---|---|---|---|---|---|---|---|---|
| *ce* | *celui* | *cet* | *celui* | *cette* | *celle* | *cette* | *celle* | *ces* | *ceux* | *ces* | *celles* |

● On emploie les démonstratifs **ce**, **cet**, **cette**, **ces** pour montrer, indiquer un moment ou faire un rappel.
*Pour aller sur la place Garibaldi, vous prenez* **cette** *rue.*
*Je ne travaille pas* **ce** *matin.*
*Avec le téléphone mobile Pak XY-98-70, vous téléphonez, lisez vos courriels, prenez des photos, visionnez des films, ...* **Cet** *appareil est conforme aux normes de sécurité CE.*

● On emploie souvent **celui**, **celle**, **ceux**, **celles** pour préciser des relations d'appartenance.
*– Vous avez les clés ?*
*– Lesquelles ?*
*–* **Celles** *de la salle de réunion.*

## ◖ *SAVOIR ; CONNAÎTRE ; POUVOIR ; VOULOIR* (voir *Conjugaison*, pages 125-134)

● **savoir + verbe** indique un savoir-faire, un apprentissage.
*Elle* **sait** *réparer les ordinateurs.*                    *Elle* **sait** *parler [le] polonais.*
*Il* **ne sait pas** *faire du pain.*                    *Ils* **ne savent pas** *négocier.*

● **connaître + nom** indique une expérience, petite ou grande.
*Je* **connais** *le polonais / la comptabilité / Londres.*

● **savoir + phrase d'information** indique une certitude (ou une ignorance).
*Je* **sais** *où se trouve cette rue.*                    *Je ne* **sais** *pas si Évariste est là.*

● **pouvoir + verbe** indique une possibilité ou une capacité actuelle.
*Vous* **pouvez** *prendre le déjeuner à l'hôtel. Nous avons un restaurant.*
*Sans billet, vous* **ne pouvez pas** *prendre le métro.*
*Je* **ne peux pas** *faire l'interprète à cette réunion. Je sais parler français mais je manque de pratique.*

● **vouloir + verbe** indique une forte motivation ou une intention.
*Elle* **veut** *voyager à l'étranger.*                    *Il* **ne veut pas** *dépenser trop d'argent.*

● **je voudrais** et **pouvez-vous** introduisent une demande.
**Je voudrais** *[réserver] une chambre simple avec douche.*
**Pouvez-vous** *m'indiquer le chemin ?*

On emploie parfois la formule **puis-je** à la place de **est-ce que je peux**.
On n'emploie pas **je veux** en conversation courante.
*Je* **veux** *parler au directeur !* (= le client n'est absolument pas content)

# LES QUANTITÉS

- On emploie pour **les quantités**

|  | comptables | non comptables |
|---|---|---|
| **précises** | un, une<br>deux, trois, quatre, ... | du<br>de l' |
| **imprécises** | des | de la |

→ Les mots **non comptables** concernent :
– généralement des matières, des liquides, des aliments.
*du papier – de la glace – du pétrole – de l'eau – du poisson – de l'huile*
Mais on dit : *Je voudrais **des** bananes, des céréales, des fruits, des légumes, des oranges, des pamplemousses, des pommes de terre, ...*
– souvent des activités de loisirs, sportives ou d'apprentissage.
*faire du tennis, de l'escalade, de la gym, de la musique, du français, du batik, de l'ikebana*
*jouer du piano, de l'harmonica, de la guitare, écouter de la musique, du rock*
– souvent des éléments naturels.
*Chez nous, il y a du vent / du soleil / de la pluie.*
– des notions générales.
*Il cherche du travail     Vous avez de l'argent sur vous ?     J'ai de la famille au Canada.*

→ Dans certaines situations, les mots non comptables deviennent comptables.
*Je voudrais **du** jus de fruit.     ≠     Je voudrais **un** jus de fruit.*
*Il y a **du** soleil ici.     ≠     Il y a **un** beau soleil ici.*
*Elle cherche **du** travail.     ≠     Elle a trouvé **un** travail.*

- On emploie **pas de / d'** pour indiquer une quantité zéro.
*Vous ne mangez **pas de** viande ?          Il n'y a **pas d'**ascenseur dans cet hôtel.*
Pour insister sur une différence, on emploie *pas du / de l' / de la*.
*D'habitude, je ne bois **pas du** café, mais du thé au petit-déjeuner.*

- Pour les petites ou grandes quantités sans indication de nombre, on emploie :

|  | avec des mots comptables | avec des mots non comptables |
|---|---|---|
| **pour une petite quantité** | quelques – plusieurs | un peu de / d' |
| **pour une grande quantité** | beaucoup de / d' | |

*Il y a **quelques** personnes dans la salle.          Il y a **beaucoup de** gens dans la salle.*
*J'ai **plusieurs** amis dans cette région.          Elle gagne **beaucoup d'**argent.*
*Nous avons **quelques** magasins en Grande-Bretagne.     Elle n'a **pas beaucoup de** temps. Elle est très occupée.*
*Vous avez **un peu de** temps ? Visitez la ville !*

- Avec les unités de mesure, le conditionnement ou le mode de préparation, on emploie **de / d'**
après l'indication de quantité pour les mots comptables et non comptables.
*deux assiettes **de** crudités          des flacons **de** parfum*
*trois boîtes **de** biscuits          un kilo **de** pommes*
*une bouteille **d'**eau          dix litres **d'**essence*
*une douzaine **d'**huîtres          un paquet **de** cigarettes*

## LA FORMATION DU PASSÉ COMPOSÉ (voir *Conjugaison*, pages 125-134)

● On forme le passé composé avec les verbes auxiliaires *avoir* ou *être* et le participe passé du verbe correspondant. On forme la majorité des passés composés avec le verbe *avoir*.
*J'ai été en réunion cet après-midi.*        *Elle n'a pas eu d'augmentation de salaire.*

● Les verbes au passé composé avec *être* sont : *aller, arriver, devenir, partir, rester, revenir, venir* et les verbes pronominaux comme *se connecter, se dépêcher, se lever, s'informer, s'excuser, s'installer*, etc.
*Il est allé à Yaoundé.*                        *Elle n'est pas encore revenue.*
*Ils se sont connectés à internet.*            *Elles se sont excusées.*

● Les verbes au passé composé avec *avoir* **ou** *être* ont des significations différentes.

| | |
|---|---|
| *Elle **est descendue** à l'hôtel.* | *Elle **a descendu** les archives à la cave.* |
| *Elle **est entrée** dans le centre commercial.* | *Elle **a entré** son mot de passe dans l'ordinateur.* |
| *Il **est monté** dans sa chambre.* | *Il **a monté** les archives de la cave.* |
| *Elle **est passée** au bureau ce matin.* | *Elle **a passé** ses vacances à la mer.* |
| *Il **est retourné** au bureau cet après-midi.* | *Il **a retourné** le gobelet (et a renversé le café).* |
| *On **est sorti** du bureau à cinq heures.* | *On **a sorti** la voiture du parking.* |

## 6 Les emplois du passé composé ; les indicateurs de temps

## LES EMPLOIS DU PASSÉ COMPOSÉ

On emploie le passé composé pour indiquer :

● la conséquence dans le moment présent d'une action passée :

| | | |
|---|---|---|
| *J'ai perdu mes clés.* | = | *Mes clés ne sont plus là.* |
| *Il est sorti.* | = | *Il n'est pas dans son bureau.* |
| *Vous avez rédigé cette note ?* | = | *J'aimerais lire cette note.* |
| *J'ai fini mon rapport.* | = | *Je peux faire autre chose maintenant.* |

● avec une négation, un état de la question au moment où l'on parle :
*Je **n'ai jamais** vu le Taj Mahal.*                *Je **n'ai pas encore** rencontré le nouveau PDG.*
*Vous **n'avez jamais** été en Norvège ?*          *Vous **n'avez pas** eu mon message ?*

● avec des indicateurs de temps, un événement dans le passé :
***Ce matin**, j'ai perdu mes clés.*                *Qu'est-ce que vous avez fait **le mois dernier** ?*
***Hier**, elle est partie à sept heures du soir.*    *Il est passé au bureau **samedi après-midi**.*

## LES INDICATEURS DE TEMPS

● **Dates et périodes**

| | | |
|---|---|---|
| **la date** | *Vous avez quitté cette entreprise **quand ? / à quelle date ?*** | ***Le** 31 août 2004. / **En** août 2004. / **Au mois d'**août 2004. / **En** 2004.* |
| **le début et la fin d'une période** | *Vous avez occupé ce poste **de quand à quand ?** **de quelle date à quelle date ?*** | ***Du** 1ᵉʳ septembre 2004 **au** 31 mars 2007. **De** septembre 2004 **à** mars 2007. **Du mois de** septembre 2004 **au mois de** mars 2007. **De** 2004 **à** 2007.* |
| **la fin d'une période** | *Vous avez exercé cette fonction **jusqu'à quand ? / jusqu'à quelle date ?*** | ***Jusqu'au** 30 avril 2005. / **Jusqu'en** avril 2005. / **Jusqu'au mois d'**avril 2005. / **Jusqu'en** 2005.* |
| **le début d'une période** | *Vous avez rejoint cette entreprise **à partir de quand ? à partir de quelle date ?*** | ***À partir du** 1ᵉʳ juin 2006. / **À partir de** juin 2006. / **À partir du mois de** juin 2006. / **À partir de** 2006.* |

● **La durée**

| | |
|---|---|
| – C'est une formation **qui dure combien de temps** ? | – C'est une formation **d'un an**. |
| – Vous avez été chez Axa **[pendant] combien de temps** ? | – **[Pendant]** cinq ans. |
| – Vous êtes resté(e) **longtemps** dans ce pays ? | – Je suis parti(e) **au bout de** deux ans. |
| – Vous avez déménagé **quand** ? | – J'ai déménagé **il y a** six mois. |
| – Vous êtes arrivé(e) **il y a longtemps** ? | – Je suis arrivé(e) **il y a** une heure. |
| – Vous habitez ici **depuis combien de temps** ? | – J'habite ici **depuis** six mois. |
| – Vous attendez **depuis longtemps** ? | – J'attends **depuis** une heure. |

Les verbes *arriver, finir, partir, sortir, terminer*, etc., expriment l'action et son résultat. Avec *depuis*, ils sont au passé composé.
*Le client est arrivé depuis une demi-heure. Il vous attend à la réception.*
(on ne peut pas dire : ~~Le client arrive depuis une demi-heure.~~)

● **La chronologie**

| AVANT | APRÈS |
|---|---|
| – Qu'est-ce que vous avez fait **avant** votre service militaire ? <br> – **Avant** ? j'ai travaillé dans l'entreprise de ma mère. | – Où est-ce que vous avez travaillé **après** vos études ? <br> – **Après** ? j'ai travaillé comme ingénieur(e) chez Eurocopter à Marseille. |

↓  *langue écrite*  ↓

| | |
|---|---|
| **Avant de faire** son service militaire, il/elle a travaillé dans l'entreprise familiale. | **Après avoir terminé** ses études d'ingénieur, il/elle est engagé(e) chez Eurocopter à Marseille. |

On place généralement les indicateurs de temps à la fin de la phrase.
Parfois, pour insister, on place les indicateurs de temps au début de la phrase.
***Pendant trois ans**, j'ai travaillé onze heures par jour. Et puis je suis devenu(e) manager...*

## 7 Pronoms compléments (1) ; *il faut, avoir besoin de, devoir*

◖ **LES PRONOMS COMPLÉMENTS** (représentant des personnes)

● Les verbes comme *accueillir, aider, appeler, attendre, contacter, écouter, interroger, inviter, remercier, rencontrer, saluer*, etc., se construisent avec des **compléments directs**. On dit : *accueillir quelqu'un, aider quelqu'un*, etc. Dans ce cas, on emploie les pronoms compléments suivants :

| me / m' <br> te / t' <br> **le, l', la,** <br> **nous** <br> **vous** <br> **les** | *Vous **m'**appelez demain ?* <br> *Vous allez **l'**accueillir ?* <br> *Ne **nous** attendez pas ! Allez déjeuner !* | *Il **vous** a contacté(e) ?* <br> *Il faut **les** inviter au sauna.* |
|---|---|---|

● Les verbes comme *acheter, apporter, confirmer, dire, donner, écrire, offrir, parler, payer, répondre, téléphoner, vendre*, etc., se construisent avec des **compléments indirects**. On dit : *acheter **à** quelqu'un, téléphoner **à** quelqu'un*, etc. Dans ce cas, on emploie les pronoms compléments suivants :

| me / m' <br> te / t' <br> **lui** <br> **nous** <br> **vous** <br> **leur** | *Vous **m'**avez téléphoné ?* <br> *Je vais **lui** téléphoner.* | *Il **nous** a dit au revoir.* <br> *On ne **t'**a pas donné de badge ?* <br> *Nous **leur** avons acheté un cadeau.* |
|---|---|---|

Des verbes comme *demander, envoyer, livrer* peuvent avoir un complément direct **ou** un complément indirect.

*Vous pouvez nous livrer quand la marchandise ?*       *Vous pouvez nous livrer quand ?*

*Je lui ai demandé un fax de confirmation.*       *On vous demande au téléphone !*

● Les verbes comme *s'acheter, s'appeler, se connecter, se débrouiller, se dépêcher, s'informer, s'inscrire, se présenter, s'occuper, se trouver*, etc., sont des **verbes pronominaux réfléchis**. Le sujet de la phrase et le pronom complément sont identiques. Dans ce cas, on emploie les pronoms compléments suivants :

| | |
|---|---|
| je **me / m'** | |
| tu **te / t'** | *Je **m'**achète un nouvel ordinateur.* |
| il / elle / on **se / s'** | *Ils **se** sont acheté une voiture.* |
| nous **nous** | *Nous ne **nous** sommes pas beaucoup reposé(e)s.* |
| vous **vous** | *Vous **vous** occupez de ce problème ?* |
| ils / elles **se / s'** | *On **s'**occupe de vous ?* |

● Pour indiquer des **relations mutuelles**, on emploie également les pronoms compléments *nous, vous, se/s'*.

*Nous **nous** sommes rencontré(e)s à Toronto.*       *On **se** voit quand ?*

*Vous **vous** êtes connu(e)s où ?*       *Elles **se** téléphonent souvent.*

● Avec des verbes comme *avoir besoin de, compter sur, s'occuper de, parler de*, etc., on emploie les pronoms toniques.

| | |
|---|---|
| **moi** | |
| **toi** | |
| **lui / elle** | *Vous avez encore besoin de **moi** ?*       *Ils ont parlé d'**elle** pendant tout le repas.* |
| **nous** | *Je compte sur **vous**.*       *Qui est-ce qui s'occupe d'**eux** ?* |
| **vous** | |
| **eux / elles** | |

● On emploie également le pronom tonique avec l'**impératif à la forme positive**.

*Envoyez-**moi** un courriel !*       *Repose-**toi** bien !*

*Achetez-**vous** une nouvelle voiture !*       *Donnez-**nous** de vos nouvelles !*

À l'impératif positif, on place toujours le pronom complément après le verbe.

*Aidez-**moi** !*       *Téléphonez-**moi** !*

*Aidez-**le/la** !*       *Posez-**lui/leur** la question !*

## ◀ IL FAUT, AVOIR BESOIN DE, DEVOIR (voir *Conjugaison*, pages 125-134)

● *Il me faut* et *j'ai besoin de* expriment un besoin déterminé.

*Qu'est-ce qu'**il vous faut** pour la réunion ?*       *De quoi **avez-vous besoin** pour la réunion ?*

● Construction des verbes *il me faut* et *j'ai besoin de* :

| | | |
|---|---|---|
| *Il me faut **un** vidéoprojecteur.* | = | *J'ai besoin **d'un** vidéoprojecteur.* |
| *Il vous faut **une** salle.* | = | *Vous avez besoin **d'une** salle.* |
| *Il te faut **des** feutres.* | = | *Tu as besoin **de** feutres.* |
| *Il lui faut **30** minutes.* | = | *Il/Elle a besoin **de 30** minutes pour la présentation.* |
| *Il nous faut **du** papier.* | = | *Nous avons besoin **de** papier.* |
| *Il nous faut **de l'**aide.* | = | *Nous avons besoin **d'**aide.* |
| *Il leur faut **la** grande salle* | = | *Ils/Elles ont besoin **de la** grande salle.* |
| *Il me faut **le** nombre de participants.* | = | *J'ai besoin **du** nombre de participants.* |
| *Il me faut **les** noms des participants.* | = | *J'ai besoin **des** noms des participants.* |

● *Il faut* + verbe, *devoir* + verbe expriment un besoin d'action.

*Il **faut décider** maintenant.*    =    *Nous **devons décider** maintenant.* (= le groupe doit décider)

*Vous **devez décider** maintenant.* (= le chef doit décider)

On place le pronom complément avant le verbe avec qui il est en relation.

*Il faut **lui** livrer la marchandise.*       *Le client doit **me** rappeler cet après-midi.*

● *devoir* + verbe exprime également une probabilité.

*Elle **doit être** en réunion. Elle ne répond pas au téléphone.*  (= Elle est probablement en réunion.)

● *devoir quelque chose à quelqu'un* indique une dette.

Dans un magasin, au chauffeur de taxi, dans un hôtel ou restaurant, on demande souvent : *Je vous dois combien ?* ou *Combien je vous dois ?* quand c'est le moment de payer.

◖ PROJETS, PRÉVISIONS, PROGRAMMATIONS, ENGAGEMENTS

● Formation des futurs

→ Le **futur composé** : verbe *aller* + le verbe à l'infinitif.

*Je **vais** partir dans cinq minutes.*
*Vous **allez** fusionner avec cette société ?*
*Tu **vas** aller courir dans le parc ?*

*Qui est-ce **qui** va diriger le service ?*
*Ils **vont** bientôt signer le contrat.*
*Nous **allons** déménager l'année prochaine.*

→ Le **futur simple** (voir *Conjugaison*, pages 125-134)

| Verbes types | Terminaisons | | Exemples |
|---|---|---|---|
| changer, commencer, demander, travailler, choisir, offrir, partir, servir | je ...... ai | | *je commencer**ai**, je travailler**ai** je choisir**ai*** |
| boire, conclure, conduire, connaître, dire, écrire, éteindre, lire, mettre, plaire, prendre, suivre, vendre, vivre | tu ...... as<br>il/elle/on ...... a | | *je boir**ai**, je connaîtr**ai**, j'éteindr**ai**, je vendr**ai**, je vivr**ai*** |
| acheter, espérer | nous ...... ons<br>vous ...... ez | | *j'achèter**ai**, j'espèrer**ai*** |
| épeler | ils/elles ...... ont | | *j'épeller**ai*** |
| employer, étudier | | | *j'emploier**ai**, j'étudier**ai*** |

→ Les verbes suivants sont irréguliers au futur simple (voir *Conjugaison*, pages 125-134) :
*accueillir, aller, s'asseoir, avoir, courir, devoir, envoyer, être, faire, il pleut, pouvoir, prévoir, recevoir, savoir, tenir, venir, voir et vouloir.*

● Mode d'emploi des futurs

Le futur composé indique une continuité avec le moment actuel.
Le futur simple et le présent indiquent un voyage dans le futur.

*Demain, je vais visiter des clients.*     *Je serai chez des clients demain. Je ne suis pas au bureau.*

● On emploie **dans** ou **d'ici** pour indiquer un délai.
*Nous vous livrons la marchandise **dans** / **d'ici** deux semaines.*

◖ COMPARER

● On compare

→ **deux qualités :**
*Sandra est **plus** méthodique **qu'**Oscar.*
*Le thé est **meilleur que** le café. (~~plus bon~~)*

*Cette voiture est **moins** rapide **que** la mienne.*
*Cet ordinateur est **aussi** rapide **que** l'autre.*

→ **deux manières d'être ou de faire :**
*Cette voiture roule **plus** vite **que** la tienne.*
*Sandra gère **mieux** son temps **que** vous. (~~plus bien~~)*

*Je voyage **moins** souvent **que** mes collègues.*
*Il travaille **aussi** vite **que** moi.*

→ **deux quantités :**
*Il y a **plus de** neige ici **qu'**au Québec.*
*On dépense **plus** à Genève **qu'**à Bratislava.*
*Cette année, nous avons **moins d'**argent **que** l'an dernier.*

*Je gagne **moins que** mes collègues.*
*Nous avons vendu **autant d'**articles **que** l'an dernier.*
*On vend **autant que** la concurrence.*

→ **avec des chiffres :**
*Ce parfum coûte **dix euros de plus que** l'autre.*
*Nous avons produit **mille voitures de moins que** l'an dernier.*
*Nous avons vendu cinq mille unités, **c'est-à-dire / soit autant que** l'an dernier.*

● On emploie le superlatif quand on compare plus de deux personnes ou choses.
*Oscar est **le plus** créatif **de** [toute] l'équipe.*
*C'est **la moins** mauvaise **des** solutions.*

*Nos produits sont **les meilleurs** [au monde].*
*Nos propositions sont **les meilleures**, je pense.*

# APPRÉCIER

● On emploie des mots comme *très*, *trop*, *assez* pour exprimer des degrés d'appréciation.
*Un ordinateur portable avec imprimante de voyage à mille euros, ...*
☐ c'est **très** cher.
☐ c'est un prix normal.
☐ c'est **très** bon marché.

☐ c'est **trop** cher pour moi.
☐ c'est **assez** cher pour moi.
☐ ce n'est **pas trop** cher pour moi.
☐ ce n'est **pas assez** cher pour moi.

● On emploie *très* avec un adjectif, *beaucoup* avec un verbe.
*Elle est **très occupée** en ce moment.*          *Elle **travaille beaucoup** en ce moment.*

## 9 Faire le point sur un projet ; le conditionnel présent

# FAIRE LE POINT SUR UN PROJET

Pour parler des aspects d'un projet, on peut :
● focaliser (= zoom avant) l'action : *Sport Extra **est en train de** se développer.*
● annoncer des réalisations : *Sport Extra **va** ouvrir dix nouveaux magasins.*
● rapporter des réalisations en cours : *Sport Extra **est sur le point d'**ouvrir dix nouveaux magasins.*
● rapporter des réalisations : *Sport Extra **vient d'**ouvrir dix nouveaux magasins.*

# LE CONDITIONNEL PRÉSENT

● **Formation du conditionnel présent**
On forme le conditionnel présent de la même manière que le futur simple (voir page 122).
Seules les terminaisons changent.

| Futur simple | → | Conditionnel présent |
|---|---|---|
| je demander**ai** | → | je demander**ais** |
| tu demander**as** | → | tu demander**ais** |
| il/elle/on demander**a** | → | il/elle/on demander**ait** |
| nous demander**ons** | → | nous demander**ions** |
| vous demander**ez** | → | vous demander**iez** |
| ils/elles demander**ont** | → | ils/elles demander**aient** |

● **Emplois du conditionnel présent**
→ En situation de dialogue, on emploie des verbes comme *aimer, avoir, être, il me faut, pouvoir, préférer, souhaiter, vouloir* au conditionnel présent pour formuler une **demande**.
*J'**aimerais** visiter l'usine. Est-ce que c'est possible ?*
*Vous **auriez** de la monnaie pour cent euros ?*
*J'**aurais** besoin d'un rétroprojecteur. Vous savez où je peux en trouver ?*
*Vous **pourriez** m'envoyer une documentation ?*
*Je vous **serais** reconnaissant(e) de m'envoyer une documentation. (langue écrite)*
*Il me **faudrait** des feutres pour écrire au tableau blanc.*
*Je **préférerais** prendre l'avion de 18 h 40.*
*Je **souhaiterais** parler à Gustav Meyrink, s'il vous plaît.*
*Nous **voudrions** deux places pour le concert. C'est possible ?*

→ En situation de dialogue, on emploie souvent des verbes comme *devoir, il faut, pouvoir* au conditionnel présent pour formuler un **conseil** ou une **suggestion**.
*Vous **devriez** prendre de l'aspirine.*
*On **devrait** fixer la date de la prochaine réunion maintenant.*
*Il **faudrait** prendre une décision assez rapidement.*
*On **pourrait** faire une pause maintenant, non ?*
*Il est tard. On **devrait** peut-être arrêter la réunion.*

→ On emploie souvent des verbes comme *devoir* ou *pouvoir* au conditionnel présent pour exprimer une **probabilité** ou une **éventualité**.
*Vendre cette activité déficitaire **devrait** diminuer nos pertes.*
*La population mondiale **pourrait** baisser en 2050.*

## ❰ L'IMPARFAIT

● **Formation de l'imparfait** (voir *Conjugaison*, pages 125-134)
➜ On forme l'imparfait à partir de la première personne du pluriel du verbe au présent.
On ajoute les terminaisons de l'imparfait.

| Présent | | Imparfait |
|---|---|---|
| (nous) **demand**(ons) | ➜ | je demand**ais** |
| (nous) **appel**(ons) | ➜ | tu appel**ais** |
| (nous) **commenç**(ons) | ➜ | Il/elle/on commenç**ait** |
| (nous) **choisiss**(ons) | ➜ | nous choisiss**ons** |
| (nous) **av**(ons) | ➜ | vous av**iez** |
| (nous) **change**(ons) | ➜ | ils/elles change**aient** |

➜ On applique ce principe à tous les verbes excepté l'imparfait du verbe *être*.

j'étais
tu étais
il/elle/on était          c'était
nous étions
vous étiez
ils/elles étaient          c'étaient

● **Emplois de l'imparfait.**
On emploie l'imparfait pour...
➜ comparer avant et maintenant :
– *Qu'est-ce que tu faisais hier à la même heure ?*   (la personne qui répond est au bureau aujourd'hui)
– *Hier à la même heure ? je* **dormais** *sur la plage.*

➜ parler d'habitudes passées :
*J'**interviewais** des chefs d'entreprise. Et avec ces interviews, je **montais** des émissions de radio de deux, trois minutes.* (la personne qui parle ne fait plus ces actions)

➜ donner des précisions, des détails dans une suite d'événements, dans un parcours :
*J'ai été commercial(e) dans une radio privée. Je **vendais** des espaces publicitaires à des entreprises de la région.*
***C'étaient** surtout des grandes surfaces. Puis j'ai travaillé dans une agence de publicité....*
*C'est une question de point de vue. On peut aussi dire :*
*J'ai vendu des espaces publicitaires pour une radio privée. Puis j'ai travaillé dans une agence de publicité...*
*Le point de vue est différent : c'est une énumération d'actions, il n'y a pas de détail.*

## ❰ LES PRONOMS COMPLÉMENTS (représentant des personnes, des choses, des idées)

● On emploie le pronom complément *en* :
➜ dans un contexte de quantité :
– *Il y a **un** vidéoprojecteur dans la salle ?*          – *Oui, il y **en** a **un**. / Non, il n'**en** a pas.*
– *Vous avez **des** prospectus ?*                    – *Oui, j'**en** ai dans ma valise. / Non, je n'**en** ai pas.*
– *Je voudrais **des** oranges.*                      – *Vous **en** voulez **combien** ?*
– *Vous avez **des** enfants ?*                       – *Oui. J'**en** ai **deux**.*
– *Vous avez fait **du** français au lycée ?*          – *Oui, j'**en** ai fait pendant deux ans.*
– *Vous avez **de la** famille ici ?*                 – *Non, je n'**en** ai pas.*
– *Vous avez visité tous les stands ?*                – *Non, j'**en** ai visité **quelques-uns** seulement.*

➜ avec des verbes comme *avoir besoin **de**, se charger **de**, s'occuper **de**, parler **de**, se servir **de** :*
– *Vous avez besoin de cet ordinateur ?*          – *Oui, j'**en** ai besoin. / Non, je n'**en** ai pas besoin.*
– *Vous **en** avez parlé à votre manager, de ce problème de délai ?*
Avec ces verbes normalement, on n'emploie pas *en* pour les personnes.
*On s'occupe **de vous** ?*          *Vous avez besoin **d'elle** ?*          *On parle beaucoup **de lui** comme futur PDG.*

● On emploie le pronom complément direct *le, l', la, les* pour représenter des personnes, des choses, des idées définies. (voir pages 120-121 pour la représentation de personnes)
– *Vous avez la facture ?*          – *Oui, je **l'**ai. Tenez, **la** voici.*

● On place le pronom complément avant le verbe avec qui il est en relation. À l'impératif positif, on le place après.
*Je **l'**envoie ce matin.*          *Je ne **l'**ai pas envoyé hier.*          *Ne **l'**envoie pas aujourd'hui.*
*Je vais **l'**envoyer.*          *Je ne peux pas **l'**envoyer aujourd'hui.*          *Envoie-**le** demain.*

# Conjugaison

Les verbes types sont sur fond jaune foncé. Pour les autres verbes, la mention « voir … » indique sur quel modèle ces verbes se conjuguent. Les verbes avec quelques formes spéciales sont écrits en orange.

| verbes | présent | passé composé | futur | imparfait |
|---|---|---|---|---|
| **A** | | | | |
| aborder | *voir* demander | | | |
| accélérer | *voir* espérer | | | |
| accepter | *voir* demander | | | |
| accompagner | *voir* demander | | | |
| accorder | *voir* demander | | | |
| accrocher | *voir* demander | | | |
| **accueillir** | j'accueille<br>tu accueilles<br>il/elle/on accueille<br>nous accueillons<br>vous accueillez<br>ils/elles accueillent | j'ai accueilli<br>tu as accueilli<br>il/elle/on a accueilli<br>nous avons accueilli<br>vous avez accueilli<br>ils/elles ont accueilli | j'accueillerai<br>tu accueilleras<br>il/elle/on accueillera<br>nous accueillerons<br>vous accueillerez<br>ils/elles accueilleront | j'accueillais<br>tu accueillais<br>il/elle/on accueillait<br>nous accueillions<br>vous accueilliez<br>ils/elles accueillaient |
| **acheter** | j'achète<br>tu achètes<br>il/elle/on achète<br>nous achetons<br>vous achetez<br>ils/elles achètent | j'ai acheté<br>tu as acheté<br>il/elle/on a acheté<br>nous avons acheté<br>vous avez acheté<br>ils/elles ont acheté | j'achèterai<br>tu achèteras<br>il/elle/on achètera<br>nous achèterons<br>vous achèterez<br>ils/elles achèteront | j'achetais<br>tu achetais<br>il/elle/on achetait<br>nous achetions<br>vous achetiez<br>ils/elles achetaient |
| adresser | *voir* demander | | | |
| afficher | *voir* demander | | | |
| agir (s') | *voir* il s'agit | | | |
| agrandir | *voir* choisir | | | |
| aider | *voir* demander | | | |
| aimer | *voir* demander | | | |
| ajouter | *voir* demander | | | |
| **aller** | je vais<br>tu vas<br>il/elle/on va<br>nous allons<br>vous allez<br>ils/elles vont | je suis allé(e)<br>tu es allé(e)<br>il/elle/on est allé(e)<br>nous sommes allé(e)s<br>vous êtes allé(e)(s)<br>ils/elles sont allé(e)s | j'irai<br>tu iras<br>il/elle/on ira<br>nous irons<br>vous irez<br>ils/elles iront | j'allais<br>tu allais<br>il/elle/on allait<br>nous allions<br>vous alliez<br>ils/elles allaient |
| allumer | *voir* demander | | | |
| améliorer | *voir* demander | | | |
| aménager | *voir* changer | | | |
| animer | *voir* demander | | | |
| annoncer | *voir* commencer | | | |
| apparaître | *voir* connaître | | | |
| appartenir | *voir* tenir | | | |
| appeler (s') | *voir* épeler *et* dépêcher (se) | | | |
| apporter | *voir* demander | | | |
| apprécier | *voir* étudier | | | |
| apprendre | *voir* prendre | | | |
| approuver | *voir* demander | | | |
| appuyer | *voir* employer | | | |
| archiver | *voir* demander | | | |
| argumenter | *voir* demander | | | |
| arriver | *voir* demander | je suis arrivé(e) | | |
| arrondir | *voir* choisir | | | |
| **asseoir (s')** | je m'assieds<br>tu t'assieds<br>il/elle/on s'assied<br>nous nous asseyons<br>vous vous asseyez<br>ils/elles s'asseyent | je me suis assis(e)<br>tu t'es assis(e)<br>il/elle/on s'est assis(e)<br>nous nous sommes assis(e)s<br>vous vous êtes assis(e)(s)<br>ils/elles se sont assis(e)s | je m'assiérai<br>tu t'assiéras<br>il/elle/on s'assiéra<br>nous nous assiérons<br>vous vous assiérez<br>ils/elles s'assiéront | je m'asseyais<br>tu t'asseyais<br>il/elle/on s'asseyait<br>nous nous asseyions<br>vous vous asseyiez<br>ils/elles s'asseyaient |

| verbes | présent | passé composé | futur | imparfait |
|---|---|---|---|---|
| assister | *voir* demander | | | |
| associer | *voir* étudier | | | |
| assurer | *voir* demander | | | |
| attacher | *voir* demander | | | |
| atteindre | *voir* éteindre | | | |
| attendre | *voir* vendre | | | |
| attirer | *voir* demander | | | |
| attribuer | *voir* étudier | | | |
| avoir | j'ai<br>tu as<br>il/elle/on a<br>nous avons<br>vous avez<br>ils/elles ont | j'ai eu<br>tu as eu<br>il/elle/on a eu<br>nous avons eu<br>vous avez eu<br>ils/elles ont eu | j'aurai<br>tu auras<br>il/elle/on aura<br>nous aurons<br>vous aurez<br>ils/elles auront | j'avais<br>tu avais<br>il/elle/on avait<br>nous avions<br>vous aviez<br>ils/elles avaient |
| avoir | *voir* il y a | | | |

## B, C

| verbes | présent | passé composé | futur | imparfait |
|---|---|---|---|---|
| baisser | *voir* demander | | | |
| barrer | *voir* demander | | | |
| boire | je bois<br>tu bois<br>il/elle/on boit<br>nous buvons<br>vous buvez<br>ils/elles boivent | j'ai bu<br>tu as bu<br>il/elle/on a bu<br>nous avons bu<br>vous avez bu<br>ils/elles ont bu | je boirai<br>tu boiras<br>il/elle/on boira<br>nous boirons<br>vous boirez<br>ils/elles boiront | je buvais<br>tu buvais<br>il/elle/on buvait<br>nous buvions<br>vous buviez<br>ils/elles buvaient |
| briller | *voir* travailler | | | |
| caractériser | *voir* demander | | | |
| centraliser | *voir* demander | | | |
| certifier | *voir* étudier | | | |
| changer | je change<br>tu changes<br>il/elle/on change<br>nous changeons<br>vous changez<br>ils/elles changent | j'ai changé<br>tu as changé<br>il/elle/on a changé<br>nous avons changé<br>vous avez changé<br>ils/elles ont changé | je changerai<br>tu changeras<br>il/elle/on changera<br>nous changerons<br>vous changerez<br>ils/elles changeront | je changeais<br>tu changeais<br>il/elle/on changeait<br>nous changions<br>vous changiez<br>ils/elles changeaient |
| charger | *voir* changer | | | |
| chercher | *voir* demander | | | |
| choisir | je choisis<br>tu choisis<br>il/elle/on choisit<br>nous choisissons<br>vous choisissez<br>ils/elles choisissent | j'ai choisi<br>tu as choisi<br>il/elle a choisi<br>nous avons choisi<br>vous avez choisi<br>ils/elles ont choisi | je choisirai<br>tu choisiras<br>il/elle/on choisira<br>nous choisirons<br>vous choisirez<br>ils/elles choisiront | je choisissais<br>tu choisissais<br>il/elle/on choisissait<br>nous choisissions<br>vous choisissiez<br>ils/elles choisissaient |
| cibler | *voir* demander | | | |
| circuler | *voir* demander | | | |
| citer | *voir* demander | | | |
| classer | *voir* demander | | | |
| cliquer | *voir* demander | | | |
| cocher | *voir* demander | | | |
| combiner | *voir* demander | | | |
| commencer | je commence<br>tu commences<br>il/elle/on commence<br>nous commençons<br>vous commencez<br>ils/elles commencent | j'ai commencé<br>tu as commencé<br>il/elle/on a commencé<br>nous avons commencé<br>vous avez commencé<br>ils/elles ont commencé | je commencerai<br>tu commenceras<br>il/elle/on commencera<br>nous commencerons<br>vous commencerez<br>ils/elles commenceront | je commençais<br>tu commençais<br>il/elle/on commençait<br>nous commencions<br>vous commenciez<br>ils/elles commençaient |
| commercialiser | *voir* demander | | | |
| comparer | *voir* demander | | | |
| compléter | *voir* espérer | | | |
| comporter | *voir* demander | | | |
| comprendre | *voir* prendre | | | |
| compter | *voir* demander | | | |
| concentrer | *voir* demander | | | |
| concerner | *voir* demander | | | |
| concevoir | *voir* recevoir | | | |

| verbes | présent | passé composé | futur | imparfait |
|---|---|---|---|---|
| conclure | je conclus<br>tu conclus<br>il/elle/on conclut<br>nous concluons<br>vous concluez<br>ils/elles concluent | j'ai conclu<br>tu as conclu<br>il/elle/on a conclu<br>nous avons conclu<br>vous avez conclu<br>ils/elles ont conclu | je conclurai<br>tu concluras<br>il/elle/on conclura<br>nous conclurons<br>vous conclurez<br>ils/elles concluront | je concluais<br>tu concluais<br>il/elle/on concluait<br>nous concluions<br>vous concluiez<br>ils/elles concluaient |
| conditionner | *voir* demander | | | |
| conduire | je conduis<br>tu conduis<br>il/elle/on conduit<br>nous conduisons<br>vous conduisez<br>ils/elles conduisent | j'ai conduit<br>tu as conduit<br>il/elle/on a conduit<br>nous avons conduit<br>vous avez conduit<br>ils/elles ont conduit | je conduirai<br>tu conduiras<br>il/elle/on conduira<br>nous conduirons<br>vous conduirez<br>ils/elles conduiront | je conduisais<br>tu conduisais<br>il/elle/on conduisait<br>nous conduisions<br>vous conduisiez<br>ils/elles conduisaient |
| confirmer | *voir* demander | | | |
| connaître | je connais<br>tu connais<br>il/elle/on connaît<br>nous connaissons<br>vous connaissez<br>ils/elles connaissent | j'ai connu<br>tu as connu<br>il/elle/on a connu<br>nous avons connu<br>vous avez connu<br>ils/elles ont connu | je connaîtrai<br>tu connaîtras<br>il/elle/on connaîtra<br>nous connaîtrons<br>vous connaîtrez<br>ils/elles connaîtront | je connaissais<br>tu connaissais<br>il/elle/on connaissait<br>nous connaissions<br>vous connaissiez<br>ils/elles connaissaient |
| connecter (se) | *voir* demander *et* dépêcher (se) | | | |
| conseiller | *voir* travailler | | | |
| conserver | *voir* demander | | | |
| consister | *voir* demander | | | |
| consolider | *voir* demander | | | |
| consommer | *voir* demander | | | |
| constater | *voir* demander | | | |
| constituer | *voir* étudier | | | |
| construire | *voir* conduire | | | |
| consulter | *voir* demander | | | |
| contacter | *voir* demander | | | |
| convenir | *voir* tenir | | | |
| coopérer | *voir* espérer | | | |
| coordonner | *voir* demander | | | |
| copier | *voir* étudier | | | |
| correspondre | *voir* vendre | | | |
| corriger | *voir* changer | | | |
| côtoyer | *voir* employer | | | |
| coucher (se) | *voir* demander *et* dépêcher (se) | | | |
| couper | *voir* demander | | | |
| courir | je cours<br>tu cours<br>il/elle/on court<br>nous courons<br>vous courez<br>ils/elles courent | j'ai couru<br>tu as couru<br>il/elle/on a couru<br>nous avons couru<br>vous avez couru<br>ils/elles ont couru | je courrai<br>tu courras<br>il/elle/on courra<br>nous courrons<br>vous courrez<br>ils/elles courront | je courais<br>tu courais<br>il/elle/on courait<br>nous courions<br>vous couriez<br>ils/elles couraient |
| coûter | *voir* demander | | | |
| créer | *voir* étudier | | | |
| cuire | *voir* conduire | | | |

# D

| verbes | présent | passé composé | futur | imparfait |
|---|---|---|---|---|
| débarrasser | *voir* demander | | | |
| débrouiller (se) | *voir* travailler *et* dépêcher (se) | | | |
| débuter | *voir* demander | | | |
| décider | *voir* demander | | | |
| découvrir | *voir* offrir | | | |
| déjeuner | *voir* demander | | | |
| demander | je demande<br>tu demandes<br>il/elle/on demande<br>nous demandons<br>vous demandez<br>ils/elles demandent | j'ai demandé<br>tu as demandé<br>il/elle/on a demandé<br>nous avons demandé<br>vous avez demandé<br>ils/elles ont demandé | je demanderai<br>tu demanderas<br>il/elle/on demandera<br>nous demanderons<br>vous demanderez<br>ils/elles demanderont | je demandais<br>tu demandais<br>il/elle/on demandait<br>nous demandions<br>vous demandiez<br>ils/elles demandaient |
| démarrer | *voir* demander | | | |
| déménager | *voir* changer | | | |
| démissionner | *voir* demander | | | |

| verbes | présent | passé composé | futur | imparfait |
|---|---|---|---|---|
| dépêcher (se) | je me dépêche<br>tu te dépêches<br>il/elle/on se dépêche<br>nous nous dépêchons<br>vous vous dépêchez<br>ils/elles se dépêchent | je me suis dépêché(e)<br>tu t'es dépêché(e)<br>il/elle/on s'est dépêché(e)<br>nous nous sommes<br>dépêché(e)s<br>vous vous êtes dépêché(e)(s)<br>ils/elles se sont dépêché(e)s | je me dépêcherai<br>tu te dépêcheras<br>il/elle/on se dépêchera<br>nous nous dépêcherons<br>vous vous dépêcherez<br>ils/elles se dépêcheront | je me dépêchais<br>tu te dépêchais<br>il/elle/on se dépêchait<br>nous nous dépêchions<br>vous vous dépêchiez<br>ils/elles se dépêchaient |

| | | | | |
|---|---|---|---|---|
| dépenser | *voir* demander | | | |
| déplacer (se) | *voir* commencer *et* dépêcher (se) | | | |
| déplaire | *voir* plaire | | | |
| déposer | *voir* demander | | | |
| déranger | *voir* changer | | | |
| descendre | *voir* entendre | j'ai descendu / je suis descendu(e) | | |
| désigner | *voir* demander | | | |
| désirer | *voir* demander | | | |
| déstresser | *voir* demander | | | |
| détecter | *voir* demander | | | |
| détendre (se) | *voir* vendre *et* dépêcher (se) | | | |
| détenir | *voir* venir | | | |
| développer | *voir* demander | | | |
| devenir | *voir* venir | | | |

| | | | | |
|---|---|---|---|---|
| devoir | je dois<br>tu dois<br>il/elle/on doit<br>nous devons<br>vous devez<br>ils/elles doivent | j'ai dû<br>tu as dû<br>il/elle a dû<br>nous avons dû<br>vous avez dû<br>ils/elles ont dû | je devrai<br>tu devras<br>il/elle/on devra<br>nous devrons<br>vous devrez<br>ils/elles devront | je devais<br>tu devais<br>il/elle/on devait<br>nous devions<br>vous deviez<br>ils/elles devaient |

| | |
|---|---|
| diffuser | *voir* demander |
| diminuer | *voir* étudier |
| dîner | *voir* demander |

| | | | | |
|---|---|---|---|---|
| dire | je dis<br>tu dis<br>il/elle/on dit<br>nous disons<br>vous dites<br>ils/elles disent | j'ai dit<br>tu as dit<br>il/elle/on a dit<br>nous avons dit<br>vous avez dit<br>ils/elles ont dit | je dirai<br>tu diras<br>il/elle/on dira<br>nous dirons<br>vous direz<br>ils/elles diront | je disais<br>tu disais<br>il/elle/on disait<br>nous disions<br>vous disiez<br>ils/elles disaient |

| | |
|---|---|
| diriger | *voir* changer |
| discuter | *voir* demander |
| disposer | *voir* demander |
| distribuer | *voir* étudier |
| donner | *voir* demander |
| dormir | *voir* servir |
| doubler | *voir* demander |
| durer | *voir* demander |

# E

| | |
|---|---|
| échanger | *voir* changer |
| économiser | *voir* demander |
| écouter | *voir* demander |

| | | | | |
|---|---|---|---|---|
| écrire | j'écris<br>tu écris<br>il/elle/on écrit<br>nous écrivons<br>vous écrivez<br>ils/elles écrivent | j'ai écrit<br>tu as écrit<br>il/elle/on a écrit<br>nous avons écrit<br>vous avez écrit<br>ils/elles ont écrit | j'écrirai<br>tu écriras<br>il/elle/on écrira<br>nous écrirons<br>vous écrirez<br>ils/elles écriront | j'écrivais<br>tu écrivais<br>il/elle/on écrivait<br>nous écrivions<br>vous écriviez<br>ils/elles écrivaient |

| | |
|---|---|
| effectuer | *voir* étudier |
| élever (s') | *voir* acheter *et* dépêcher (se) |
| éloigner (s') | *voir* demander *et* dépêcher (se) |
| emballer | *voir* demander |
| embaucher | *voir* demander |
| emmener | *voir* acheter |

| | | | | |
|---|---|---|---|---|
| employer | j'emploie<br>tu emploies<br>il/elle/on emploie<br>nous employons<br>vous employez<br>ils/elles emploient | j'ai employé<br>tu as employé<br>il/elle/on a employé<br>nous avons employé<br>vous avez employé<br>ils/elles ont employé | j'emploierai<br>tu emploieras<br>il/elle/on emploiera<br>nous emploierons<br>vous emploierez<br>ils/elles emploieront | j'employais<br>tu employais<br>il/elle/on employait<br>nous employions<br>vous employiez<br>ils/elles employaient |

| verbes | présent | passé composé | futur | imparfait |
|---|---|---|---|---|
| emporter | *voir* demander | | | |
| emprunter | *voir* demander | | | |
| encadrer | *voir* demander | | | |
| encaisser | *voir* demander | | | |
| engager (s') | *voir* changer *et* dépêcher (se) | | | |
| enlever | *voir* acheter | | | |
| enregistrer (s') | *voir* demander *et* dépêcher (se) | | | |
| entendre (s') | *voir* vendre *et* dépêcher (se) | | | |
| enthousiasmer | *voir* demander | | | |
| entrer | *voir* demander | j'ai entré / je suis entré(e) | | |
| entretenir | *voir* tenir | | | |
| envoyer | *voir* employer | | | |

| verbes | présent | passé composé | futur | imparfait |
|---|---|---|---|---|
| épeler | j'épelle<br>tu épelles<br>il/elle/on épelle<br>nous épelons<br>vous épelez<br>ils/elles épellent | j'ai épelé<br>tu as épelé<br>il/elle/on a épelé<br>nous avons épelé<br>vous avez épelé<br>ils/elles ont épelé | j'épellerai<br>tu épelleras<br>il/elle/on épellera<br>nous épellerons<br>vous épellerez<br>ils/elles épelleront | j'épelais<br>tu épelais<br>il/elle/on épelait<br>nous épelions<br>vous épeliez<br>ils/elles épelaient |
| espérer | j'espère<br>tu espères<br>il/elle/on espère<br>nous espérons<br>vous espérez<br>ils/elles espèrent | j'ai espéré<br>tu as espéré<br>il/elle/on a espéré<br>nous avons espéré<br>vous avez espéré<br>ils/elles ont espéré | j'espèrerai<br>tu espèreras<br>il/elle/on espèrera<br>nous espèrerons<br>vous espèrerez<br>ils/elles espèreront | j'espérais<br>tu espérais<br>il/elle/on espérait<br>nous espérions<br>vous espériez<br>ils/elles espéraient |
| essayer | *voir* employer | | | |
| éteindre | j'éteins<br>tu éteins<br>il/elle/on éteint<br>nous éteignons<br>vous éteignez<br>ils/elles éteignent | j'ai éteint<br>tu as éteint<br>il/elle/on a éteint<br>nous avons éteint<br>vous avez éteint<br>ils/elles ont éteint | j'éteindrai<br>tu éteindras<br>il/elle/on éteindra<br>nous éteindrons<br>vous éteindrez<br>ils/elles éteindront | j'éteignais<br>tu éteignais<br>il/elle/on éteignait<br>nous éteignions<br>vous éteigniez<br>ils/elles éteignaient |
| être | je suis<br>tu es<br>il/elle/on est<br>nous sommes<br>vous êtes<br>ils/elles sont | j'ai été<br>tu as été<br>il/elle/on a été<br>nous avons été<br>vous avez été<br>ils/elles ont été | je serai<br>tu seras<br>il/elle/on sera<br>nous serons<br>vous serez<br>ils/elles seront | j'étais<br>tu étais<br>il/elle/on était<br>nous étions<br>vous étiez<br>ils/elles étaient |
| étudier | j'étudie<br>tu étudies<br>il/elle/on étudie<br>nous étudions<br>vous étudiez<br>ils/elles étudient | j'ai étudié<br>tu as étudié<br>il/elle/on a étudié<br>nous avons étudié<br>vous avez étudié<br>ils/elles ont étudié | j'étudierai<br>tu étudieras<br>il/elle/on étudiera<br>nous étudierons<br>vous étudierez<br>ils/elles étudieront | j'étudiais<br>tu étudiais<br>il/elle/on étudiait<br>nous étudiions<br>vous étudiiez<br>ils/elles étudiaient |

| verbes | présent | passé composé | futur | imparfait |
|---|---|---|---|---|
| éviter | *voir* demander | | | |
| évoluer | *voir* étudier | | | |
| examiner | *voir* demander | | | |
| excuser (s') | *voir* demander *et* dépêcher (se) | | | |
| exercer (s') | *voir* demander *et* dépêcher (se) | | | |
| exister | *voir* demander | | | |
| expédier | *voir* étudier | | | |
| expirer | *voir* demander | | | |
| exporter | *voir* demander | | | |
| exposer | *voir* demander | | | |

## F, G, H

| verbes | présent | passé composé | futur | imparfait |
|---|---|---|---|---|
| fabriquer | *voir* demander | | | |
| faire | je fais<br>tu fais<br>il/elle/on fait<br>nous faisons<br>vous faites<br>ils/elles font | j'ai fait<br>tu as fait<br>il/elle/on a fait<br>nous avons fait<br>vous avez fait<br>ils/elles ont fait | je ferai<br>tu feras<br>il/elle/on fera<br>nous ferons<br>vous ferez<br>ils/elles feront | je faisais<br>tu faisais<br>il/elle/on faisait<br>nous faisions<br>vous faisiez<br>ils/elles faisaient |

| | | | | |
|---|---|---|---|---|
| falloir | *voir* il faut | | | |
| favoriser | *voir* demander | | | |
| fêter | *voir* demander | | | |
| financer | *voir* commencer | | | |
| finir | *voir* choisir | | | |
| fixer | *voir* demander | | | |
| focaliser | *voir* demander | | | |
| fonctionner | *voir* demander | | | |
| former (se) | *voir* demander *et* dépêcher (se) | | | |
| formuler | *voir* demander | | | |
| fournir | *voir* choisir | | | |
| fusionner | *voir* demander | | | |
| gagner | *voir* demander | | | |
| garder | *voir* demander | | | |
| générer | *voir* espérer | | | |
| gérer | *voir* espérer | | | |
| goûter | *voir* demander | | | |
| habiter | *voir* demander | | | |
| habituer (s') | *voir* étudier *et* dépêcher (se) | | | |

## I, J

| | | | | |
|---|---|---|---|---|
| identifier | *voir* étudier | | | |
| il faut | il faut | il a fallu | il faudra | il fallait |
| il s'agit | il s'agit | il s'est agi | il s'agira | il s'agissait |
| il y a | il y a | il y a eu | il y aura | il y avait |

| | |
|---|---|
| imaginer | *voir* demander |
| imprimer | *voir* demander |
| indiquer | *voir* demander |
| informer (s') | *voir* demander *et* dépêcher (se) |
| inscrire (s') | *voir* écrire *et* dépêcher (se) |
| insérer | *voir* espérer |
| insister | *voir* demander |
| installer (s') | *voir* demander *et* dépêcher (se) |
| intégrer | *voir* espérer |
| intéresser (s') | *voir* demander *et* dépêcher (se) |
| interroger | *voir* changer |
| interviewer | *voir* demander |
| introduire | *voir* conduire |
| investir (s') | *voir* choisir *et* dépêcher (se) |
| inviter | *voir* demander |
| joindre | *voir* éteindre |
| jouer | *voir* étudier |
| juger | *voir* changer |
| justifier | *voir* étudier |

## L, M, N, O

| | | | | |
|---|---|---|---|---|
| lancer | *voir* commencer | | | |
| lever (se) | *voir* acheter *et* dépêcher (se) | | | |
| licencier | *voir* étudier | | | |
| lire | je lis<br>tu lis<br>il/elle/on lit<br>nous lisons<br>vous lisez<br>ils/elles lisent | j'ai lu<br>tu as lu<br>il/elle/on a lu<br>nous avons lu<br>vous avez lu<br>ils/elles ont lu | je lirai<br>tu liras<br>il/elle/on lira<br>nous lirons<br>vous lirez<br>ils/elles liront | je lisais<br>tu lisais<br>il/elle/on lisait<br>nous lisions<br>vous lisiez<br>ils/elles lisaient |

| | |
|---|---|
| lister | *voir* demander |
| louer | *voir* étudier |
| maîtriser | *voir* demander |
| manager | *voir* changer |
| manger | *voir* changer |
| manquer | *voir* demander |
| marcher | *voir* demander |
| mélanger | *voir* changer |
| mentionner | *voir* demander |
| mesurer | *voir* demander |

| verbes | présent | passé composé | futur | imparfait |
|---|---|---|---|---|
| mettre | je mets<br>tu mets<br>il/elle/on met<br>nous mettons<br>vous mettez<br>ils/elles mettent | j'ai mis<br>tu as mis<br>il/elle/on a mis<br>nous avons mis<br>vous avez mis<br>ils/elles ont mis | je mettrai<br>tu mettras<br>il/elle/on mettra<br>nous mettrons<br>vous mettrez<br>ils/elles mettront | je mettais<br>tu mettais<br>il/elle/on mettait<br>nous mettions<br>vous mettiez<br>ils/elles mettaient |
| modifier | *voir* étudier | | | |
| monter | *voir* demander | j'ai monté / je suis monté(e) | | |
| motiver | *voir* demander | | | |
| naviguer | *voir* demander | | | |
| négocier | *voir* étudier | | | |
| neiger | il neige | il a neigé | il neigera | il neigeait |
| nettoyer | *voir* employer | | | |
| noter | *voir* demander | | | |
| numéroter | *voir* demander | | | |
| observer | *voir* demander | | | |
| obtenir | *voir* tenir | | | |
| occuper (s') | *voir* demander *et* dépêcher (se) | | | |
| offrir | j'offre<br>tu offres<br>il/elle/on offre<br>nous offrons<br>vous offrez<br>ils/elles offrent | j'ai offert<br>tu as offert<br>il/elle/on a offert<br>nous avons offert<br>vous avez offert<br>ils/elles ont offert | j'offrirai<br>tu offriras<br>il/elle/on offrira<br>nous offrirons<br>vous offrirez<br>ils/elles offriront | j'offrais<br>tu offrais<br>il/elle/on offrait<br>nous offrions<br>vous offriez<br>ils/elles offraient |
| opter | *voir* demander | | | |
| optimiser | *voir* demander | | | |
| organiser (s') | *voir* demander *et* dépêcher (se) | | | |
| oublier | *voir* étudier | | | |
| ouvrir (s') | *voir* offrir *et* dépêcher (se) | | | |

## P, Q

| verbes | présent | passé composé | futur | imparfait |
|---|---|---|---|---|
| parler | *voir* demander | | | |
| partager | *voir* changer | | | |
| participer | *voir* demander | | | |
| partir | je pars<br>tu pars<br>il/elle/on part<br>nous partons<br>vous partez<br>ils/elles partent | je suis parti(e)<br>tu es parti(e)<br>il/elle/on est parti(e)<br>nous sommes parti(e)s<br>vous êtes parti(e)(s)<br>ils/elles sont parti(e)s | je partirai<br>tu partiras<br>il/elle/on partira<br>nous partirons<br>vous partirez<br>ils/elles partiront | je partais<br>tu partais<br>il/elle/on partait<br>nous partions<br>vous partiez<br>ils/elles partaient |
| passer | *voir* demander | j'ai passé / je suis passé(e) | | |
| payer | *voir* employer | | | |
| pénétrer | *voir* espérer | | | |
| percevoir | *voir* recevoir | | | |
| perdre | *voir* vendre | | | |
| permettre | *voir* mettre | | | |
| personnaliser | *voir* demander | | | |
| peser | *voir* acheter | | | |
| piloter | *voir* demander | | | |
| placer | *voir* commencer | | | |
| plaire | ça me plaît | ça m'a plu | ça me plaira | ça me plaisait |
| planifier | *voir* étudier | | | |
| planter | *voir* demander | | | |
| pleuvoir | il pleut | il a plu | il pleuvra | il pleuvait |
| porter | *voir* demander | | | |
| poser | *voir* demander | | | |
| posséder | *voir* espérer | | | |
| postuler | *voir* demander | | | |
| poursuivre | *voir* suivre | | | |

| verbes | présent | passé composé | futur | imparfait |
|---|---|---|---|---|
| pouvoir | je peux (puis-je ?)<br>tu peux<br>il/elle/on peut<br>nous pouvons<br>vous pouvez<br>ils/elles peuvent | j'ai pu<br>tu as pu<br>il/elle/on a pu<br>nous avons pu<br>vous avez pu<br>ils/elles ont pu | je pourrai<br>tu pourras<br>il/elle/on pourra<br>nous pourrons<br>vous pourrez<br>ils/elles pourront | je pouvais<br>tu pouvais<br>il/elle/on pouvait<br>nous pouvions<br>vous pouviez<br>ils/elles pouvaient |
| pratiquer | *voir* demander | | | |
| préciser | *voir* demander | | | |
| préférer | *voir* espérer | | | |
| prendre | je prends<br>tu prends<br>il/elle/on prend<br>nous prenons<br>vous prenez<br>ils/elles prennent | j'ai pris<br>tu as pris<br>il/elle/on a pris<br>nous avons pris<br>vous avez pris<br>ils/elles ont pris | je prendrai<br>tu prendras<br>il/elle/on prendra<br>nous prendrons<br>vous prendrez<br>ils/elles prendront | je prenais<br>tu prenais<br>il/elle/on prenait<br>nous prenions<br>vous preniez<br>ils/elles prenaient |
| préoccuper (se) | *voir* demander *et* dépêcher (se) | | | |
| préparer | *voir* demander | | | |
| présenter (se) | *voir* demander *et* dépêcher (se) | | | |
| prévenir | *voir* venir | | | |
| prévoir | *voir* voir | | je prévoirai | |
| prier | *voir* étudier | | | |
| procéder | *voir* espérer | | | |
| produire | *voir* conduire | | | |
| programmer | *voir* demander | | | |
| prononcer | *voir* commencer | | | |
| proposer | *voir* demander | | | |
| prospecter | *voir* demander | | | |
| protéger | *voir* changer *et* espérer | | | |
| publier | *voir* étudier | | | |
| questionner | *voir* demander | | | |
| quitter | *voir* demander | | | |

# R

| | | | | |
|---|---|---|---|---|
| racheter | *voir* acheter | | | |
| raconter | *voir* demander | | | |
| rappeler | *voir* épeler | | | |
| raser (se) | *voir* demander *et* dépêcher (se) | | | |
| rassembler | *voir* demander | | | |
| recevoir | je reçois<br>tu reçois<br>il/elle/on reçoit<br>nous recevons<br>vous recevez<br>ils/elles reçoivent | j'ai reçu<br>tu as reçu<br>il/elle/on a reçu<br>nous avons reçu<br>vous avez reçu<br>ils/elles ont reçu | je recevrai<br>tu recevras<br>il/elle/on recevra<br>nous recevrons<br>vous recevrez<br>ils/elles recevront | je recevais<br>tu recevais<br>il/elle/on recevait<br>nous recevions<br>vous receviez<br>ils/elles recevaient |
| rechercher | *voir* demander | | | |
| reconnaître | *voir* connaître | | | |
| récupérer | *voir* espérer | | | |
| redéfinir | *voir* choisir | | | |
| redémarrer | *voir* demander | | | |
| rédiger | *voir* changer | | | |
| réduire | *voir* conduire | | | |
| réécouter | *voir* demander | | | |
| réfléchir | *voir* choisir | | | |
| reformuler | *voir* demander | | | |
| refuser | *voir* demander | | | |
| regarder | *voir* demander | | | |
| régler | *voir* espérer | | | |
| regretter | *voir* demander | | | |
| rejoindre | *voir* éteindre | | | |
| relever | *voir* acheter | | | |
| relire | *voir* lire | | | |
| rembourser | *voir* demander | | | |
| remercier | *voir* étudier | | | |
| remplacer | *voir* commencer | | | |
| remplir | *voir* choisir | | | |
| rencontrer | *voir* demander | | | |
| rendre | *voir* vendre | | | |

| verbes | présent | passé composé | futur | imparfait |
|---|---|---|---|---|
| renforcer | *voir* commencer | | | |
| renouveler | *voir* épeler | | | |
| renseigner (se) | *voir* demander *et* dépêcher (se) | | | |
| rentrer | *voir* demander | j'ai rentré / je suis rentré(e) | | |
| renverser | *voir* demander | | | |
| répéter | *voir* espérer | | | |
| répondre | *voir* vendre | | | |
| reporter | *voir* demander | | | |
| reposer (se) | *voir* demander *et* dépêcher (se) | | | |
| reprendre | *voir* prendre | | | |
| représenter | *voir* demander | | | |
| réserver | *voir* demander | | | |
| respecter | *voir* demander | | | |
| réserver | *voir* demander | | | |
| respirer | *voir* demander | | | |
| rester | *voir* demander | je suis resté(e) | | |
| retourner | *voir* demander | j'ai retourné / je suis retourné(e) | | |
| retrouver | *voir* demander | | | |
| réunir (se) | *voir* choisir *et* dépêcher (se) | | | |
| réussir | *voir* choisir | | | |
| revenir | *voir* venir | | | |

## S, T, U

| verbes | présent | passé composé | futur | imparfait |
|---|---|---|---|---|
| saisir | *voir* choisir | | | |
| saluer | *voir* étudier | | | |
| sandwicher | *voir* demander | | | |
| satisfaire | *voir* faire | | | |
| savoir | je sais<br>tu sais<br>il/elle/on sait<br>nous savons<br>vous savez<br>ils/elles savent | j'ai su<br>tu as su<br>il/elle/on a su<br>nous avons su<br>vous avez su<br>ils/elles ont su | je saurai<br>tu sauras<br>il/elle/on saura<br>nous saurons<br>vous saurez<br>ils/elles sauront | je savais<br>tu savais<br>il/elle/on savait<br>nous savions<br>vous saviez<br>ils/elles savaient |
| séduire | *voir* conduire | | | |
| séjourner | *voir* demander | | | |
| sélectionner | *voir* demander | | | |
| séparer | *voir* demander | | | |
| servir | je sers<br>tu sers<br>il/elle/on sert<br>nous servons<br>vous servez<br>ils/elles servent | j'ai servi<br>tu as servi<br>il/elle/on a servi<br>nous avons servi<br>vous avez servi<br>ils/elles ont servi | je servirai<br>tu serviras<br>il/elle/on servira<br>nous servirons<br>vous servirez<br>ils/elles serviront | je servais<br>tu servais<br>il/elle/on servait<br>nous servions<br>vous serviez<br>ils/elles servaient |
| signer | *voir* demander | | | |
| sortir | *voir* servir | j'ai sorti / je suis sorti(e) | | |
| souhaiter | *voir* demander | | | |
| souligner | *voir* demander | | | |
| stationner | *voir* demander | | | |
| stopper | *voir* demander | | | |
| suggérer | *voir* espérer | | | |
| suivre | je suis<br>tu suis<br>il/elle/on suit<br>nous suivons<br>vous suivez<br>ils/elles suivent | j'ai suivi<br>tu as suivi<br>il/elle/on a suivi<br>nous avons suivi<br>vous avez suivi<br>ils/elles ont suivi | je suivrai<br>tu suivras<br>il/elle/on suivra<br>nous suivrons<br>vous suivrez<br>ils/elles suivront | je suivais<br>tu suivais<br>il/elle/on suivait<br>nous suivions<br>vous suiviez<br>ils/elles suivaient |
| superviser | *voir* demander | | | |
| supposer | *voir* demander | | | |
| surfer | *voir* demander | | | |
| sympathiser | *voir* demander | | | |
| tabler | *voir* demander | | | |
| taper | *voir* demander | | | |
| télécharger | *voir* changer | | | |
| tendre | *voir* vendre | | | |

| verbes | présent | passé composé | futur | imparfait |
|---|---|---|---|---|
| tenir | je tiens<br>tu tiens<br>il/elle/on tient<br>nous tenons<br>vous tenez<br>ils/elles tiennent | j'ai tenu<br>tu as tenu<br>il/elle/on a tenu<br>vous avez tenu<br>nous avons tenu<br>ils/elles ont tenu | je tiendrai<br>tu tiendras<br>il/elle/on tiendra<br>nous tiendrons<br>vous tiendrez<br>ils/elles tiendront | je tenais<br>tu tenais<br>il/elle/on tenait<br>nous tenions<br>vous teniez<br>ils/elles tenaient |
| terminer | *voir* demander | | | |
| tester | *voir* demander | | | |
| tolérer | *voir* espérer | | | |
| toucher | *voir* demander | | | |
| tourner | *voir* demander | | | |
| tracer | *voir* commencer | | | |
| traduire | *voir* conduire | | | |
| traiter | *voir* demander | | | |
| transférer | *voir* espérer | | | |
| transmettre | *voir* mettre | | | |
| travailler | je travaille<br>tu travailles<br>il/elle/on travaille<br>nous travaillons<br>vous travaillez<br>ils/elles travaillent | j'ai travaillé<br>tu as travaillé<br>il/elle/on a travaillé<br>nous avons travaillé<br>vous avez travaillé<br>ils/elles ont travaillé | je travaillerai<br>tu travailleras<br>il/elle/on travaillera<br>nous travaillerons<br>vous travaillerez<br>ils/elles travailleront | je travaillais<br>tu travaillais<br>il/elle/on travaillait<br>nous travaillions<br>vous travailliez<br>ils/elles travaillaient |
| trouver (se) | *voir* demander *et* dépêcher (se) | | | |
| tutoyer | *voir* employer | | | |
| utiliser | *voir* demander | | | |

## V

| verbes | présent | passé composé | futur | imparfait |
|---|---|---|---|---|
| varier | *voir* étudier | | | |
| veiller | *voir* travailler | | | |
| vendre | je vends<br>tu vends<br>il/elle/on vend<br>nous vendons<br>vous vendez<br>ils/elles vendent | j'ai vendu<br>tu as vendu<br>il/elle/on a vendu<br>nous avons vendu<br>vous avez vendu<br>ils/elles ont vendu | je vendrai<br>tu vendras<br>il/elle/on vendra<br>nous vendrons<br>vous vendrez<br>ils/elles vendront | je vendais<br>tu vendais<br>il/elle/on vendait<br>nous vendions<br>vous vendiez<br>ils/elles vendaient |
| venir | je viens<br>tu viens<br>il/elle/on vient<br>nous venons<br>vous venez<br>ils/elles viennent | je suis venu(e)<br>tu es venu(e)<br>il/elle/on est venu(e)<br>nous sommes venu(e)s<br>vous êtes venu(e)(s)<br>ils/elles sont venu(e)s | je viendrai<br>tu viendras<br>il/elle/on viendra<br>nous viendrons<br>vous viendrez<br>ils/elles viendront | je venais<br>tu venais<br>il/elle/on venait<br>nous venions<br>vous veniez<br>ils/elles venaient |
| vérifier | *voir* étudier | | | |
| visiter | *voir* demander | | | |
| vivre | je vis<br>tu vis<br>il/elle/on vit<br>nous vivons<br>vous vivez<br>ils/elles vivent | j'ai vécu<br>tu as vécu<br>il/elle/on a vécu<br>nous avons vécu<br>vous avez vécu<br>ils/elles ont vécu | je vivrai<br>tu vivras<br>il/elle/on vivra<br>nous vivrons<br>vous vivrez<br>ils/elles vivront | je vivais<br>tu vivais<br>il/elle/on vivait<br>nous vivions<br>vous viviez<br>ils/elles vivaient |
| voir | je vois<br>tu vois<br>il/elle/on voit<br>nous voyons<br>vous voyez<br>ils/elles voient | j'ai vu<br>tu as vu<br>il/elle/on a vu<br>nous avons vu<br>vous avez vu<br>ils/elles ont vu | je verrai<br>tu verras<br>il/elle/on verra<br>nous verrons<br>vous verrez<br>ils/elles verront | je voyais<br>tu voyais<br>il/elle/on voyait<br>nous voyions<br>vous voyiez<br>ils/elles voyaient |
| vouloir | je veux<br>tu veux<br>il/elle/on veut<br>nous voulons<br>vous voulez<br>ils/elles veulent | j'ai voulu<br>tu as voulu<br>il/elle/on a voulu<br>nous avons voulu<br>vous avez voulu<br>ils/elles ont voulu | je voudrai<br>tu voudras<br>il/elle/on voudra<br>nous voudrons<br>vous voudrez<br>ils/elles voudront | je voulais<br>tu voulais<br>il/elle/on voulait<br>nous voulions<br>vous vouliez<br>ils/elles voulaient |
| vouvoyer | *voir* employer | | | |
| voyager | *voir* changer | | | |

# Lexique thématique plurilingue

Les chiffres après les mots indiquent dans quelle unité ces mots apparaissent pour la première fois.
Les mots sans chiffre sont utiles pour les activités concernant le thème.

| français | anglais | espagnol | portugais | allemand | néerlandais |
|---|---|---|---|---|---|
| **Les conditions de travail** | **Working conditions** | **Condiciones de trabajo** | **As condições de trabalho** | **Arbeitsbedingungen** | **De arbeidsvoorwaarden** |
| *L'environnement de travail, m.* | *The working environment* | *Entorno laboral* | *Ambiente de trabalho* | *Arbeitsumgebung* | *Werkomgeving* |
| l'ambiance, f., 2 | atmosphere | ambiente | ambiente | Stimmung | sfeer |
| la boîte, 1 | company | empresa | firma | Firma | bedrijf |
| le boulot, 2 | work | trabajo | trabalho | Arbeit | werk |
| le bureau paysager, 3 | open-plan office | oficina abierta | escritório "open space" | Großraumbüro | kantoortuin |
| la cantine, 2 | canteen | refectorio | refeitório | Kantine | kantine |
| le, la collègue, 2 | colleague | colega, la colega | colega | Kollege, die Kollegin | collega |
| la crèche d'entreprise, 3 | company day nursery | guardería infantil de empresa | creche da empresa | Unternehmenskrippe | bedrijfs-crèche |
| le distributeur de boissons | drinks dispenser | distribuidor de bebidas | máquina de bebidas | Getränkeautomat | drankenautomaat |
| l'emploi du temps, m., 9 | timetable | programa de trabajo | agenda | Zeitplan | rooster |
| l'espace fumeurs, m., 3 | smoking area | espacio fumadores | espaço para fumadores | Raucherlokal | rook ruimte |
| l'espace partagé, m., 2 | common / shared space | espacio compartido | espaço partilhado | der geteilte Raum | gemeenschapelijke ruimte |
| la fontaine d'eau, 3 | water dispenser | fuente de agua | bica de água | Wasserbehälter | waterfontein |
| l'horaire de travail, m., 2 | working hours | horario de trabajo | horário de trabalho | Arbeitszeit | werkuren |
| la journée de travail, 3 | workday | jornada de trabajo | jornada de trabalho | Arbeitstag | werkdag |
| le lieu de travail, | workplace, | lugar de trabajo, lugares | local de trabalho, locais | Arbeitsstätte, | |
| les lieux de travail, 2 | workplaces | de trabajo | de trabalho | Arbeitsstätten | werk |
| la machine à café, 3 | coffee machine | máquina de café | máquina de café | Kaffeemaschine | koffiemachine |
| la pause (déjeuner), 2 | (lunch) break | descanso (almuerzo) | pausa (para almoço) | Mittagspause | (lunch) pauze |
| le parking, 3 | parking | parking | estacionamento | Parkplatz | parkeerterrein |
| le planning | schedule | planning | cronograma | Zeitplan | schema |
| la routine, 2 | routine | rutina | rotina | Routine | routine |
| le restaurant d'entreprise, 2 | staff canteen | restaurante de empresa | restaurante da empresa | Kantine | bedrijfsrestaurant |
| le pot (d'anniversaire / | drink (birthday / farewell | copa de cumpleaños, | festa (de aniversário / | Feier (Geburtstags-, | (verjaardag / vertrek) |
| de départ), 7 | party) | de despedida | de despedida) | Abschieds-) | borrel |
| la salle de détente, 3 | relaxation room | sala de relajación | sala de repouso | Entspannungsraum | ontspanningruimte |
| la salle de sports, 3 | sports room | sala de deportes | sala de desportos | Sporthalle | sportruimte |
| la sieste, 2 | siesta | siesta | sesta | Mittagsschlaf | siësta |
| le stress, 2 | stress | estrés | stresse | Stress | stress |
| *Le stage [en entreprise], 1* | *The training period (placement)* | *Cursillo (en empresa)* | *Estágio (em empresa)* | *Praktikum (in einem Unternehmen)* | *Stage (in een bedrijf)* |
| la convention de stage | training period contract | convenio de cursillo | convenção de estágio | Praktikumsvereinbarung | stagecontract |
| l'entreprise d'accueil, f. | training company | empresa de acogida | empresa acolhedora | Aufnahmeunternehmen | stagegever |
| l'établissement de formation, m. | schooling institution | establecimiento de formación | estabelecimento de formação | Ausbildungsanstalt | school |
| la gratification | bonus | gratificación | gratificação | Gratifikation | bonus |
| le rapport de stage | training course report | informe de cursillo | relatório de estágio | Praktikumsbericht | stage verslag |
| le tuteur, la tutrice de stage | training course tutor | tutor, tutora de prácticas | tutor, tutora do estágio | Praktikumstutor, Praktikumstutorin | stage docent |
| *Le contrat de travail* | *The work contract* | *Contrato de trabajo* | *Contrato de trabalho* | *Arbeitsvertrag* | *Arbeidsovereenkomst* |
| les avantages sociaux, m.pl., 10 | social benefits | beneficios sociales | vantagens sociais | Sozialleistungen | sociale voordelen |
| les congés [payés], 2 | (paid) holidays | vacaciones (pagadas) | férias remuneradas | der (bezahlte) Urlaub | jaarlijkse vakantie |
| le congé maternité, 6 | maternity leave | licencia por maternidad | licença por maternidade | Mutterschaftsurlaub | zwangerschapsverlof |
| le congé parental, 10 | parental leave | licencia por maternidad/ paternidad | licença parental | Vaterschaftsurlaub | ouderschapsverlof |
| la démission | resignation | dimisión | demissão | Kündigung | ontslag |
| l'embauche, f. | hiring | contratación | contratação | Einstellung | in dienst nemen |
| l'employeur, l'employeuse | employer | empleador, empleadora | empregador, empregadora | Arbeitgeber, Arbeitgeberin | werkgever, werkgeefster |
| l'entrée en fonction, f., 10 | assumption of duties | entrada en función | entrada em função | Antritt | functie aanvaarding |
| le fixe, 6 | basic salary | fijo | fixo | Festgehalt | vaste inkomen |
| les frais (de déplacement), m.pl., 6 | (travel) expenses | gastos (de desplazamiento) | despesas (de deslocação) | Fahrkosten | (reis) kosten |
| l'horaire variable, f., 2 | flexible working hours | horario variable | horário variável | gleitende Arbeitszeit | glijdende werktijden |
| l'indemnité, f. | compensation | indemnización | indemnização | Entschädigung | vergoeding |
| le licenciement | redundancy/dismissal | despido | despedimento | Entlassung | ontslag |
| le plein temps | full time | plena dedicación | tempo completo | Ganztagsarbeit | volledige baan |
| la prime, 6 | bonus | prima | bónus | Prämie | premie |
| la promotion, 2 | promotion | promoción | promoção | Beförderung | promotie |
| la rémunération fixe / variable | fixed / flexible wages | remuneración fija, variable | retribuição fixa / variável | feste / variable Vergütung | vaste / glijdende loon |
| le salaire (brut / net), 2 | wages (gross / net) | salario (bruto / neto) | salário (bruto / líquido) | Lohn (Brutto-, Netto-) | bruto / netto salaris |
| le temps partiel, 2 | part-time job | dedicación parcial | tempo parcial | Teilzeit | deeltijdbaan |
| les vacances, f.pl. | holidays | vacaciones | férias | Ferien | vakantie |
| la voiture de fonction, 6 | company car | coche de empresa | viatura de função | Dienstwagen | dienstauto |

| français | anglais | espagnol | portugais | allemand | néerlandais |
|----------|---------|----------|-----------|----------|-------------|
| **Le bureau** | **The office** | **Oficina** | **O escritório** | **Das Büro** | **Het kantoor** |
| l'agenda (électronique), m., 2 | diary (organizer) | agenda (electrónica) | agenda [electrónica] | der [elektronische] Taschenkalender | (electronische) agenda |
| l'ascenseur, m., 3 | lift | ascensor | elevador | Aufzug | lift |
| le badge, 1 | badge | chapa distintiva | insignia | Magnetkarte | badge |
| le bureau, les bureaux, 2 | office, offices | oficina, oficinas | escritório, escritórios | Büro, Büros | kantoor, kantoren |
| la calculette, 6 | pocket calculator | calculadora | calculadora | Taschenrechner | zakrekenmachientje |
| la carte de visite, 1 | business card | tarjeta de visita | cartão-de-visita | Visitenkarte | visitekaartje |
| la cartouche d'encre, 6 | ink cartridge | cartucho de tinta | tinteiro | Tintenkartusche | inktpatroon |
| le classeur | file | carpeta | classificador | Ordner | ordner |
| la climatisation, 3 | air conditioning | climatización | climatização | Klimaanlage | air-conditioning |
| le copieur, 3 | copier | copiadora | copiador | Kopiergerät | kopieermachine |
| la corbeille, 9 | basket | papelera | cesto | Papierkorb | prullenmand |
| l'encre, f., 8 | ink | tinta | tinta | Tinte | inkt |
| le fauteuil, 3 | armchair | sillón | poltrona | Sessel | leunstoel |
| la fenêtre, 3 | window | ventana | janela | Fenster | raam |
| la feuille A3 / A4, 8 | sheet | hoja A3/A4 | folha A3 / A4 | Blatt | blad A3/ A4 |
| les fournitures de bureau, f.pl., 6 | stationery | artículos de escritorio | material de escritório | Bürobedarf | kantoor benodigdheden |
| l'imprimante, f., 3 | printer | impresora | impressora | Drucker | printer |
| le mur, 3 | wall | pared | parede | Wand | muur |
| l'ordinateur (de bureau / portable), m., 1 | computer (desktop/laptop) | ordenador (de mesa / portátil) | computador (de secretaria / portátil) | Computer (Desktop / Laptop) | computer / schootcomputer |
| la réparation (d'un appareil), 3 | repair (of a device) | reparación de un aparato | reparação (de um aparelho) | Reparatur (eines Geräts) | reparatie (van een apparaat) |
| le papier, 3 | paper | papel | papel | Papier | papier |
| la photocopieuse, 3 | photocopier | fotocopiadora | fotocopiador | Fotokopierer | kopieerapparaat |
| la porte, 3 | door | puerta | porta | Tür | deureur |
| le porte-documents, les porte-documents, 3 | document case | cartera, carteras | capa catálogo, capas catálogo | Aktentasche, Aktentaschen | aktentas, aktentassen |
| la ramette de papier, 3 | ream of paper | resmilla de papel | resma de papel | Papierpaket | riem papier |
| le ruban correcteur, 9 | cover-up tape | cinta correctora | fita correctora | Korrekturband | correctieroller |
| le stylo (à bille), 6 | pen (ball-point) | bolígrafo | caneta [esferográfica] | Kugelschreiber | vulpen (ballpen) |
| le toner, 3 | toner | tóner | toner | Toner | toner |
| **Les écrits** | **Written documents** | **Escritos** | **Os escritos** | **Schriftliche Unterlagen** | **De geschriften** |
| le carnet d'adresses | address book | libreta de direcciones | livro de moradas | Adressheft | adresboek |
| la copie, 8 | copy | copia | cópia | Kopie | kopie |
| le courriel, 1 | e-mail | e-mail/correo electrónico | email | E-Mails | e-mail |
| le descriptif (de produit), 8 | description (of product) | descriptivo (de producto) | descrição (de produto) | (Produkt-)Beschreibung | beschrijving (van product) |
| la documentation, 7 | documentation | documentación | documentação | Dokumentation | documentatie |
| le dossier, 2 | file | dossier | dossier | Akte | dossier |
| le double, 10 | copy | duplicado | cópia | Durchschlag | kopie |
| l'exemplaire, m., 9 | copy | ejemplar | exemplar | Exemplar | exemplaar |
| le fax, 4 | fax | fax | telefax | Fax | fax |
| la fiche (d'appel) téléphonique | phone call index card | ficha telefónica | ficha (de chamada) telefónica | Telefonnotiz | steekkaart |
| le formulaire, 10 | form | formulario | formulário | Formular | formulier |
| le guide de l'utilisateur, 3 | user guide | guía del usuario | guia do utilizador | Bedienungsanleitung | gebruiksaanwijzing |
| la lettre d'engagement, 10 | engagement letter | carta de contratación | carta de compromisso | Einstellungsschreiben | engagement letter |
| la liste de tâches, 6 | task list | lista de tareas | lista de tarefas | Aufgabenliste | opdracht list |
| la note, 9 | note | nota | nota | Notiz | aantekening |
| l'original, m., 10 | original | original | original | Original | origineel |
| le planning, 10 | work planning | planning | cronograma | Zeitplan | werkplanning |
| le rapport, 3 | report | informe | relatório | Bericht | verslag |
| la télécopie, 4 | fax | fax | telefax | Fax | fax |
| **Les télécommunications** | **Telecommunications** | **Telecomunicaciones** | **As telecomunicações** | **Telekom** | **De telecommunicaties** |
| l'appel téléphonique, m., 3 | phone call | llamada telefónica | chamada telefónica | Anruf | telefonische oproep |
| appeler quelqu'un | to call somebody | llamar a alguien | chamar alguém | jemanden anrufen | iemand opbellen |
| l'annuaire, m. | phone book | guía telefónica | lista | Telefonbuch | gids |
| la batterie, 3 | battery | batería | bateria | Batterie | batterij |
| la boîte vocale, 3 | voice mail | buzón de voz | caixa de voz | Anrufbeantworter | voicemail |
| la carte de téléphone, 6 | phone card | tarjeta telefónica | cartão de telefone | Telefonkarte | telefoonKaart |
| le chargeur de batterie | battery charger | cargador de batería | carregador de bateria | Batterieladegerät | batterij oplader |
| les coordonnées, f.pl., 4 | contact information | datos | dados | Kontaktdaten | personalia |
| le correspondant, la correspondante, 3 | caller | corresponsal | correspondente | Korrespondent, Korrespondentin | correspondent, correspondente |
| le coup de fil, 2 | phone call | llamada telefónica | telefonema | Anruf | telefoontje |
| décrocher / raccrocher | to pick up/ hang up | descolgar / colgar | atender / desligar | abnehmen / auflegen | opnemen / ophangen |
| la ligne directe, 4 | direct line | línea directa | linha directa | Direktanschluss | directe verbinding |
| la messagerie vocale, 2 | voice messaging | mensajería vocal | voice mail | Nachrichtendienst | voice messaging |
| le mode vibration | buzzing mode | modo vibración | modo vibrador | Betriebsart Vibration | triller modus |
| le numéro de téléphone, 3 | phone number | número de teléfono | número de telefone | Telefonnummer | telefoonnummer |
| le mobile, 6 | mobile | celular | telemóvel | Mobiltelefon | mobieltelefoon |
| le poste (téléphonique), 3 | telephone | puesto | extensão [telefónica] | Telefon | telefoon |
| répondre à quelqu'un | to answer somebody | contestar a alguien | atender alguém | jemandem antworten | antwoorden |
| la sonnerie, 6 | ring tone | timbre | toques | Tonzeichen | bel |
| le téléphone fixe, 6 | fixed telephone | teléfono fijo | telefone fixo | Festtelefon | draadtelefoon |

| français | anglais | espagnol | portugais | allemand | néerlandais |
|---|---|---|---|---|---|
| le téléphone mobile / portable, *2* | mobile phone | teléfono celular / portátil | telemóvel / celular | Mobiltelefon / Handy | mobieltelefoon |
| téléphoner à quelqu'un | to give someone a call | telefonear a alguien | telefonar para alguém | jemanden anrufen | opbellen |
| le texto, le SMS, *6* | texte message, SMS | texto, SMS | SMS | Texto, SMS | text message, SMS |
| la touche dièse (#) | pound key | tecla almohadilla | tecla sustenido | Kreuz-Taste | kruistoets |
| la touche étoile (*) | star key | tecla estrella | tecla asterisco | Stern-Taste | stertoets |
| la vidéoconférence | videoconference | videoconferencia | videoconferência | Videokonferenz | videovergadering |
| le visiophone | videophone | videofono | videofone | Visiophon | videofoon |

| **L'état civil, la famille** | **Civil status, family** | **Estado civil, la familia** | **O estado civil, a família** | **Personenstand, Familie** | **Burgerlijke stand, familie** |
|---|---|---|---|---|---|
| l'adresse, f., *1* | address | dirección | morada | Anschrift | adres |
| l'âge, m., *1* | age | edad | idade | Alter | leeftijd |
| l'ami, l'amie, *1* | friend | amigo, amiga | amigo, amiga | Freund, Freundin | vriend, vriendin |
| l'anniversaire, m., *6* | birthday | cumpleaños | aniversário | Geburtstag | verjaardag |
| le couple | couple | pareja | casal | Paar | echtpaar |
| le cousin | cousin | primo | primo | Vetter | neef |
| la cousine | cousin | prima | prima | Cousine | nicht |
| la date de naissance | date of birth | fecha de nacimiento | data de nascimento | Geburtsdatum | geboortedatum |
| les enfants, m.pl., *1* | children | hijos | filhos | Kinder | kinderen |
| l'état civil, m., *10* | civil status | estado civil | estado civil | Personenstand | burgerlijke stand |
| la famille, *1* | family | familia | família | Familie | familie |
| la femme, *1* | wife | mujer | mulher | Frau | vrouw |
| la fille, *5* | daughter | hija | filha | Tochter | dochter |
| le fils, *1* | son | hijo | filho | Sohn | zoon |
| le frère, *1* | brother | hermano | irmão | Bruder | broer |
| la grand-mère | grandmother | abuela | avó | Großmutter | grootmoeder |
| le grand-père | grandfather | abuelo | avô | Großvater | grootvader |
| les grands-parents, m.pl., *6* | grandparents | abuelos | avós | Großeltern | grootouders |
| le jumeau, les jumeaux, *1* | twin, twins | mellizo, mellizos | gémeo, gémeos | Zwillingsbruder, Zwillinge | tweeling, tweelingen |
| la jumelle | twin | melliza | gémea | Zwillingsschwester | tweeling |
| le mari, *1* | husband | marido | marido | Gatte | echtgenoot |
| la mère, *4* | mother | madre | mãe | Ehemann | moeder |
| le neveu | nephew | sobrino | sobrinho | Mutter | neef |
| la nièce | niece | sobrina | sobrinha | Neffe | nicht |
| le nom (de famille), *1* | name (family name) | apellido | apelido (de família) | Nichte | naam (achternaam) |
| l'oncle, m. | uncle | tio | tio | Onkel | oom |
| les parents, m.pl., *1* | parents | padres | pais | Eltern | ouders |
| le pays de naissance, *1* | country of birth | país de nacimiento | país de nascimento | Geburtsland | land van geboorte |
| le père | father | padre | pai | Vater | vader |
| le prénom, *1* | first name | nombre | prenome | Vorname | voornaam |
| la sœur | sister | hermana | irmã | Schwester | zuster |
| le surnom, *1* | nickname | apodo | alcunha | Spitzname | bijnaam |
| la tante | aunt | tia | tia | Tante | tante |

| **Le logement** | **Housing** | **Vivienda** | **A habitação** | **Wohnung** | **De Woning** |
|---|---|---|---|---|---|
| *Situation* | *Location* | *Ubicación* | *Situação* | *Lage* | *Lokatie* |
| la banlieue, *8* | suburb | suburbios | subúrbio | Vorstadt | voorstad |
| la campagne, *3* | country | campo | campo | Land | platteland |
| la mer, *3* | sea | mar | mar | Meer | zee |
| la montagne, *2* | mountain | montaña | montanha | Gebirge | berg |
| le village, *4* | village | pueblo | aldeia | Dorf | dorp |
| la ville, *4* | city | ciudad | cidade | Stadt | stad |
| *Types de logement* | *Types of housing* | *Tipos de vivienda* | *Tipos de habitação* | *Wohnungsformen* | *Woning soorten* |
| l'appartement, m. | apartment | apartamento | apartamento | Wohnung | appartement |
| la cave | cellar | cuarto trastero | cave | Keller | kelder |
| la chambre meublée | furnished room | habitación amueblada | quarto guarnecido | möbliertes Zimmer | gemeubileerde kamer |
| le déménagement, *7* | move | mudanza | mudança | Umzug | verhuizing |
| l'étage, m., *4* | floor | piso | andar | Stock | verdieping |
| l'immeuble, m., *3* | building | edificio | imóvel | Wohnhaus | flatgebouw |
| la maison, *1* | house | casa | casa | Haus | huis |
| le rez-de-chaussée, *4* | ground floor | planta baja | rés-do-chão | Erdgeschoß | benedenverdieping |
| *Types de pièces* | *Types of rooms* | *Tipos de habitaciones* | *Tipos de aposentos* | *Zimmertypen* | *Kamer soorten* |
| la chambre à coucher | bedroom | dormitorio | quarto | Schlafzimmer | slaapkamer |
| la cuisine | kitchen | cocina | cozinha | Küche | keuken |
| la pièce | room | habitación | aposento | Zimmer | kamer |
| la salle à manger | dining room | comedor | sala de jantar | Esszimmer | eetkamer |
| la salle de bain(s), *3* | bathroom | cuarto de baño | casa de banho | Bad | badkamer |
| le salon | lounge | estancia | sala | Wohnzimmer | salon |
| les toilettes, f.pl., *3* | toilet | servicios | lavabos | Toilette | toilet |
| le confort, *4* | comfort | confort | conforto | Komfort | comfort |
| *Équipements* | *Facilities* | *Equipos* | *Equipamentos* | *Ausstattung* | *Voorzieningen* |
| la baignoire, *4* | bathtub | bañera | banheira | Badewanne | badkuip |
| le barbecue, *3* | barbecue | barbacoa | grelhador | Barbecue | barbecue |
| le chauffage central, *3* | central heating | calefacción central | aquecimento central | Zentralheizung | centrale verwarming |
| la douche, *4* | shower | ducha | duche | Dusche | douche |

| français | anglais | espagnol | portugais | allemand | néerlandais |
|---|---|---|---|---|---|
| le jardin, 3 | garden | jardín | jardim | Garten | tuin |
| le lave-linge, 3 | washer | lavadora | máquina de lavar a roupa | Waschmaschine | wasmachine |
| le lit, 3 | bed | cama | cama | Bett | bed |
| le sèche-linge, 3 | tumble-dryer | secadora | máquina de secar a roupa | Wäschetrockner | droogtrommel |
| la télévision satellite, 3 | satellite television | televisión satélite | televisão por satélite | Satellitenfernsehen | satelliettelevisie |
| **Les entreprises** | **Companies** | **Empresas** | **As empresas** | **Unternehmen** | **Ondernemingen** |
| *Le secteur d'activité, la branche* | *The line of business* | *Sector de actividad, ramo* | *O sector de actividade, o ramo* | *Aktivitätsbereich, Branche* | *Activiteit sector* |
| l'aéronautique, f. | aeronautics | aeronáutica | aeronáutica | Luftfahrt | luchtvaartkunde |
| l'agroalimentaire, m., 6 | food-processing industry | agroalimentario | agroalimentar | Nahrungsmittelindustrie | agro-alimentaire sector |
| l'audiovisuel, m., 10 | broadcasting | audiovisual | audiovisual | Audiovisuelle Unternehmen | audiovisuele sector |
| l'automobile, f., 9 | motor industry | automóvil | automóvel | Fahrzeug | auto-industrie |
| la banque, 7 | banking | banca | banca | Bank | bank |
| les biotechnologies, f.pl., 9 | biotechnologies | biotecnologías | biotecnologias | Biotechnologien | biotechnologieën |
| la chimie, 6 | chemistry | química | química | Chemie | scheikunde |
| le conseil aux entreprises, 8 | consulting | asesoría a las empresas | consultoria empresarial | Unternehmensberatung | raadgeving en advies |
| l'électroménager, m., 6 | electrical goods industry | electrodoméstico | electrodoméstico | Elektrische Haushaltsgeräte | elektrische huishoudapparatuur |
| l'électronique, m., 6 | electronics industry | electrónica | electrónica | Elektronik | elektronika |
| l'énergie, f., 9 | energy industry | energía | energia | Energie | energie |
| la finance, 8 | finance | finanzas | finança | Finanzen | financiën |
| l'industrie culturelle, f., 10 | culture | industria cultural | indústria cultural | Kultur | culturele industrie |
| l'industrie du luxe, f., 10 | luxury goods industry | industria del lujo | indústria do luxo | Luxusindustrie | luxeindustrie |
| l'informatique, f., 6 | computer industry | informática | informática | Datenverarbeitung | informatica |
| le luxe, 1 | luxury | lujo | luxo | Luxus | luxe |
| la mode, 10 | fashion | moda | moda | Mode | mode |
| la papeterie, 9 | paper industry | papelería | papelaria | Papierwaren | papierfabricage |
| la presse magazine, 9 | magazine industry | prensa revistas | imprensa de revistas | Zeitschriftenpresse | magazinepers |
| la production de films, 10 | film producing | producción de películas | produção de filmes | Filmproduktion | film productie |
| la restauration, 6 | catering | restauración | restauração | Gastronomie | catering |
| les technologies de l'information, f.pl., 10 | information technologies | tecnologías de la información | tecnologias da informação | Informationstechnologie | informatietechnologieën |
| la téléphonie mobile, 9 | mobile telephony | telefonía móvil | telefonia móvel | Mobilfunk | mobiele telefonie |
| le textile, 10 | textile industry | textil | têxtil | Textilien | textiel |
| le tourisme, 5 | tourism industry | turismo | turismo | Fremdenverkehr | toerisme |
| *Exemples d'entreprises* | *Types of companies* | *Ejemplos de empresas* | *Exemplos de empresas* | *Unternehmensbeispiele* | *Voorbeelden van ondernemingen* |
| l'agence de presse, f., 10 | news agency | agencia de prensa | agência de imprensa | Presseagentur | nieuwsagentschap |
| l'agence de voyages, f., 3 | travel agency | agencia de viajes | agência de viagens | Reisebüro | reisagentschap |
| l'agence immobilière, f., 3 | real estate agency | agencia inmobiliaria | agência imobiliária | Immobilienagentur | makelaar |
| la boulangerie, 6 | bakery | panadería | padaria | Bäckerei | bakkerij |
| le cabinet de recrutement, 6 | recruitment agency | gabinete de contratación | gabinete de recrutamento | Arbeitsvermittlung | rekruteringskabinet |
| le cabinet d'avocats, 1 | law firm | bufete de abogados | gabinete de advogados | Anwaltskanzlei | advocatenpraktijk |
| le cabinet de consultants, 1 | consulting firm | oficina de consultores | gabinete de consultoria | Consulting-Büro | consultancypraktijk |
| le centre d'appels, 3 | call center | centro de llamadas | centro de chamadas | Call-Center | callcenter |
| le centre de recherche(s), 2 | research center | centro de investigación | centro de investigação(ões) | Forschungszentrum | onderzoekscentrum |
| la chaîne d'hypermarchés, 6 | chain of superstores | cadena de hipermercados | cadeia de hipermercados | Hypermarkt-Kette | grote supermarktketen |
| le cigarettier, 6 | cigarette manufacturer | fabricante de cigarros | cigarreiro | Zigarettenhersteller | sigarettenfabrikant |
| la compagnie d'assurances, 10 | insurance company | compañía de seguros | companhia de seguros | Versicherungsgesellschaft | verzekeringsmaatschappij |
| la compagnie pétrolière, 9 | oil company | compañía petrolera | companhia petroleira | Mineralölkonzern | oliemaatschappij |
| le constructeur de voitures, 9 | car manufacturer | fabricante de coches | construtor de automóveis | Fahrzeughersteller | autofabrikant |
| l'entreprise agroalimentaire, f., 8 | food-processing company | empresa agroalimentaria | empresa agroalimentar | Unternehmen der Nahrungsmittelindustrie | voedingsmiddelenonderneming |
| l'entreprise automobile, f., 1 | motor company | empresa automotora | empresa automóvel | Fahrzeugfirma | automobielonderneming |
| le fabricant (de jouets / montres / ...), 6 | manufacturer (of toys / watches...) | fabricante (de juguetes / de relojes ...) | fabricante (de brinquedos / de relógios...) | Spielzeughersteller, Uhrenhersteller | (speelgoed /horloge ...) fabrikant |
| la jeune entreprise internet, 8, la jeune pousse, 8 | internet start-up, start-up | empresa joven internet, empresa recién nacida | jovem empresa internet, start-up | Internet-Firma, Ableger | internet start-up, start-up |
| le laboratoire pharmaceutique, f., 6 | pharmaceutical company | laboratorio farmacéutico | laboratório farmacêutico | Pharmalabor | farmaceutische laboratorium |
| la maison de (haute) couture, 1 | fashion house | casa de alta costura | firma de (alta) costura | Modehaus | modehuis |
| le parc de loisirs, 9 | leisure park | parque de recreo | parque de diversões | Freizeitpark | recreatiepark |
| le producteur de champagne, 10 | champagne grower | productor de champaña | produtor de champagne | Sektkellerei | champagne producent |
| le salon de coiffure, 4 | hairdressing salon | peluquería | salão de cabeleireiro | Frisiersalon | kapsalon |
| la société de services informatiques, 7 | service firm | sociedad de servicios informáticos | sociedade de serviços de informática | Softwarehaus | informatica dienstverlenend bedrijf |
| la station-service, les stations-service, 5 | petrol station, petrol stations | gasolinera, gasolineras | bomba de gasolina, bombas de gasolina | Tankstelle, Tankstellen | benzinestation |
| *Les entreprises selon : la taille* | *Companies according to: their size* | *Empresas según: tamaño* | *As empresas consoante : tamanho* | *die Unternehmen nach : Größe* | *Ondernemingen volgens : de maat* |
| le chiffre d'affaires, 6 | turnover | volumen de negocio | volume de negócios | Umsatz | omzet |
| l'effectif, m., 9 | staff | plantilla | pessoal | Belegschaft | personeelsbestand |
| l'entreprise moyenne, f., 10 | medium-sized firm | empresa media | empresa média | Mittelständisches Unternehmen | middenbedrijf |
| la grande entreprise | big company | gran empresa | grande empresa | Großunternehmen | grootbedrijf |
| la petite entreprise | small firm | pequeña empresa | pequena empresa | Kleinbetrieb | kleinbedrijf |
| la multinationale, 10 | multinational | multinacional | multinacional | Multinationales Unternehmen | multinational |
| la PME, 6 | small and medium-sized firm | PYME | PME | KMU | MKB |
| la société multinationale, 8 | multinational company | sociedad multinacional | sociedade multinacional | Multinationale Gesellschaft | multinationale vennootschap |

| français | anglais | espagnol | portugais | allemand | néerlandais |
|---|---|---|---|---|---|
| *les relations juridiques* | *the legal relations* | *relaciones juridicas* | *as relações juridicas* | *Rechtliche Beziehungen* | *de juridische betrekkingen* |
| le capital social, 9 | authorized capital | capital social | capital social | Stammkapital | aandelenkapitaal |
| la dénomination sociale, 8 | corporate name | denominación social | razão social | Unternehmensbezeichnung | sociale benaming |
| la filiale, 9 | subsidiary | filial | filial | Tochtergesellschaft | dochtermaatschappij |
| le groupe, 6 | group | grupo | grupo | Gruppe | groep |
| la maison, la société mère, 9 | parent company | casa, la sociedad matriz | instituição, sociedade-mãe | Muttergesellschaft | moedermaatschappij |
| le siège (social), 1 | head office | domicilio social | sede (social) | Firmensitz | hoofdkantoor |
| la société, 1 | company | sociedad | sociedade | Gesellschaft | maatschappij |
| la société anonyme (SA), 8 | limited company | sociedad anónima | sociedade anónima (SA) | Aktiengesellschaft | naamloze vennootschap |
| le sous-traitant, 8 | subcontractor | subcontratante | subcontratado | Zulieferer | toeleverancier |
| *les lieux de travail* | *workplaces* | *lugares de trabajo* | *os locais de trabalho* | *Arbeitsstätten* | *arbeidsplaatsen* |
| l'aire de stockage, f., 9 | stock point | área de almacenamiento | área de armazenamento | Lagerfläche | opslagplaats |
| l'atelier, m., 9 | workshop | taller | oficina | Werkstatt | werkplaats |
| le centre de production | fabric | centro de producción | centro de produção | Produktionsstätte | productiecentrum |
| l'entrepôt, m., 4 | store | depósito | armazém | Lager | opslagplaats |
| l'établissement, m., 5 | establishment | establecimiento | estabelecimento | Betrieb | instelling |
| l'implantation, f., 9 | establishment | implantación | implantação | Niederlassung | vestiging |
| le parc d'entreprises, 5 | business park | parque de empresas | parque de empresas | Unternehmenspark | bedrijvenpark |
| la plateforme logistique, 9 | logistics platform | plataforma logística | plataforma logística | Logistikplattform | logistieke platform |
| le site de production, 8 | production site | planta de producción | sítio de produção | Produktionsstätte | productieplaats |
| l'unité de montage, f., 9 | assembly unit | unidad de montaje | unidade de montagem | Montagewerk | montageunit |
| l'usine, f., 4 | factory | fábrica | fábrica | Werk | fabriek |
| **L'internet** | **Internet** | **Internet** | **Internet** | **Das Internet** | **Internet** |
| l'accès à internet, m., 3 | internet access | acceso a Internet | acesso à internet | Zugriff zum Internet | internet toegang |
| l'achat en ligne, m., 3 | on-line purchase | compra en línea | compras on-line | On-line-Kauf | online aankoop |
| l'adresse électronique, f., 4 | e-mail address | dirección electrónica | endereço electrónico | E-Mail-Adresse | e-mailadres |
| allumer | to switch on | encender | ligar | einschalten | aansteken |
| l'application, f. | application software | aplicación | aplicação | die Anwendung | applicatie programmatuur |
| la baladodiffusion, 8 | podcasting | baladodifusión | podcasting | Musikverbreitung | podcasting |
| la base de données, 8 | data base | base de datos | base de dados | Datenbasis | database |
| le blog(ue), 7 | blog | blog | blog | Blog | blog |
| la boîte à lettres, 8 | mailbox | buzón | caixa de correio | Mail-Box | brievenbus |
| le cédérom, 6 | CD-ROM | CD rom | CDRom | CD-Rom | CD-rom |
| le clavier | keyboard | teclado | teclado | Tastatur | klavier |
| la clé USB, 3 | USB memory key | llave USB | USB pen drive | USB-Schlüssel | USB sleutel |
| le clic (de souris), 8 | (mouse) click | clic | clique (de rato) | (Maus-)Klick | (muis) klik |
| se connecter | to connect | conectarse | iniciar sessão | sich anschließen | zich aansluiten |
| la connexion, 3 | connection | conexión | início de sessão | Anschluss | aansluiten |
| le courriel, 1 | e-mail | e-mail | email | E-Schreiben | e-mail |
| la déconnexion, 8 | disconnection | desconexión | encerramento de sessão | Logout | uitschakelen |
| le disque dur | hard disk | disco duro | disco rígido | Festspeicherplatte | harde schijf |
| les données, f.pl., 6 | data | datos | dados | Daten | data |
| l'écran, m, 8 | screen | pantalla | ecrã | Bildschirm | scherm |
| éteindre | to switch off | apagar | desligar | ausschalten | uitdoem |
| la fenêtre, 8 | window | ventana | janela | Fenster | venster |
| le fichier, 8 | file | archivo | ficheiro | Datei | bestand |
| le fil d'actualité, 8 | current events thread | hilo de la actualidad | fio das notícias | Aktuelles | nieuwsdraad |
| la formation à distance, 8 | distance learning | formación a distancia | formação à distância | Fern-Schulung | afstandsvorming |
| le forum (sur) internet, 8 | internet forum | forum en internet | fórum (na) internet | Internet-Forum | internet forum |
| le fournisseur d'accès à internet (FAI), 8 | internet service provider | suministrador de acceso a internet | fornecedor de acesso à internet (FAI) | Internet-Ambieter | internet provider |
| le haut débit, 3 | broadband connection | alto débito | banda larga | Breitband | breedband connectie |
| l'icône, f., 8 | icon | icono | ícone | Ikon | icon |
| l'internaute, m.f., 8 | internet user | internauta | internauta | Internaut | internet gebruiker |
| l'internet, m., 3 | internet | internet | internet | Internet | internet |
| l'intranet, m., 2 | intranet | intranet | intranet | Intranet | intranet |
| le logiciel, 2 | software | software | software | Software | software |
| le matériel informatique | hardware | equipo informático | material de informática | EDV-Hardware | hardware |
| le message (électronique), 2 | e-mail | mensaje (electrónico) | mensagem (electrónica) | (elektronische) Mitteilung | e-mail |
| la messagerie, 3 | electronic messaging | mensajería | mensageiro | Mailbox | besteldienst |
| la mise à jour, 6 | update | puesta al día | actualização | Update | opwaarderen |
| le mot clé, 8 | keyword | palabra clave | palavra-chave | Schlüsselwort | trefwoord |
| le mot de passe, 8 | password | contraseña | palavra-passe | Passwort | wachtwoord |
| le moteur de recherche, 8 | search engine | motor de búsqueda | motor de busca | Suchmotor | zoekmachine |
| le navigateur (internet), 8 | web browser | navegador (internet) | navegador (internet) | Browser | bladeraar |
| naviguer, surfer | to browse, to surf | navegar | navegar, surfar | surfen | surfen |
| numériser, scanner | to digitize, to scan | digitalizar | digitalizar, scanner | digitalisieren, scannen | digitaliseren |
| le nom d'utilisateur, 8 | username | nombre del usuario | nome de utilizador | Benutzername | gebruikersnaam |
| le numérique, 8 | digital technologies | digital | digital | digitale Technologien | digitale technologie |
| l'onglet, m., 8 | tab | uñero | separador | Tab/Reiter | tab |
| l'ordinateur, m., 1 | computer | ordenador | computador | Computer | computer |
| les outils bureautiques, m.pl., 6 | office automation tools | herramientas ofimáticas | ferramentas de burótica | Informatikanwendung | kantoorautomatisering hulpmiddelen |
| la page d'accueil, 8 | homepage | página de acogida | página inicial | Empfangsseite | hoofdpagina |
| la page web, 6 | web page | página web | página Web | Web-Seite | webpagina |

| français | anglais | espagnol | portugais | allemand | néerlandais |
|---|---|---|---|---|---|
| la publication assistée par ordinateur (PAO), 10 | desktop publishing | publicación asistida (PAO) por ordenador | publicação assistida (DTP) por computador | Computergestütztes Publizieren | electronisch publiceren |
| le portail, 8 | portal | portal | portal | Portal | portaal |
| le progiciel de gestion intégré (PGI), 9 | Entreprise Resource Planning (ERP) | software de gestión integrada | Sistema de Gestão Integrado (ERP) | Integrierte Verwaltungssoftware | geïntegreerde ERP automatiseringsoplossing |
| le serveur (informatique), 3 | server | servidor informático | servidor (informática) | Server | hoofdcomputer |
| le site (web), 1 | web site | sitio | sítio (Web) | Web-Site | webpagina |
| le site favori, 8 | bookmarks | sitio favorito | sítio favorito | Lieblings-Site | favorieten |
| la souris | mouse | ratón | rato | Maus | muis |
| taper | to type | teclear | digitar | tippen | typen |
| les technologies de l'information et de la communication (TIC), f.pl., 8 | new information and communication technologies | tecnologías de la información y de la comunicación | tecnologias da informação e da (comunicação (TIC) | Informations-und Kommunikationstechnologien | nieuwe informatie en communicatietechnologie |
| le téléchargement, 3 | download | telecargamento | telecarregamento | Herunterladen | download |
| la toile, 8 | web | tela | web | Web | internet |
| l'utilisateur, l'utilisatrice, 3 | user | usuario, usuaria | utilizador, utilizadora | Benutzer, Benutzerin | gebruiker, gebruikster |
| le virus | virus | virus | vírus | Virus | virus |
| **La nourriture et les boissons** | **Food and drinks** | **Comida y bebidas** | **A comida e as bebidas** | **Nahrung und Getränke** | **Eten en drinken** |
| *Les types de repas* | *Types of meal* | *Tipos de comidas* | *Os tipos de refeições* | *Mahlzeittypen* | *Maaltijden* |
| le buffet, 4 | buffet | bufet | bufete | Büffet | buffet |
| la collation, 5 | snack | tentempié | merenda | Erfrischung | lichte maaltijd |
| le déjeuner | lunch | almuerzo | almoço | Mittagessen | lunch |
| le dîner, 2 | dinner | cena | jantar | Abendessen | avondmaal |
| le petit(-)déjeuner, 4 | breakfast | desayuno | pequeno-almoço | Frühstück | ontbijt |
| le plateau-repas | lunch-tray | bandeja de comida | bandeja de refeição pronta | Essenstablett | maaltijdblad |
| le repas de midi, 5 | lunch | almuerzo | refeição do meio-dia | Mittagsmahlzeit | middagmaaltijd |
| *Le repas au restaurant, 5* | *At the restaurant* | *Comida en el restaurante* | *Refeição no restaurante* | *Mahlzeit im Resurant* | *Maaltijd in het restaurant* |
| la carte, 5 | menu | carta | ementa | die Speisekarte | spijskaart |
| la formule déjeuner, 5 | lunch menu | fórmula almuerzo | fórmula de almoço | Menü | ontbijt formule |
| le menu, 5 | menu | menú | menu | Karte | menu |
| le plat du jour, 5 | today's special | plato del día | prato do dia | Tagesgericht | dagschotel |
| *Les parties d'un repas* | *Stages of a meal* | *Partes de la comida* | *As partes de uma refeição* | *Teile einer Mahlzeit* | *Maaltijd gedeelten* |
| l'apéritif, m. | drink | aperitivo | aperitivo | Aperitif | aperitief |
| le dessert | dessert | postre | sobremesa | Nachspeise | nagerecht |
| l'entrée, f., 5 | starter | entrada | entrada | Vorspeise | voorgerecht |
| le fromage, 5 | cheese | queso | queijo | Käse | kaas |
| le plat principal, 5 | main course | plato principal | prato principal | Hauptgericht | hoofdschotel |
| *Les lieux* | *Places* | *Lugares* | *Os lugares* | *Orte* | *Eetplaatsen* |
| l'auberge, f., 5 | inn | fonda | pousada | Gasthof | herberg |
| le bar, 2 | bar | bar | bar | Bar | bar |
| le bistro(t) | bistro | taberna | tasca | Bistro | kroeg |
| la brasserie, 5 | brasserie | cervecería | cervejaria | Gaststätte | café-restaurant |
| le café, 5 | café | café | café | Café | café |
| l'épicerie fine, f., 8 | delicatessen | ultramarinos de calidad | mercearia fina | Delikatessengeschäft | delicatessenwinkel |
| le grand restaurant, 5 | continental restaurant | gran restaurante | grande restaurante | Feines Restaurant | toprestaurant |
| la pâtisserie, 5 | cake shop | pastelería | pastelaria | Konditorei | banketbakkerij |
| la pizzeria, 9 | pizzeria | pizzería | pizaria | Pizzeria | pizzeria |
| le restaurant, 2 | restaurant | restaurante | restaurante | Restaurant | restaurant |
| le restaurant rapide, 2 | fast-food restaurant | restaurante rápido | restaurante rápido | Schnellrestaurant | fast-food restaurant |
| le salon de thé, 5 | tearoom | salón de té | salão de chá | Teesalon | tearoom |
| la sandwicherie, 8 | sandwich shop | sandwichería | casa de sandes | Sandwich-Laden | sandwich restaurant |
| le traiteur, 8 | caterer | casa de comidas de encargo | buffet | Feinkostgeschäft | traiteur |
| *Les personnes à table* | *At the table* | *Personas en la mesa* | *As pessoas à mesa* | *Personen bei Tisch* | *Mensen aan tafel* |
| le, la convive, 5 | guest | comensal | conviva | Gast | tafelgenoot, tafelgenote |
| l'hôte, l'hôtesse, 9 | host, hostess | hospedero, hospedera | hospedeiro, hospedeira | Gastgeber, Gastgeberin | gastheer, gastvrouw |
| l'invité, l'invitée, 5 | guest | huésped, huéspeda | convidado, convidada | Gast | gast, gaste |
| *La nourriture* | *The food* | *Comida* | *A comida* | *Die Nahrung* | *Het voedsel* |
| l'arachide, f., 5 | peanut | maní | amendoim | Erdnuss | aardnoot |
| la banane, 5 | banana | plátano | banana | Banane | banaan |
| le fruit, 5 | fruit | fruta | fruta | Obst | vrucht |
| les fruits de mer, m.pl., 5 | seafood | mariscos | frutos do mar | Meeresfrüchte | schaal- en schelpdieren |
| l'huile d'olive, f., 5 | olive oil | aceite de oliva | azeite de oliva | Olivenöl | olijfolie |
| le légume, 5 | vegetable | verdura | legume | Gemüse | groente |
| le maïs, 5 | corn | maíz | milho | Mais | maïs |
| l'œuf, m., 5 | egg | huevo | ovo | Ei | ei |
| le pain, 5 | bread | pan | pão | Brot | brood |
| le pamplemousse, 5 | grapefruit | pomelo | toranja | Grapefruit | grapefruit |
| les pâtes, f.pl., 5 | pasta | pastas | massas | Teigwaren | deegwaren |
| le poisson, 5 | fish | pescado | peixe | Fisch | vis |
| le poivre, 5 | pepper | pimienta | pimenta | Pfeffer | peper |
| la pomme de terre, 5 | potato | patata | batata | Kartoffel | aardappel |
| le riz, 5 | rice | arroz | arroz | Reis | rijst |
| la salade, 2 | salad | ensalada | salada | Salat | sla |

| français | anglais | espagnol | portugais | allemand | néerlandais |
|---|---|---|---|---|---|
| le sucre, 5 | sugar | azúcar | açúcar | Zucker | suiker |
| la vanille, 5 | vanilla | vainilla | baunilha | Vanille | vanille |
| la viande | meat | carne | carne | Fleisch | vlees |
| *Le cadre du restaurant, 5* | *The restaurant setting* | *Ambiente del restaurante* | *O quadro do restaurante* | *Der Rahmen des Restaurants* | *Het restaurant omgeving* |
| le cachet, 5 | stamp | clase | estampilha | Atmosphäre | kenmerk, indruk |
| le décor, 5 | decoration | decorado | decoração | Dekor | decor |
| *La boisson, 3* | *The drinks* | *Bebida* | *A bebida* | *Getränk* | *De dranken* |
| l'alcool, m., 2 | alcohol | alcohol | álcool | Schnaps | alkohol |
| la bière, 5 | beer | cerveza | cerveja | Bier | bier |
| le cacao, 5 | cocoa | cacao | cacau | Kakao | cacao |
| le café, 5 | coffee | café | café | Kaffee | koffie |
| le champagne, 10 | champagne | champaña | champagne | Champagner, Sekt | champagne |
| le chocolat, 5 | chocolate | chocolate | chocolate | Schokolade | chocolade |
| l'eau gazeuse, f., 5 | sparkling water | agua gaseosa | água com gás | Mineralwasser (sprudelnd) | spuitwater |
| l'eau plate, f., 8 | plain water | agua sin gas | água sem gás | Wasser | tafelwater zonder prik |
| le jus de fruit | fruit juice | zumo de fruta | sumo de fruta | Fruchtsaft | sap |
| le lait, 5 | milk | leche | leite | Milch | melk |
| le soda, 5 | soft drink | soda | refrigerante | Soda | gazeuse |
| le thé, 1 | tea | té | chá | Tee | thee |
| le vin blanc / rouge, 3 | white / red wine | vino blanco / tinto | vinho branco / tinto | Weißwein / Rotwein | wit / rood wijn |
| *Le couvert, 8* | *Place setting* | *Cubierto* | *Os talheres* | *Gedeck* | *Het couvert* |
| l'assiette, f. | plate | plato | prato | Teller | bord |
| les baguettes, f.pl. | chopsticks | palillos | baguetes | Stäbchen | stokjes |
| la bouteille, 5 | bottle | botella | garrafa | Flasche | fles |
| le couteau | knife | cuchillo | faca | Messer | mes |
| la cuillère | spoon | cuchara | colher | Löffel | lepel |
| la fourchette, 8 | fork | tenedor | garfo | Gabel | vork |
| le verre, 5 | glass | vaso | copo | Glas | glas |
| **Les vêtements et accessoires** | **Clothes and accessories** | **Ropa y accesorios** | **As roupas e acessórios** | **Kleidung und Zubehör** | **Kleren en toebehoren** |
| la chaussette | sock | calcetín | meia | Socke | sok |
| la chaussure, 9 | shoe | zapato | calçado | Schuh | schoen |
| le casque | helmet | casco | capacete | Helm | helm |
| la chemise, 4 | shirt | camisa | camisa | Hemd | hemd |
| la chemisette | short-sleeved shirt / blouse | camiseta | camisola | Kurzärmeliges Hemd | overhemd, blousje |
| la cravate, 5 | tie | corbata | gravata | Krawatte | das |
| enlever | to take off | retirar | Tirar | ausziehen | uittrekken |
| l'habit, m. | dress | traje | fato | Anzug | kleding |
| les lunettes, f.pl., 9 | glasses | gafas | óculos | Brille | brillen |
| le manteau, 1 | coat | abrigo | casaco | Mantel | jas |
| mettre | to put on | poner | Pôr | anziehen | aantrekken |
| la montre, 10 | watch | reloj | relógio | Uhr | horloge |
| le parapluie | umbrella | paraguas | guarda-chuva | Regenschirm | paraplu |
| la poche, 3 | pocket | bolsillo | bolso | Tasche | zak |
| porter | to wear | llevar | vestir | tragen | dragen |
| le sac, 3 | bag | bolso | bolsa | Tasche | tas |
| la tenue, 7 | outfit / dress | vestimenta | vestuário | Kleidung | kleding |
| l'uniforme, m., 7 | uniform | uniforme | uniforme | Uniform | uniform |
| la veste, 3 | jacket | chaqueta | jaqueta | Jackett | jasj |
| le vêtement, 6 | garment | prenda | roupa | Kleidungsstück | kleding |
| *La tenue stricte* | *Formal clothing* | *Vestimenta estricta* | *O vestuário formal* | *Strenge Kleidung* | *Formele kleding* |
| le costume (cravate) | suit (tie) | traje (corbata) | fato (gravata) | Anzug (Krawatte) | kostuum |
| la jupe | skirt | falda | saia | Rock | rok |
| le pantalon | trousers | pantalón | calças | Hose | broek |
| le tailleur, 2 | (lady's) suit | traje de chaqueta para señora | tailleur | Kostüm | mantelpak |
| *La tenue décontractée* | *Casual wear* | *Vestimenta relajada* | *O vestuário informal* | *Lockere Kleidung* | *Vrijetijdskleding* |
| les baskets, f.pl. | trainers | playeros | ténis | Turnschuhe | sportschoenen |
| le jean / les jeans | jeans | vaquero / vaqueros | jeans | Jean, Jeans | jean / jeans |
| le pull | pullover | jersey | pulôver | Pullover | pullover |
| le tee-shirt | T-shirt | niquí | tee-shirt | T-Shirt | T-shirt |
| **Le paiement, le prix, la monnaie** | **Payment, price, change** | **Pago, precio, moneda** | **O pagamento, o preço, a moeda** | **Zahlung, Preis, Geld** | **Betaling, prijs, wissel** |
| *Les moyens de paiement* | *Payment facilities* | *Medios de pago* | *Os meios de pagamento* | *Zahlungsmittel* | *Betalingsmiddelen* |
| l'argent, m., 2 | money | dinero | dinheiro | Geld | geld |
| le billet | note | billete | nota | Banknote | biljet |
| la carte de paiement, 4 | credit card | tarjeta de pago / crédito | cartão de pagamento | Bankkarte | betalingskaart |
| le centime d'euro | euro cent | céntimo de euro | cêntimo de euro | Cent | euro cent |
| les espèces, f.pl., 5 | cash | efectivo | numerário | Bargeld | contanten |
| le liquide, l'argent liquide, m., 5 | cash, ready money | metálico, dinero efectivo | dinheiro, dinheiro liquido | Bargeld | contant, contant geld |
| la monnaie, 5 | change | cambio | moeda | Kleingeld | kleingeld |
| la pièce, 9 | coin | moneda | toura | Münze | munt |
| *Le règlement par carte* | *Credit card payment* | *Pago con tarjeta* | *Pagamento por cartão* | *Zahlung mit der Bankkarte* | *Kaart betaling* |
| le code de vérification à 3 chiffres, 4 | digit control number | código de verificación de 3 cifras | código de verificação a 3 digitos | 3/4-stelliger Code | controle nummer (3 cijfers) |

| français | anglais | espagnol | portugais | allemand | néerlandais |
| --- | --- | --- | --- | --- | --- |
| le code secret / confidentiel, 5 | personal identification number | código secreto / confidencial | código secreto / confidencial | Geheimer / vertraulicher Code | pincode |
| la date d'expiration, 4 | expiry date | fecha de vencimiento | data de vencimento | Ablaufdatum | vervaldatum |
| la facturette, 5 | credit card slip | recibo de tarjeta de crédito | talão | Beleg | aankoopbewijs |
| le pourboire, 5 | tip | propina | gorjeta | Trinkgeld | fooi |
| *Les documents* | *Documents* | *Documentos* | *Os documentos* | *Unterlagen* | *Documenten* |
| l'addition, f., 5 | bill | cuenta | conta | Rechnung | rekening |
| la facture, 3 | invoice | factura | factura | Rechnung | factuur |
| la note, 4 | bill | nota | nota | Rechnung | rekening |
| le reçu, 4 | receipt | recibo | recibo | Quittung | ontvangstbewijs |
| la taxe à la valeur ajoutée (TVA) | value added tax (VAT) | impuestos sobre el valor añadido (IVA) | imposto sobre o valor acrescentado (IVA) | Mehrwertsteuer | BTW |
| *Les devises, f.pl.* | *Currencies* | *Divisas* | *As divisas* | *Devisen* | *Valuta* |
| le bureau de change | foreign exchange office | oficina de cambio | casa de câmbio | Wechselbüro | wisselkantoor |
| coûter | to cost | costar | Custar | kosten | kosten |
| le distributeur de billets | cash dispenser | cajero automático | máquina ATM | der Bargeldschalter | geldautomaat |
| la facture | invoice | factura | factura | Rechnung | rekening |
| la monnaie | small change | moneda | moeda | Währung / Kleingeld | kleingeld |
| le prix | price | precio | preço | Preis | prijs |
| le reçu | receipt | recibo | recibo | Beleg | ontvangstbewijs |
| le ticket de caisse | Sales slip | tiquete de caja | talão de caixa | Kassenticket | kassa bon |
| TTC (=toutes taxes comprises) | Taxes included | con IVA incluido | c/IVA (=com IVA) | inkl. MwSt | belasting inbegrepen |
| **La réunion, la présentation** | **The meeting, the presentation** | **Reunión, presentación** | **A reunião, a apresentação** | **Die Besprechung, die Vorstellung** | **De vergadering, de presentatie** |
| l'auditoire, m., 9 | public | auditorio | auditório | die Zuhörer | publiek |
| la conférence, 4 | conference | conferencia | conferência | Konferenz | conferentie |
| la démonstration, la démo | demonstration, demo | demostración, demo | demonstração, demo | Demonstration | demonstratie |
| le diagramme, 9 | diagram | diagrama | diagrama | Diagramm | diagram |
| l'écran | screen | pantalla | ecrã | Bildschirm | scherm |
| l'exposé, m., 9 | presentation | exposición | exposição | Referat | uiteenzetting |
| le graphique | graph | gráfico | gráfico | Grafik | grafiek |
| l'intervention, f., 9 | speech | intervención | intervenção | Beitrag | woorden |
| l'ordre du jour, m., 7 | agenda | orden del día | ordem dos trabalhos | Tagesordnung | agenda |
| le plan, 9 | plan | plan | plano | Plan | plan |
| le rendez-vous, 2 | meeting | cita | encontro | Termin | afspraak |
| le rétroprojecteur | overhead projector | retro-proyector | retroprojector | Retroprojektor | overheadprojector |
| le séminaire, 4 | seminar | seminario | seminário | Seminar | seminar |
| la sonorisation, 4 | sound system | sonorización | sonorização | Beschallung | geluidsinstallatie |
| le sujet, 9 | subject | tema | assunto | Thema | onderwerp |
| le tableau blanc | marker board | pizarra blanca | quadro branco | weiße Tafel | witbord |
| le tableau de conférence, 4 | flip chart | pizarra de conferencia | quadro de conferência | Konferenztafel | flip-over |
| le tableau de papier | flip chart, paper board | pizarra de papel | quadro de papel | Paperboard | papierbord |
| le transparent | transparency | transparente | acetato | Folie | transparant |
| le vidéoprojecteur, 4 | video projector | vídeo-proyector | videoprojector | Videoprojektor | videoprojector |
| le visuel | display, visual | visual | visual | Schaubild | beeldscherm |
| **Les produits et services** | **Goods and services** | **Productos y servicios** | **Os produtos e serviços** | **Produkte und Dienstleistungen** | **De producten en diensten** |
| l'appareil (de) photo, m., 6 | camera | cámara fotográfica | máquina fotográfica | Fotoapparat | fotoapparaat |
| l'article de bureau, m., 6 | office supplies | artículo de escritorio | artigo de escritório | Büroartikel | kantoorbenoodigdheden |
| l'article de papeterie, m., 9 | stationeries | artículo de papelería | artigo de papelaria | Papierwaren | kantoorboekhandel artikel |
| l'article de sport, m., 9 | sportswear | artículo de deporte | artigo de desporto | Sportartikel | sportartikel |
| le baladeur, 6 | walkman | walkman | walkman | Walkman | walkman |
| le briquet, 9 | lighter | encendedor | isqueiro | Feuerzeug | aansteker |
| le câble, 6 | cable | cable | cabo | Kabel | kabel |
| la cafetière, 6 | coffee maker | cafetera | cafeteira | Kaffeekanne | koffiepot |
| la calculatrice, 6 | calculator | calculadora | calculadora | Rechner | rekenmachine |
| le cinéma à domicile, 8 | home theater | cine a domicilio | cinema a domicílio | Heimkino | thuisbioscoop |
| le circuit touristique, 10 | organized tour | circuito turístico | circuito turístico | Rundfahrt | toeristische rondrit |
| la console de jeu, 8 | game console | consola de juego | consola de jogos | Spielkonsole | spelconsole |
| les cosmétiques, m.pl., 10 | cosmetics | cosméticos | cosméticos | Kosmetika | cosmetica |
| les écouteurs, m.pl., 6 | headphones | auriculares | auscultadores | Hörer | koptelefoon |
| l'écran plat, m., 8 | flat screen | pantalla plana | ecrã plano | Flachbildschirm | vlakke scherm |
| l'enregistreur (vidéo / audio), m., 6 | video / sound recorder | grabadora (vídeo / audio) | gravador (vídeo / áudio) | Aufzeichnungsgerät (Video-, Audio-) | registreerapparaat (video / audio) |
| l'étui, m., 6 | case | estuche | estojo | Etui | etui |
| le four de cuisine, 6 | kitchen oven | horno de cocina | forno de cozinha | Herd | keukenoven |
| le jeu, les jeux, 6 | game, games | juego, juegos | jogo, jogos | Spiel, Spiele | spel, spelen |
| le jouet | toy | juguete | brinquedo | Spielzeug | speelgoed |
| le lecteur de DVD, 3 | DVD player | lector de DVD | leitora de DVD | DVD-Gerät | DVD speeler |
| le livre pour la jeunesse, 9 | children's book | libro para la juventud | livro para a juventude | Jugendbuch | jeugd boek |
| la location (de spectacles), 8 | reservation / booking | alquiler (de espectáculos) | aluguer (de espectáculos) | Kartenverkauf | plaatsbespreking (voor een voorstelling) |
| le logiciel, 8 | software | software | software | Software | software |
| les lunettes (solaires), f.pl., 9 | (sun)glasses | gafas de sol | óculos (escuros) | (Sonnen-) Brille | (zonne) brillen |

| français | anglais | espagnol | portugais | allemand | néerlandais |
|---|---|---|---|---|---|
| la machine à expresso, 9 | espresso coffee machine | máquina de expreso | máquina de expresso | Espresso-Maschine | espresso Koffiemachine |
| le matériel, 6 | equipment | equipo | material | Material | materiaal |
| le médicament, 8 | medicine | medicamento | medicamento | Arzneimittel | geneesmiddel |
| le minifour, 6 | mini oven | minihorno | miniforno | Miniofen | minioven |
| le mobilier (urbain), 9 | (street) furniture | mobiliario urbano | mobília (urbana) | (Stadt-) Mobiliar | stadsmeubilair |
| la montre (de luxe), 1 | luxury watch | reloj (de lujo) | relógio (de luxo) | (Luxus-) Uhr | (luxe) horloge |
| le navigateur GPS, 6 | personal navigation assistant | navegador GPS | navegador GPS | GPS-Navigator | GPS Navigator |
| le parfum, 8 | perfume | perfume | perfume | Parfüm | parfum |
| le produit alimentaire, 5 | food product | producto alimentario | produto alimentar | Nahrungsmittel | voedselproduct |
| le produit biologique | organic product | producto biológico | produto biológico | Biologisches Produkt | biologische product |
| le produit culturel, 9 | cultural product | producto cultural | produto cultural | Kulturelles Produkt | culturele product |
| le produit d'entretien, 6 | cleaning product | producto de limpieza | produto de limpeza | Pflegemittel | onderhoudproduct |
| le produit de beauté, 6 | cosmetic product | producto de belleza | produto de beleza | Schönheitsmittel | schoonheidsproduct |
| le produit de marque, 10 | brand good | producto de marca | produto de marca | Markenerzeugnis | product van merk |
| le produit électronique (de loisir), 8 | electronic leisure good | producto electrónico (recreo) | produto electrónico (de lazer) | Elektronisches (Freizeit-) Produkt | elektronische product (vrijetijds) |
| le produit frais, 6 | fresh product | producto fresco | produto fresco | Frisches Produkt | versproduct |
| le produit laitier, 6 | dairy product | producto lechero | produto de lacticínio | Milchprodukt | zuivelproduct |
| le téléviseur | television | televisor | televisor | Fernseher | televisie |
| le véhicule, 9 | vehicle | vehículo | veículo | Fahrzeug | voertuig |
| *Les matières, l'énergie, f.* | *Materials, energy* | *Materias, energía* | *As matérias, a energia* | *Materien, Energie* | *Grondstof en energie* |
| l'aluminium, m., 6 | aluminum | aluminio | alumínio | Aluminium | aluminium |
| le composant, 6 | component | componente | componente | Bestandteil | component |
| le cuir, 6 | leather | cuero | couro | Leder | leer |
| le gaz, 5 | gas | gas | gás | Gas | gas |
| l'inox, m., 6 | stainless steel | acero inoxidable | inox | Edelstahl | roestvrij |
| le matériau, les matériaux, 9 | material, materials | material, materiales | material, materiais | Werkstoff, Werkstoffe | materiaal, materialen |
| le matériau composite, 6 | composite material | material compuesto | material compósito | Verbundmaterial | samengesteld materiaal |
| la matière première, 9 | raw material | materia prima | matéria-prima | Rohstoff | grondstof |
| le métal, 8 | metal | metal | metal | Metall | metaal |
| le pétrole, 5 | petroleum | petróleo | petróleo | Erdöl | aardolie |
| le plastique, 8 | plastic | plástico | plástico | Kunststoff | plastic |
| le verre, 8 | glass | vidrio | vidro | Glas | glas |
| *La présentation* | *Presentation* | *Presentación* | *A apresentação* | *Die Vorstellung* | *Presentatie* |
| la canette, 8 | can | lata | lata | Flasche | pijpje |
| le carton, 9 | cardboard box | cartón | cartão | Karton | karton |
| la composition | contents | composición | composição | Zusammensetzung | samenstelling |
| le conditionnement, 5 | packaging | acondicionamiento | acondicionamento | Verpackung | conditionering |
| le descriptif, 8 | description | descriptivo | descrição | Beschreibung | werktekening |
| l'emballage, m., 8 | packaging | embalaje | embalagem | Verpackung | verpakking |
| l'étiquette, f. | label | etiqueta | etiqueta | Etikett | etiket |
| le flacon, 8 | flask | frasco | frasco | Flakon | flesje |
| le kit, 6 | kit | kit | kit | Bausatz | kit |
| le mode d'emploi, 3 | directions for use | modo de empleo | modo de uso | Gebrauchsanweisung | gebruiksaanwijzing |
| le paquet, 3 | package | paquete | pacote | Paket | pak |
| *La protection juridique, la sécurité* | *Legal protection, safety* | *Protección jurídica, seguridad* | *A protecção jurídica, a segurança* | *Rechtsschutz, Sicherheit* | *Rechtsbescherming, veiligheid* |
| le brevet (d'invention), 9 | patent | patente (de invención) | patente (de invenção) | (Erfindungs-) Patent | octrooi |
| la contrefaçon, 8 | counterfeit article | imitación fraudulenta | contrafacção | Imitation | vervalsing |
| la copie, 8 | copy | copia | cópia | Kopie | kopie |
| le dessin, 9 | drawing | dibujo | desenho | Design | tekening |
| la licence (d'exploitation), 8 | license (to manufacture) | licencia (de explotación) | licença (de exploração) | Lizenz | (gebruiks) vergunning |
| la marque, 6 | brand | marca | marca | Marke | merk |
| le modèle, 9 | model | modelo | modelo | Modell | model |
| la norme, 9 | standard | norma | norma | Norm | norm |
| l'original, m., 8 | original | original | original | Original | origineel |
| la santé (du consommateur) | health (of the consumer) | salud (del consumidor) | saúde (do consumidor) | Gesundheit (des Verbrauchers) | gezondheid (van verbruikers) |
| **La commercialisation des produits et des services** | **Marketing of goods and services** | **Comercialización de los productos y servicios** | **A comercialização dos produtos e dos serviços** | **Kommerzialisierung von Produkten und Dienstleistungen** | **Produkten en diensten op de markt brengen** |
| *L'étude de marché, f., 10* | *Market research* | *Estudio de mercado* | *O estudo de mercado* | *Die Marktstudie* | *Marktonderzoek* |
| l'analyse des besoins, f., 6 | requirement analysis | análisis de las necesidades | análise das necessidades | Bedarfsanalyse | behoeften analyse |
| la cible, 6 | target | meta | alvo | Zielgruppe | doelwit |
| la clientèle, 8 | customer | clientela | clientela | Kundschaft | cliëntèle |
| le consommateur, la consommatrice, 8 | consumer | consumidor, consumidora | consumidor, consumidora | Verbraucher, Verbraucherin | consument, consumente |
| les consommateurs potentiels, m.pl., 8 | potential consumers | consumidores potenciales | consumidores potenciais | potentielle Verbraucher | potentieel kopers |
| la consommation, 10 | consumption | consumo | consumo | Konsum | consumptie |
| l'échantillon de population, m.pl., 8 | sample of population | muestra de población | amostra de população | Bevölkerungsmuster | bevolking steekproef |
| l'enquêteur, l'enquêtrice, 2 | investigator | investigador, investigadora | investigador, investigadora | Meinungsforscher, Meinungsforscherin | onderzoeker |
| la fréquence d'achat, 6 | purchase rate | frecuencia de compra | frequência de compra | Kaufhäufigkeit | aankoopfrequentie |

| français | anglais | espagnol | portugais | allemand | néerlandais |
|---|---|---|---|---|---|
| le marché, 8 | market | mercado | mercado | Markt | markt |
| le marché de masse, 8 | mass-market | mercado de masa | mercado de massa | Massenmarkt | massamarkt |
| le marché de niche, 8 | niche market | mercado de nicho | mercado de niche | Nischenmarkt | nichemarkt |
| le public cible, 6 | target public | público meta | público-alvo | Zielpublikum | doelpubliek |
| le questionnaire, 8 | questionnaire | cuestionario | questionário | Fragebogen | vragenlijst |
| le sondage, 5 | survey | sondeo | a sondagem | Umfrage | peiling |
| les sondés, m.pl., 8 | polled people | sondeados | os sondados | Befragte | gepeilde |
| la tendance, 9 | trend | tendencia | tendência | Trend | tendens |
| la tranche d'âge, 8 | age group | grupo de edad | faixa etária | Altersgruppe | leeftijdscategorie |
| *La politique de produit* | *Product policy* | *Política de producto* | *A política de produto* | *Die Produktpolitik* | *Produkt politiek* |
| la collection de lunettes, 9 | glasses collection | colección de gafas | colecção de óculos | Brillenkollektion | brillen collectie |
| le design, 6 | design | diseño | design | Design | design |
| la gamme de produits, 6 | product line | gama de productos | gama de produtos | Produktpalette | produktreeks |
| l'image de marque, f., 5 | brand image | imagen de marca | imagem de marca | Markenimage | merkimage |
| le lancement (du produit), 8 | launch (of product) | lanzamiento (de un producto) | lançamento (do produto) | (Produkt-) Einführung | (produkt) lancering |
| la ligne de vêtements, 9 | line of clothes | línea de ropa | linha de roupas | Bekleidungslinie | kledinglijn |
| le portefeuille de marques, 9 | brand portfolio | cartera de marcas | carteira de marcas | Markenportfolio | merken portefeuille |
| le positionnement, 8 | positioning | posicionamiento | posicionamento | Positionierung | produkt definiering |
| le produit bas de gamme, 9 | bottom-end product | producto bajo de gama | produto do baixo da gama | Basisprodukt | goedkoopste reeks |
| le produit de consommation courante, 8 | convenience good | producto de consumo corriente | produto de consumo corrente | Konsumartikel | produkt voor dagelijks gebruik |
| le produit grand public, 6 | convenience good | producto gran público | produto para o público em geral | Konsumprodukt | produkt voor het grote publiek |
| le produit haut de gamme, 6 | upscale product | producto alto de gama | produto do topo da gama | Produkt der Oberklasse | hoge reeks produkt |
| le style, 9 | style | estilo | estilo | Stil | stijl |
| *La politique de prix, 8* | *Pricing policy* | *Política de precios* | *A política de preço* | *Preispolitik* | *Prijspolitiek* |
| à bas prix, 6 | cheap | de precio bajo | a baixo preço | billig | lage prijzen |
| à prix compétitif, 8 | at competitive price | con precio competitivo | a preço competitivo | wettbewerbsfähiger Preis | concurrerende prijs |
| à prix élevé, 6 | at high price | de precio alto | a preço elevado | hoher Preis | hoge prijs |
| *La stratégie de communication, 10* | *Communication strategy* | *La estrategia de comunicación* | *A estratégia de comunicação* | *Kommunikationsstrategie* | *Communicatie strategie* |
| l'affichage, m., 8 | billposting | fijación de carteles | afixação | Plakate | display |
| l'agence de publicité, f., 10 | advertising agency | agencia de publicidad | agência de publicidade | Werbeagentur | reclamebureau |
| l'annonce, f., 6 | announcement | anuncio | anúncio | Anzeige | aankondiging |
| l'annonceur, l'annonceuse, 10 | advertiser | anunciador, anunciadora | anunciante | Anzeigenkunde, Anzeigenkundin | adverteerder |
| le bouche à oreille, 8 | word of mouth influence | de boca en boca | ouvir falar | Flüsterpropaganda | mond tot mond |
| la brochure, 8 | brochure | folleto | brochura | Broschüre | brochure |
| la campagne publicitaire, 8 | advertising campaign | campaña publicitaria | campanha publicitária | Werbekampagne | publiciteitscampagne |
| le cinéma | cinema | cine | cinema | Kino | bioscoop |
| la communication (interne / externe), 8 | inter and intra company correspondence | comunicación (interna / externa) | comunicação (interna / externa) | (interne / externe) Kommunikation | (interne / externe) communicatie |
| le communiqué de presse, 9 | press release | comunicado de prensa | comunicado de imprensa | Pressemitteilung | persbericht |
| le concept (publicitaire), 8 | advertising concept | concepto (publicitario) | conceito (publicitário), 8 | (Werbe-)Konzept | (reclame) concept |
| l'émission de radio, f., 8 | radio broadcast | emisión de radio | emissão de rádio | Rundfunksendung | radio uitzending |
| l'événement, m., 10 | event | evento | acontecimento | Ereignis | gebeurtenis |
| le film publicitaire, 10 | commercial | película publicitaria | filme publicitário | Werbefilm | reclame |
| la lettre d'informations, 9 | newsletter | carta de información | boletim informativo | Informationsschreiben | informatie brief |
| le matériel publicitaire, 6 | promotional material | material publicitario | material publicitário | Werbematerial | publicitaire materiaal |
| le média (de masse), 8 | (mass) media | medio de comunicación (de masa) | média (de massa) | (Massen-)Medium | massa media |
| le message publicitaire, 8 | spot | mensaje publicitario | mensagem publicitária | Werbemeldung | reclamespot |
| le parrainage, 8 | sponsoring | padrinazgo | apadrinhamento | Patenschaft | sponsoring |
| le plan de communication, 10 | communication plan | plan de comunicación | plano de comunicação | Kommunikationsplan | communicatie plan |
| la plaquette (de présentation), 3 | (presentation) brochure | librillo (de presentación) | folheto (de apresentação) | (Einführungs-)Prospekt | (presentatie) plaat |
| le présentoir, 8 | display | expositor | mostrador | Display | verkoopstandard |
| la presse, 9 | press | prensa | imprensa | Presse | pers |
| le prospectus, 5 | leaflet | prospecto | prospecto | Prospekt | folders |
| la publicité, 8 | advertisement | publicidad | publicidade | Werbung | reclame |
| la publicité hors médias, 8 | non-media advertising | publicidad fuera de los medios de comunicación | publicidade fora das médias | Werbung außerhalb der Medien | buitenmedia reclame |
| la radio, 8 | radio | radio | rádio | Rundfunk | radio |
| le support de communication, 8 | communication media | soporte de comunicación | suporte de comunicação | Kommunikationsträger | communicatiesupport |
| la télévision, 8 | television | televisión | televisão | Fernsehen | televisie |
| **Les postes, les fonctions et l'organisation de l'entreprise** | **Positions, job contents, and organization of a company** | **Puestos, cargos y organización de la empresa** | **Os postos, as funções e a organização da empresa** | **Stellung, Funktionen und Unternehmensorganisation** | **Posten, functies, en bedrijf organisatie** |
| *Le poste* | *The position* | *El puesto* | *O posto* | *Die Stellung* | *De post* |
| l'acheteur, l'acheteuse, 6 | purchaser | comprador, compradora | comprador, compradora | Einkäufer, Einkäuferin | koper |
| l'adjoint, l'adjointe, 7 | assistant | adjunto, adjunta | adjunto, adjunta | Stellvertreter, Stellvertreterin | assistent |
| l'assistant, l'assistante (de...), 1 | assistant (of) | asistente, asistenta (de...) | assistente (de...) | Assistent, Assistentin | assistent |
| l'attaché commercial, l'attachée commerciale, 6 | commercial attaché | agregado comercial, agregada comercial | adido comercial, adida comercial | Verkaufsbeauftragte(r) | commerciële attach |
| le cadre (supérieur), 7 | (senior) manager | ejecutivo (alto cargo) | quadro (superior) | leitender Angestellter | staflid |
| le chargé, la chargée (de...), 1 | in charge (of) | encargado, encargada (de...) | encarregado, encarregada (de...) | Beauftragte(r) | verantwoordelijk |
| le, la chef de produit, 1 | product manager | jefe de producto | chefe de produto | Produktchef(in) | hoofd van product |

144

| français | anglais | espagnol | portugais | allemand | néerlandais |
|---|---|---|---|---|---|
| le, la chef de projet, 7 | project manager | jefe de proyecto | chefe de projecto | Projektleiter(in) | projectleider |
| le, la chef de rayon, 6 | department manager | jefe de departamento | chefe de secção | Abteilungsleiter(in) | hoofd van straal |
| le, la chef de service, 1 | department head | jefe de servicio | chefe de serviço | Abteilungsleiter(in) | afdelingschef |
| le, la chef des ventes, 6 | sales manager | jefe de ventas | chefe das vendas | Verkaufsleiter(in) | hoofd van verkoop |
| le collaborateur, la collaboratrice, 2 | associate | colaborador, colaboradora | colaborador, colaboradora | Mitarbeiter(in) | medewerker, medewerkster |
| le commercial, la commerciale, 1 | marketing man / woman | comercial | comercial | Kaufmann(-frau) | verkoper, verkoopster |
| le coordinateur, la coordinatrice, 7 | coordinator | coordinador, coordinadora | coordenador, coordenadora | Koordinator, Koordinatorin | coördinator |
| le directeur, la directrice, 1 | manager, manageress | director, directora | director, directora | Direktor, Direktorin | directeur, directrice |
| le dirigeant, la dirigeante, 2 | leader | directivo, directiva | dirigente | Leiter, Leiterin | leider |
| l'équipe, f., 3 | team | equipo | equipa | Team | team |
| le gérant, la gérante, 6 | manager | gerente, la gerente | gerente | Geschäftsführer, Geschäftsführerin | zaakvoerder |
| la hiérarchie, 7 | hierarchy | jerarquía | hierarquia | Hierarchie | hiërarchie |
| l'intitulé de poste, m., 1 | job title | titulado de puesto | denominação de posto | Titel des Postens | opschrift van post |
| le, la junior / senior, 2 | junior / senior | júnior, señor | júnior / sénior | Junior(in), Senior(in) | junior / senior |
| le, la manager | manager | manager | manager | Manager(in) | manager |
| le manageur, la manageuse, 2 | manager | director, directora | manager | Manager(in) | manageur |
| le, la n + 1, 7 | immediate superior | n + 1 | n + 1 | n + 1 | hoger staflid |
| le patron, la patronne, 4 | boss | dueño, dueña | patrão, patroa | Chef, Chefin | werkgever |
| le, la PDG (président-directeur général), 1 | president and chief executive officer (CEO) | presidente director general | PDG (presidente director geral) | Vorstandsvorsitzender | algemeen directeur |
| le personnel de vente, 6 | sales staff | personal de venta | pessoal de vendas | Verkaufspersonal | verkooppersoneel |
| le président, la présidente, 8 | manager | presidente, presidenta | presidente, presidenta | Präsident, Präsidentin | president |
| le, la responsable (de...), 1 | in charge (of) | encargado (de...) | responsável (de ...) | Verantwortliche(r) | verantwoordelijk |
| le, la responsable de compte, 7 | key account owner | responsable de cuenta | responsável de conta | Buchhalter(in) | verantwoordelijke voor rekening |
| le, la responsable des finances, 7 | finance manager | responsable de finanzas | responsável das finanças | Finanzmanager(in) | verantwoordelijke voor de financiën |
| le, la responsable hiérarchique, 7 | line man | responsable jerárquico | responsável hierárquico | Vorgesetzte(r) | hiërarchische verantwoordelijke |
| le, la stagiaire, 1 | trainee | cursillista | estagiário, estagiária | Praktikant, Praktikantin | stagiaire |
| le, la standardiste, 1 | switchboard operator | telefonista | telefonista | Telefonist(in) | standardiste |
| le supérieur, la supérieure (hiérarchique), 3 | supervisor | superior, superiora (jerárquica) | superior, superiora (hierárquica) | hierarchische(r) Vorgesetzte(r) | hoger (hiërarchisch) |
| *La fonction* | *The job content* | *Función* | *A função* | *Die Funktion* | *De functie* |
| les achats, m.pl, 1 | purchasing | compras | compras | Einkauf | aankopen |
| l'administration, f., 1 | administration | administración | administração | Verwaltung | bestuur |
| la direction, 1 | management | dirección | direcção | Direktion | directie |
| les finances, f.pl., 1 | finances | finanzas | finanças | Finanzabteilung | financiën |
| le marketing, 1 | marketing | marketing | marketing | Marketing | marketing |
| la production, 5 | production | producción | produção | Produktion | productie |
| la recherche et le développement (R & D), 1 | research and development | investigación y desarrollo (I & D) | investigação e desenvolvimento (I & D) | Forschung und Entwicklung | onderzoek en ontwikkeling |
| les ressources humaines (RH), f.pl., 1 | human resources | recursos humanos (rh) | recursos humanos (RH) | Personalabteilung | personeel |
| le système d'information (SI), 1 | information system | sistema de información (si) | sistema de informação | Informationssystem | informatiesysteem |
| la vente, 1 | sales | venta | venda | Verkauf | verkoop |
| *L'organisation, f* | *The organization* | *Organización* | *A organização* | *Organisation* | *De organisatie* |
| l'accueil, m., 2 | reception | recepción | recepção | Empfang | ontvangst |
| le bureau d'études, 9 | engineering and design department | departamento de estudios | gabinete de estudos | Entwicklungsabteilung | studiebureau |
| la comptabilité | accouting department | contabilidad | contabilidade | Buchhaltung | boekhouding |
| la communication, 8 | communications | comunicación | comunicação | Kommunikation | communicatie |
| le département, 1 | department | departamento | departamento | Abteilung | departement |
| le développement informatique, 7 | computer development | desarrollo informático | desenvolvimento de informática | Informatik-Entwicklung | informaticaontwikkeling |
| la division, 9 | division | división | divisão | Geschäftsbereich | verdeling |
| la formation, 1 | training | capacitación | formação | Schulung | vorming |
| la gestion comptable, 9 | account management | gestión contable | gestão contabilistica | Buchhaltung | boekhoudbeleid |
| la gestion des stocks, 9 | inventory management | gestión de existencias | gestão dos stocks | Lagerverwaltung | voorraadbeheer |
| l'ingénierie, f., 1 | engineering | ingeniería | engenharia | Engineering | engineering |
| la logistique, 6 | logistics | logística | logística | Logistik | logistiek |
| la maintenance, 3 | maintenance | mantenimiento | manutenção | Wartung | onderhoud |
| le marketing et développement commercial, 7 | marketing and commercial development | marketing y desarrollo comercial | marketing e desenvolvimento comercial | Marketing und kaufmännische Entwicklung | marketing en commerciële ontwikkeling |
| l'organigramme, m., 3 | organization chart | organigrama | organigrama | Organigramm | organisatieschema |
| le personnel, 9 | staff | personal | pessoal | Personal | personeel |
| le secrétariat, 4 | secretariat | secretaría | secretariado | Sekretariat | secretariaat |
| le service, 1 | service | departamento | serviço | Service | dienst |
| le service après-vente (SAV), 7 | after-sales service | departamento posventa | serviço pós-venda (SPV) | Kundendienst | service-afdeling |
| le service financier, 1 | finance department | departamento financiero | serviço financeiro | Finanzdienstleistung | financiële dienst |
| la structure, 9 | structure | estructura | estrutura | Struktur | structuur |
| *La formation* | *The training period* | *Capacitación* | *A formação* | *Die Schulung* | *Opleiding* |
| l'apprenti, l'apprentie, 10 | apprentice | aprendiz, aprendiza | aprendiz | Auszubildende | leerling |
| l'apprentissage, m. | learning | aprendizaje | aprendizagem | Lehre | scholing |
| le collège, 1 | school | colegio | colégio | Mittelstufenschule | college |

| français | anglais | espagnol | portugais | allemand | néerlandais |
|---|---|---|---|---|---|
| le cours du soir, 10 | evening class | clases de noche | curso nocturno | Abendkurs | avondles |
| le diplôme, 6 | diploma | diploma | diploma | Diplom | diploma |
| le doctorat, 10 | doctoral degree | doctorado | doutorado | Doktortitel | doctoraat |
| les études (supérieures), f.pl., 10 | graduate studies | estudios (superiores) | estudos (superiores) | (Hochschul-)Studium | studies |
| la formation continue / en alternance | continuing / co-operative vocational education | formación continua / a tiempo parcial | formação continua / em alternância | Fortbildung / im dualen System | permanente opleiding / afwisseling |
| la licence, 10 | degree | diplomatura | licença | Diplom | vergunning |
| le lycée, 1 | secondary school | colegio de segunda enseñanza | liceu | Gymnasium | middelbare school |
| le master professionnel / de recherche, 10 | master | master profesional / de investigación | mestrado profissional / de investigação | Master | master (onderzoek) |
| le niveau, 10 | level | nivel | nível | Niveau | niveau |
| le stage (de formation), 10 | vocational training session | prácticas (de capacitación) | estágio (de formação) | (Ausbildungs-)Seminar | stage |
| les travaux de recherche, m.pl., 10 | research | trabajos de investigación | trabalhos de investigação | Forschungsarbeiten | wetenschappelijk onderzoek |
| l'université, f., 6 | university | universidad | universidade | Universität | universiteit |
| **La profession, le métier** | **The occupation, the job** | **Profesión, oficio** | **A profissão, o ofício** | **Der Beruf, das Handwerk** | **Het beroep** |
| l'agent immobilier, m., 10 | estate agent | agente inmobiliario | agente imobiliário | Immobilienagent | makelaar |
| l'analyste, m.f., 1 | analyst | analista | analista | Analyst | analist |
| l'architecte, m.f., 9 | architect | arquitecto | arquitecto | Architekt | architect |
| l'auditeur, l'auditrice, 1 | auditor | auditor, auditora | auditor, auditora | Betriebsprüfer(in) | luisteraar |
| l'avocat, l'avocate, 1 | lawyer | abogado, abogada | advogado, advogada | Rechtsanwalt, Rechtsanwältin | advocaat |
| le banquier, la banquière, 9 | banker | banquero, banquera | banqueiro, banqueira | Bankier(in) | bankier |
| le, la bénévole, 9 | voluntary worker | benévolo | voluntário, voluntária | Freiwillige(r) | vrijwilliger |
| le, la biologiste, 1 | biologist | biólogo | biólogo, bióloga | Biologe, Biologin | bioloog |
| le chauffeur, la chauffeure (de taxi), 5 | (taxi) driver | chofer, la chofer (de taxi) | motorista | Taxifahrer, Taxifahrerin | (taxi) chauffeur |
| le chercheur, la chercheuse, 7 | researcher | investigador, investigadora | investigador, investigadora | Forscher, Forscherin | onderzoeker |
| le, la chimiste, 1 | chemist | químico | químico, química | Chemiker, Chemikerin | scheikundige |
| le coiffeur, la coiffeuse, 5 | hairdresser | peluquero, peluquera | cabeleireiro, cabeleireira | Friseur, Friseuse | kapper, kapster |
| le, la comptable, 1 | accountant | contable | contabilista | Buchhalter, Buchhalterin | boekhouder |
| le concepteur, la conceptrice de jeux vidéo, 1 | game designer | diseñador, diseñadora de juegos vídeo | projectista de jogos de vídeo | Entwickler(in) von Videospielen | ontwerper (van spelen) |
| le consultant, la consultante (en...), 1 | consultant | consultor, consultora (de...) | consultor, consultora (em...) | Consultant | adviseur |
| le contrôleur, la contrôleuse (de gestion), 1 | controller | interventor, interventora (de gestión) | controlador, controladora (de gestão) | (Buchhaltungs-) Prüfer(in) | controleur |
| le coursier, la coursière, 10 | delivery boy, delivery girl | recadero, recadera | mensageiro, mensageira | Kurier | loopjongen |
| le cuisinier, la cuisinière, 5 | cook | cocinero, cocinera | cozinheiro, cozinheira | Koch, Köchin | kok |
| le, la designer, 9 | designer | diseñador, diseñadora | designer | Designer, Designerin | designer |
| le développeur, la développeuse, 1 | developer | desarrollador, desarrolladora | desenvolvedor, desenvolvedora | Entwickler, Entwicklerin | ontwikkelaar |
| l'éditeur, l'éditrice (de...), 1 | editor | editor, editora | editor, editora (de...) | Verleger, Verlegerin | uitgever |
| l'électricien, l'électricienne, 9 | electrician | electricista | electricista | Elektriker, Elektrikerin | elektricien |
| le facteur, la factrice, 10 | postman, postwoman | cartero, mujer cartero | carteiro, carteira | Briefträger, Briefträgerin | postbode |
| la femme au foyer, 1 | housewife | ama de casa | dona de casa | Hausfrau | huisvrouw |
| la femme de chambre, 5 | chambermaid | camarera | arrumadeira | Zimmermädchen | kamermeisje |
| le, la fleuriste, 10 | florist | florista | florista | Blumenverkäufer(in) | bloemist |
| le, la fonctionnaire, 1 | civil servant | funcionario, funcionaria | funcionário | Beamter, Beamtin | ambtenaar |
| le formateur, la formatrice, 1 | trainer | formador, formadora | instrutor, instrutora | Ausbilder(in) | opleider, opleidster |
| le garçon (de café), 5 | waiter | camarero | empregado (de mesa) | Kellner(in) | ober |
| le gardien, la gardienne d'immeuble, 10 | caretaker | portero, portera de edificio | porteiro, porteira de prédio | Hausmeister(in) | bewaker, bewaakster |
| le, la (médecin) généraliste, 10 | general practitioner (GP) | médico internista | (médico) clínico geral | Praktischer Arzt | arts (huisarts) |
| l'homme, la femme de ménage, 10 | char worker, cleaning lady | asistente, asistenta de casa | faxina | Reinigungstechniker(in) | werkster |
| l'hôte, l'hôtesse d'accueil, 2 | welcoming receptionist | recepcionista, azafata | recepcionista | Empfangsherr, Empfangsdame | gastheer, gastvrouw |
| l'informaticien, l'informaticienne, 1 | computer specialist | informático, informática | informático, informática | Informatiker(in) | informaticaspecialist |
| l'ingénieur, l'ingénieure, 1 | engineer | ingeniero, ingeniera | engenheiro, engenheira | Ingenieur(in) | ingenieur |
| l'installateur, l'installatrice (d'appareil), 6 | fitter | instalador, instaladora (de aparato) | instalador, instaladora (de aparelho) | Installateur(in) | installateur, installatrice (van apparaat) |
| l'interprète, m.f., 1 | interpreter | interprete | intérprete | Dolmetscher(in) | tolk |
| le, la journaliste, 1 | journalist | periodista | jornalista | Journalist(in) | journalist |
| le, la juriste, 1 | jurist | jurista | jurista | Jurist(in) | rechtsgeleerde |
| le, la libraire, 10 | bookseller | librero, librera | livreiro, livreira | Buchhändler(in) | boekhandelaar |
| le livreur, la livreuse (de pizzas), 9 | (pizza) deliveryman, delivery lady | repartidor, repartidora (de pizzas) | entregador, entregadora (de pizas) | (Pizza-)Lieferant(in) | pizza bezorger |
| le marchand, la marchande de journaux, 6 | news dealer | vendedor, vendedora de periódicos | vendedor, vendedora de jornais | Zeitungsverkäufer(in) | krantenverkoper |
| le médecin, 1 | doctor | médico | médico, médica | Arzt | arts |
| la nourrice, 10 | wet nurse | ama de cría | ama | Tagesmutter | kinderoppas |
| l'opticien, l'opticienne, 9 | optician | óptico, óptica | óptico, óptica | Optiker(in) | opticien, opticienne |
| le pharmacien, la pharmacienne, 10 | pharmacist | farmacéutico, farmacéutica | farmacêutico, farmacêutica | Apotheker(in) | apotheker, apothekeres |
| le physicien, la physicienne, 1 | physicist | físico, física | físico, física | Physiker(in) | fysicus |

| français | anglais | espagnol | portugais | allemand | néerlandais |
|---|---|---|---|---|---|
| le, la pilote d'avion, 1 | airplane pilot | piloto de avión | piloto de avião | Flugzeugpilot(in) | piloot |
| le plombier, 10 | plumber | plomero | canalizador | Klempner(in) | loodgieter |
| le, la pompiste, 5 | petrol pump attendant | encargado de gasolinera | encarregado de bomba de gasolina | Tankwart | pompbediende |
| le préparateur, la préparatrice (de commandes), 9 | (order) assistant | preparador, preparadora (de pedidos) | preparador, preparadora (de encomendas) | Vorbereiter(in) [von Bestellungen] | amanuensis |
| le producteur, la productrice (de films), 10 | producer | productor, productora (de películas) | produtor, produtora (de filmes) | (Film-)Produzent(in) | film producent |
| le professionnel, la professionnelle, 10 | professional | profesional, la profesional | profissional | Fachmann, Fachfrau | professioneel |
| le, la réceptionniste, 4 | receptionist | recepcionista | recepcionista | Empfangsherr, Empfangsdame | receptionnist, receptioniste |
| le serveur, la serveuse, 5, | waiter, waitress | camarero, camarera | servidor, servidora | Kellner, Kellnerin | ober |
| le, la spécialiste (de / en...), 9 | specialist (in...) | especialista (de / en...) | especialista (de / em...) | Fachmann, Fachfrau (in...) | specialist (van / in...) |
| le sportif, la sportive, 9 | sportsman, sportswoman | deportista | desportista | Sportler(in) | sportman, sportvrouw |
| le, la styliste (de mode), 1 | (fashion) designer | estilista (moda) | estilista (de moda) | Stylist(in) | designer (mode) |
| le technicien, la technicienne, 1 | technician | técnico, técnica | técnico, técnica | Techniker(in) | technicus |
| le traducteur, la traductrice, 1 | translator | traductor, traductora | tradutor, tradutora | Übersetzer(in) | vertaler, vertaalster |
| le vendeur, la vendeuse, 1 | salesman, saleswoman | vendedor, vendedora | vendedor, vendedora | Verkäufer(in) | verkoper, verkoopster |
| le, la vidéaste, 1 | video director | videasta | videasta | Videofilmer(in) | videast |
| le visiteur médical, la visiteuse médicale, 9 | pharmaceutical sales representative | visitador médico, visitadora médica | delegado de informação médica, delegada de informação médica | Ärztebesucher(in) | geneeskundige bezoeker |
| **Qualifier quelqu'un** | **Qualify someone** | **Calificar a alguien** | **Qualificar alguém** | **Jemanden qualifizieren als** | **Lemand beschrijven** |
| agressif, agressive, 7 | aggressive | agresivo, agresiva | agressivo, agressiva | agressiv | agressief |
| bosseur, bosseuse, 7 | slogger | trabajador, trabajadora | trabalhador, trabalhadora | fleißig | hardwerker |
| concentré, concentrée, 7 | concentrated | concentrado, concentrada | concentrado, concentrada | konzentriert | geconcentreerd |
| concret, concrète, 7 | concrete | concreto, concreta | concreto, concreta | konkret | concreet |
| constructif, constructive, 7 | constructive | constructivo, constructiva | construtivo, construtiva | konstruktiv | constructief |
| coopératif, coopérative, 7 | cooperative | cooperativo, cooperativa | cooperativo, cooperativa | kooperativ | behulpzaam |
| créatif, créative, 7 | creative | creativo, creativa | criativo, criativa | kreativ | creatief |
| critique, 7 | critic | crítico | crítico, crítica | kritisch | kritiek |
| débordé, débordée, 2 | overwhelmed | agobiado, agobiada | sobrecarregado, sobrecarregada | überarbeitet | overgelopen |
| démotivé, démotivée, 3 | demotivated | desmotivado, desmotivada | desmotivado, desmotivada | entmutigt | gedemotiveerd |
| détendu, détendue, 7 | relaxed | relajado, relajada | descontraido, descontraída | entspannt | ontspannen |
| direct, directe, 7 | direct | directo, directa | directo, directa | direkt | rechtstreeks |
| discipliné, disciplinée, 7 | disciplined | disciplinado, disciplinada | disciplinado, disciplinada | diszipliniert | gedisciplineerd |
| discret, discrète, 7 | discreet | discreto, discreta | discreto, discreta | diskret | discreet |
| disponible, 7 | receptive | disponible | disponível | verfügbar | beschikbaar |
| dynamique, 9 | dynamic | dinámico | dinâmico, dinâmica | dynamisch | dynamisch |
| efficace, 3 | effective | eficiente | eficaz | effizient | efficiënt |
| exigeant, exigeante, 7 | demanding | exigente | exigente | anspruchsvoll | eisend |
| factuel, factuelle, 7 | factual | factual | factual | sachlich | feitelijk |
| fiable, 7 | reliable | fiable | fiável | zuverlässig | betrouwbaar |
| franc, franche, 7 | frank | franco, franca | franco, franca | offen | oprecht |
| gentil, gentille, 7 | kind | gentil | gentil | freundlich | aardig |
| mécontent, mécontente, 3 | dissatisfied | descontento, descontenta | descontente | unzufrieden | ontevreden |
| méthodique, 7 | methodical | metódico | metódico, metódica | methodisch | systematisch |
| modeste, 7 | modest | modesto | modesto, modesta | bescheiden | bescheiden |
| motivé, motivée, 7 | motivated | motivado, motivada | motivado, motivada | motiviert | gemotiveerd |
| organisé, organisée, 7 | organized | organizado, organizada | organizado, organizada | organisiert | georganiseerd |
| patient, patiente, 7 | patient | paciente | paciente | geduldig | geduldig |
| ponctuel, ponctuelle, 7 | punctual | puntual | pontual | pünktlich | specifiek |
| positif, positive, 7 | positive | positivo, positiva | positivo, positiva | positiv | positief |
| pragmatique, 10 | pragmatic | pragmático | pragmático, pragmática | pragmatisch | pragmatisch |
| prudent, prudente, 7 | careful | prudente | prudente | vorsichtig | voorzichtig |
| réaliste, 7 | realist | realista | realista | realistisch | realistisch |
| rigoureux, rigoureuse, 10 | rigorous | riguroso, rigurosa | rigoroso, rigorosa | streng | streng |
| sérieux, sérieuse, 5 | serious | serio, seria | sério, séria | ernsthaft | ernstig |
| sociable, 7 | sociable | sociable | sociável | gesellig | gezellig |
| souple, 7 | flexible | flexible | flexível | nachgiebig | soepel |
| stressé, stressée, 7 | under stress | estresado, estresada | stressado, stressada | gestresst | onder stress |
| structuré, structurée, 7 | structured | estructurado, estructurada | estruturado, estruturada | strukturiert | gestructureerd |
| sympa[thique], 2 | nice | simpático | simpático, simpática | sympathisch | sympathiek |
| **La vente** | **The sale** | **Venta** | **A venda** | **Der Verkauf** | **De verkoop** |
| *L'objet de la vente* | *The sale's purpose* | *Objeto de la venta* | *O objecto da venda* | *Gegenstand des Verkaufs* | *De verkoop onderwerp* |
| les accessoires, m.pl., 6 | accessories | accesorios | acessórios | Zubehör | toebehoren |
| l'appareil, m., 10 | device | aparato | aparelho | Apparat | apparaat |
| l'article, m., 3 | article | artículo | artigo | Artikel | artikel |
| l'avantage, m., 6 | advantage | ventaja | vantagem | Vorteil | voordeel |
| les caractéristiques, f.pl., 6 | characteristics | características | características | Merkmale, Kenndaten | kenmerken |
| l'échange, m., 6 | exchange | intercambio | troca | Austausch | uitwisseling |
| l'échantillon, m., 5 | sample | muestra | amostra | Muster | steekproef |
| l'équipement, m., 6 | equipment | equipo | equipamento | Ausrüstung | uitrusting |
| la fonction, 6 | function | función | função | Funktion | functie |
| l'installation, f., 1 | installation | instalación | instalação | Installation | installatie |

| français | anglais | espagnol | portugais | allemand | néerlandais |
|---|---|---|---|---|---|
| la machine, 3 | machine | máquina | máquina | Maschine | machine |
| la marchandise, 2 | commodity | mercancía | mercadoria | Ware | goederen |
| le montant, 3 | amount | importe | montante | Betrag | bedrag |
| l'option, f., 6 | option | opción | opção | Option | optie |
| le produit, 3 | product | producto | produto | Produkt | produkt |
| le prix, 5 | price | precio | preço | Preis | prijs |
| le rapport qualité-prix, 6 | value for money | relación calidad-precio | relação qualidade/preço | Preis-/Leistungsverhältnis | prijs-kwaliteit verhouding |
| le remboursement, 3 | refund | reembolso | reembolso | Rückzahlung | vergoeding |
| la remise, 9 | discount | rebaja | desconto | Ermäßigung | overhandiging |
| le service, 2 | service | servicio | serviço | Service | dienst |
| *Les lieux de vente* | *Retail outlets* | *Los lugares de venta* | *Os lugares de venda* | *Verkaufsorte* | *Verkoop plaatsen* |
| la boutique (en ligne), 6 | (on-line) shop | negocio (en línea) | venda (em linha) | Boutique (on-line) | online winkel |
| le centre commercial, 2 | shopping center | centro comercial | centro comercial | Einkaufszentrum | winkelcentrum |
| l'épicerie de quartier, f., 1 | grocery shop | tienda de ultramarinos de barrio | mercearia de bairro | Tante-Emma-Laden | kruidenierswinkel |
| le grand magasin, 9 | department store | gran almacén | grande loja | Kaufhaus | warenhuis |
| la grande surface, 6 | superstore | gran superficie | grande superfície | Einkaufszentrum | supermarkt |
| l'hypermarché, m., 6 | hypermarket | hipermercado | hipermercado | Hypermarkt | supermarkt |
| le libre-service, 5 | self-service store | libre servicio | auto-serviço | Selbstbedienungsladen | zelfbediening |
| le magasin, 4 | shop | tienda | loja | Geschäft | winkel |
| le supermarché, 3 | supermarket | supermercado | supermercado | Supermarkt | supermarkt |
| *Les manifestations commerciales* | *Commercial events* | *Eventos comerciales* | *As manifestações comerciais* | *Kaufmännische Veranstaltungen* | *Commerciële manifestaties* |
| le centre de congrès | convention centre | centro de congresos | centro de congressos | Kongresszentrum | congresgebouw |
| l'exportation, f. | export | exportación | exportação | Export | uitvoer |
| l'exposant, l'exposante, 8 | exhibitor | expositor, expositora | expositor, expositora | Aussteller(in) | inzender |
| l'exposition, f., 1 | exhibition | exposición | exposição | Ausstellung | tentoonstelling |
| la foire, 8 | fair | feria | feira | Jahrmarkt, Messe | jaarbeurs |
| l'importation, f. | import | importación | importação | Import | invoer |
| le palais des congrès, 1 | conference centre | palacio de congresos | palácio dos congressos | Kongresszentrum | congresgebouw |
| le parc des expositions, 4 | exhibition centre | parque de exposiciones | parque das exposições | Ausstellungspark | park van de tentoonstellingen |
| le salon, 6 | trade show | salón | salão | Fachmesse | salon |
| le stand, 8 | stand | stand | stand | Stand | stand |
| *Les acteurs de la vente* | *The sales jobs* | *Los actores de la venta* | *Os intervenientes da venda* | *Die am Verkauf Beteiligten* | *De verkoop actoren* |
| l'agent (commercial), m., 6 | (sales) representative | agente comercial | agente (comercial) | der (Handels-) Agent | agent (verkoper) |
| le bureau de représentation, 9 | liaison office | oficina de representación | escritório de representação | das Vertretungsbüro | kantoor van vertegenwoordiging |
| le client, la cliente, 2 | customer | cliente, clienta | cliente | der Kunde, die Kundin | klant, cliënt |
| la concurrence, 9, les concurrents, m.pl., 8 | competition, competitors | competencia, competidores | concorrência, concorrentes | Wettbewerb, Wettbewerber | concurrentie, concurrenten |
| le détaillant, la détaillante, 9 | retailer | detallista | retalhista | Einzelhändler | kleinhandelaar |
| le distributeur, la distributrice, 6 | distributor | distribuidor, distribuidora | distribuidor, distribuidora | Vertriebsfirma | tussenhandelaar |
| le fournisseur, 1 | supplier | proveedor | fornecedor | Lieferant | leverancier |
| la grande distribution, 8 | supermarket distribution | gran distribución | grande distribuição | Großvertrieb | grote verdeling |
| le, la grossiste, 9 | wholesaler | mayorista | grossista | Großhändler | groothandelaar |
| le prospect, 8 | potential customer | cliente potencial | prospecto | zu besuchender eventueller | Kunde prospect |
| le représentant, la représentante (de commerce), 6 | representative | representante (de comercio) | representante (de comércio) | (Handels-) Vertreter | vertegenwoordiger |
| le réseau, les réseaux de vente, 9 | network, sales network | red, redes de venta | rede, redes de venda | Vertriebsnetz(e) | netwerk, verkoop netwerk |
| *Les moments de la vente* | *The steps of a sale* | *Momentos de la venta* | *Os momentos da venda* | *Die Augenblicke des Verkaufs* | *Verkoop fasen* |
| la commande, 3 | order | pedido | encomenda | Bestellung | bestelling |
| les délais de livraison, m.pl., 6 | delivery time | plazos de entrega | prazos de entrega | Lieferfristen | levertijden |
| la demande d'informations | information demand | solicitud de información | pedido de informações | Informationsanfrage | informatieverzoek |
| l'envoi, m., 3 | dispatching | envío | envio | Sendung | zending |
| l'expédition, f., 6 | shipping | expedición | expedição | Versand | verzending |
| les frais de transport, m.pl., 6 | freight charges | gastos de transporte | despesas de transporte | Transportkosten | vervoerkosten |
| la livraison, 5 | delivery | entrega | entrega | Lieferung | leverantie |
| la négociation, 6, | negotiation | negociación | negociação | Verhandlung | onderhandeling |
| l'offre, m., 2 | offer | oferta | oferta | Angebot | aanbod |
| la prestation (de service), 3 | provision (of a service) | prestación (de servicio) | prestação (de serviço) | (Dienst-) Leistung | dienstverlening |
| la prise de commande, 9 | order taking | toma de pedido | tomada de encomenda | Annahme der Bestellung | bestellen |
| la proposition, 6 | proposition | propuesta | proposta | Vorschlag | voorstel |
| *Les documents de la vente* | *Sale related documents* | *Documentos de la venta* | *Os documentos da venda* | *Die Verkaufsunterlagen* | *Verkoop documenten* |
| le bon de commande, 5 | purchase order | vale de pedido | nota de encomenda | Bestellschein | bestellingsbon |
| le catalogue, 5 | catalog | catálogo | catálogo | Katalog | catalogus |
| les conditions (générales) de vente (CGV), f.pl., 6 | general terms of sale | condiciones (generales) de venta | condições (gerais) de gerais (CGV) | (allgemeine) Verkaufsbedingungen | algemene verkoop voorwaarden |
| le contrat (de vente / de location / de prestation de service) | contract | contrato (de venta / alquiler / prestación de servicio) | contrato (de venda / de arrendamento / de prestação de serviço) | (Verkaufs-, Miet-, Dienstleistungs-) Vertrag | (verkoop / verhuur / dienstverlening) contract |
| la garantie, 6 | guarantee | garantía | garantia | Garantie | garantie |
| la référence (de l'article), 3 | reference number (of product) | referencia (del artículo), | referência (do artigo), | Bestellnummer, | (koopwaar) referentie, |
| le tarif, 4 | cost | tarifa | tarifa | Tarif | tarief |

| français | anglais | espagnol | portugais | allemand | néerlandais |
|---|---|---|---|---|---|
| **Les transports et les voyages** | **Transport and journeys** | **Transportes y viajes** | **Os transportes e as viagens** | **Transport und Reisen** | **Vervoer en reizen** |
| l'aéroport, m., 3 | airport | aeropuerto | aeroporto | Flughafen | luchthaven |
| l'aller retour, m., 4 | roundtrip | ida y vuelta | ida e volta | Hin und Zurück | retourreis |
| l'aller simple, m., 4 | one-way | ida simple | só ida | Einfache Fahrt | enkelreis |
| l'arrivée, f., 3 | arrival | llegada | chegada | Ankunft | aankomst |
| l'autoroute, f., 3 | motorway | autopista | auto-estrada | Autobahn | snelweg |
| l'avion, m., 1 | plane | avión | avião | Flugzeug | vliegtuig |
| le bagage à main, 4 | hand luggage | equipaje de mano | bagagem de mão | Handgepäck | bagage aan de hand |
| les bagages, m.pl., 4 | luggage | equipaje | bagagens | Gepäck | bagages |
| le billet, 4 | ticket | pasaje | bilhete | Fahrkarte | biljet, kaartje |
| le bus, 10 | bus | autobús | autocarro | Bus | bus |
| la cabine, 4 | cabin | cabina | cabina | Kabine | bestuurdersruimte |
| la carte d'embarquement, 4 | boarding card | tarjeta de embarque | cartão de embarque | Boardingpass | inschepingskaart |
| la ceinture (de sécurité), 4 | (safety) belt | cinturón (de seguridad) | cinto (de segurança) | (Sicherheits-)Gürtel | veiligheidsgordel |
| la circulation, 3 | traffic | tráfico | tráfico | Verkehr | verkeer |
| la classe affaires, 4 | business class | clase negocios | classe executiva | Business Class | business class |
| la classe économique, 4 | economy class | clase económica | classe económica | Economy Class | toeristenklasse |
| le contrôle de sécurité, 4 | security check | control de seguridad | controlo de segurança | Sicherheitskontrolle | veiligheidscontrole |
| la correspondance | connection | correspondencia | transferência | Umsteigen | verbinding |
| le couloir, 4 | aisle | pasillo | corredor | Gang / Flur | gang |
| le coupon d'embarquement, 4 | boarding pass | cupón de embarque | talão de embarque | Boarding-Coupon | inschepingscoupon |
| le départ, 4 | departure | salida | partida | Abfahrt, Abflug | vertrek |
| le déplacement (professionnel), 4 | business trip | desplazamiento (profesional) | deslocação (profissional) | (Geschäfts-)Reise | zakenreis |
| la destination, 2 | destination | destino | destino | Ziel | bestemming |
| le distributeur de billets, 4 | cash dispenser | distribuidor de pasajes | máquina ATM | Fahrkartenautomat | geldautomaat |
| l'embarquement, m., 4 | boarding | embarque | embarque | Einsteigen | inscheping |
| l'enregistrement, m., 4 | check-in | facturación | checkin | Eintragung | registratie |
| l'escale, f. | stop (over) | escala | escala | Zwischenlandung | tussenlanding |
| la gare, 4 | station | estación de ferrocarril | estação | Bahnhof | station |
| le guichet, 4 | ticket office | taquilla | bilheteira | Schalter | loket |
| l'horaire, m., 4 | timetable | horario | horário | Fahrplan | dienstregeling |
| la location de voiture, 4 | car rental | alquiler de coche | rent-a-car | Fahrzeugvermietung | autoverhuur |
| la navette, 4 | shuttle | puente aéreo | vaivém | Pendeldienst | pendel |
| les papiers, m.pl., 4 | papers | documentación | documentos | Papiere | papieren |
| le passeport, 1 | passport | pasaporte | passaporte | Reisepass | paspoort |
| la piste, 3 | track | pista | pista | Piste | baan |
| la place, 4 | seat | asiento | lugar | Platz | plaats |
| la police aux frontières, 4 | border police | policía de fronteras | polícia das fronteiras | Grenzpolizei | grenswacht |
| la provenance, 3 | origin | procedencia | proveniência | Herkunft | afkomst |
| le quai, 4 | platform | andén | cais | Bahnsteig | perron |
| la réservation, 4 | booking | reserva | reserva | Reservierung | reservering |
| la salle d'embarquement, 4 | departure lounge | sala de embarque | sala de embarque | Boarding-Saal | inschepingszaal |
| le scooter, 3 | scooter | scooter | scooter | Motorroller | scooter |
| le siège, 4 | seat | asiento | assento | Sitz | zitplaats |
| la station de taxis, 4 | taxi station | estación de taxis | estação de táxi | Taxistand | taxistation |
| le taxi, 4 | taxi | taxi | táxi | Taxi | taxi |
| le terminal (d'aéroport), 4 | (airport) terminal | terminal (de aeropuerto) | terminal (de aeroporto) | (Flughafen-)Terminal | (luchthaven) terminal |
| le train, 2 | train | tren | comboio | Zug | trein |
| le train à grande vitesse (TGV), 4 | high-speed train | tren de alta velocidad (TAV) | comboio à grande velocidade (TGV) | Hochgeschwindigkeitszug | trein met hoge snelheid |
| le tram, 2 | tramway | tranvía | eléctrico | Straßenbahn | tram |
| les transports en commun, m.pl., 3 | public transports | transportes públicos | transportes colectivos | Nahverkehr | gemeenschappelijke vervoer |
| la valise, 3 | suitcase | maleta | mala | Koffer | koffer |
| le visa, 4 | visa | visado | visto | Visum | visum |
| la voie, 4 | lane | vía | via | Gleis | spoor |
| la voiture, 2 | car | coche | viatura | Wagen | auto |
| le vol, 3 | flight | vuelo | voo | Flug | vlucht |
| le voyage d'affaires, 2 | business trip | viaje de negocios | viagem de negócios | Geschäftsreise | zakenreis |
| *L'hôtel, m., 2* | *The hotel* | *Hotel* | *O hotel* | *Das Hotel* | *Het hotel* |
| l'accueil, m., 4 | reception | recepción | recepção | Empfang | receptie |
| l'ascenseur, m., 3 | lift | ascensor | elevador | Aufzug | lift |
| la chambre d'hôtel, 4 | hotel room | habitación de hotel | quarto de hotel | Hotelzimmer | hotelkamer |
| la chambre fumeur / non-fumeur, 4 | smoking / non-smoking room | habitación fumador / no fumador | o quarto fumador / não fumador | Raucher-, Nichtraucher-Zimmer | roker / niet-roker kamer |
| la chambre simple / double, 4 | single / double bedroom | habitación simple / doble | quarto simples / duplo | Einzel-, Doppelzimmer | single / dubbele kamer |
| le coffre-fort, 4 | safe | caja fuerte | cofre-forte | Tresor | brandkast |
| les commodités, f.pl., 4 | sanitary facilities | comodidades | comodidades | Komfortelemente | faciliteiten |
| la date d'arrivée / de départ, 4 | date of arrival / departure | fecha de llegada / salida | data de chegada / de partida | Ankunfts-, Abreisezeit | aankomst / vertrek datum |
| le garage, 4 | garage | garaje | garagem | Garage | garage |
| le minibar, 4 | minibar | minibar | minibar | Minibar | minibar |
| le parking privé, 4 | private parking | aparcamiento privado | estacionamento privativo | Privater Parkplatz | particuliere parkeerterrein |
| la réception, 4 | reception | recepción | recepção | Empfang | receptie |

# Écrits

## ◖ LES COURRIELS

### • Courriel à un collègue ou un ami (ils se disent « tu »)

**De** = adresse de l'expéditeur du message
**Objet** = sujet du courriel
**À** = adresse du destinataire du courriel
**Cc** = adresse du destinataire de la copie
**Cci** = message en copie cachée
**PJ** = on envoie un document en pièce(s) jointe(s), en fichier(s) joint(s)

Expéditeur : s.roumanoff@sentier.com

Pour : s.bitoune@sentier.com
Copie à :

Sujet : contact intéressant

Texte principal | Largeur variable | A+ A↑ B I U

Pour ce type de message, on commence par « bonjour », « salut » + le prénom.

Bonjour Simon,

À Milan, la semaine dernière, j'ai discuté avec une personne intéressée par notre projet. Il s'appelle Tullio Schwarz. Il est autrichien. Il travaille actuellement comme styliste de mode dans une maison de couture à Milan.

Peux-tu prendre contact avec cette personne ?

Voici son adresse : tullioschwarz@tele3.it

À Tokyo, les affaires marchent bien. On se voit lundi à Paris, d'accord ?

Pour ce type de message, on finit par « Bonne journée », « À bientôt », « Salut ». Abréviations souvent utilisées :
A + = À plus ! = À bientôt
Cdt = Cordialement

Bonne journée, à bientôt,

Selma

### • Courriel à une relation d'affaires

Expéditeur : d.lebihan@bth.com

Pour : robertmaggee@tele3.ie
Copie à : l.strasser@bth.com

Sujet : voyage à Strasbourg

Texte principal | Largeur variable | A+ A↑ B I U

Pour ce type de message, on commence par « Madame », « Monsieur », éventuellement « Mademoiselle » si vous connaissez la personne.

Monsieur,

J'ai bien reçu les détails concernant votre voyage à Strasbourg. Je vous en remercie.

Si vous n'avez pas d'autres obligations, j'aimerais vous inviter jeudi soir au restaurant « Chez Yvonne ». C'est un restaurant de spécialités locales, typique de la région, avec une ambiance sympathique et animée. Il se trouve à cinq minutes à pied de votre hôtel. Lucas Strasser, notre directeur général, sera également présent.

Pouvez-vous me confirmer votre accord ?

On finit par « Cordialement » ou « Très cordialement » si les relations sont très bonnes.

Cordialement,

Dorothée Le Bihan
Directrice commerciale
--

Avec les relations d'affaires, on ajoute la carte de visite électronique.

Laboratoires BTh - Biothérapie
Parc d'innovations Illkirch
B.P. 609 – 9, avenue Érasme
F 67400 Illkirch
Tél. : + 33 3 88 07 47 30
Fax : + 33 3 88 07 47 31
E-mail : d.lebihan@bth.com
Site internet : www.bth.com

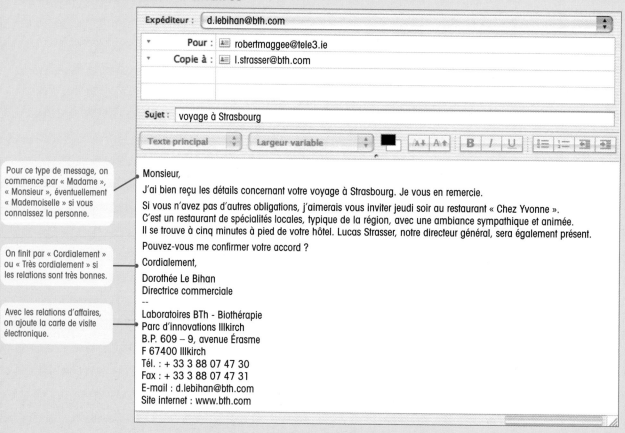

## • Courriel à un collègue (ils se disent « vous »)

| Expéditeur : | sebastien.bel@sosmicro.com | ⬍ |
|---|---|---|
| Pour : | jonathan.delrio@sosmicro.com | |
| Copie à : | | |

Sujet : climatisation lundi

Texte principal ⬍  Largeur variable ⬍  ⬛  A⬇ A⬆  B  I  U

Bonjour Jonathan,

Un technicien doit venir lundi à 10 heures pour les problèmes de climatisation dans nos bureaux.

Je suis en rendez-vous à l'extérieur pendant toute la journée.

Pouvez-vous le recevoir, lui donner accès au local de la clim et lui expliquer nos problèmes ?

Merci d'avance.

À mardi !

Sébastien Bel

> Vous écrivez à un service. Vous ne connaissez pas le nom de la personne à qui vous écrivez ?
> Vous commencez le message par « Bonjour » ou « Madame, Monsieur ».
> Vous finissez le message par « Salutations distinguées » ou « Meilleures salutations ».

## • LA LISTE DES TÂCHES AVEC LE PLANNING

> Vous indiquez le titre du projet.

> Vous utilisez des verbes d'action.

### Le projet « Covoiturage et écologie »

| | | Début | Fin | Date limite |
|---|---|---|---|---|
| 1 | faire une enquête sur les modes de déplacement des salariés (bus, métro, tram, train, voiture, ...) | octobre | novembre | |
| 2 | sensibiliser les salariés au problème de la pollution par les voitures (réunions, messages sur l'intranet) | décembre | janvier | |
| 3 | mettre sur l'intranet les coordonnées des salariés (nom, numéro de téléphone, code postal) | février | février | 4 mars |
| 4 | démarrer le système de covoiturage | | | 21 mars |
| 5 | communiquer sur les avantages du système (places de parking réservées, contrôle technique de la voiture gratuit, ...) | mars | avril | |
| 6 | faire le bilan de l'opération (statistiques, problèmes éventuels) | octobre | octobre | |

> Vous indiquez les délais à respecter et, si nécessaire, les dates limites.

## ◖ LA FICHE D'APPEL TÉLÉPHONIQUE

### MESSAGE ☎

Destinataire : *Nicolas Vergès*

De la part de : *Katarina Globokar*

Date : *12 décembre*

Heure : *13h30*

Transmis par : *Lina Saunier*

Pour information :

*Rendez-vous avec Katarina Globokar cet après-midi à 15h30 annulé. Voiture en panne*

Pour action :

*Rappeler Katarina pour fixer un nouveau rendez-vous au 06 50 18 27 19.*

Ce sont des notes. Vous écrivez en style télégraphique. Vous n'écrivez pas de phrases.

Vous employez des verbes d'action.

## ◖ LA TÉLÉCOPIE

**HÔTEL DE LA CITADELLE**

*Richard et Gwendoline Philipson*
23 rue des Beaux-Arts
F 35400 SAINT-MALO

resa@citadellesaintmalo.com
www.citadellesaintmalo.com

# TÉLÉCOPIE

Les coordonnées de l'expéditeur sont à gauche, les coordonnées du destinataire sont à droite.

De : G. Philipson
N° de téléphone : (33) 02 48 20 48 22
N° de télécopie : (33) 02 48 20 48 26
Date : 19 avril 2007
Nombre total de pages : 1

À : Takashi Okui
N° de téléphone : 01 48 00 49 00
N° de télécopie : 01 48 00 49 00

C'est une télécopie à un client.
On commence par « Madame » ou « Monsieur ».
On répète « Madame » ou « Monsieur » dans la formule de politesse, à la fin de la télécopie.

**Objet :** réservation chambre

Monsieur,

C'est avec la plus grande attention que nous avons pris connaissance de votre réservation dont vous trouverez les détails ci-dessous :

Dates : **du 26/07 au 29/07**, soit un séjour de **3 nuits**.

1 chambre double vue mer terrasse à 185 € par nuit.

Le petit déjeuner est de 12 € par personne adulte.

La taxe de séjour est de 1 € /pers/nuit pour les adultes.

Dans ce paragraphe, la conclusion indique l'état de la relation commerciale. La formule de politesse est standard quand on écrit à un client.

Dans l'attente de vous accueillir parmi nous, et en vous remerciant de l'intérêt que vous portez à notre hôtel, nous vous prions d'agréer, Monsieur, l'expression de nos sentiments les meilleurs.

La Direction

*G Philipson*

Gwendoline Philipson

# ◖ LES LETTRES

## P**R**o**GI**L**OG** Solutions

### Éditeur de progiciels

En France, l'adresse
du destinataire est à
droite de la feuille.
Les enveloppes à fenêtre
ont la fenêtre à droite.

Monsieur Faudel MASSON
71 rue Santos Dumont
93260 LES LILAS

Paris, le 6 septembre 20...

Le lieu et la date
d'expédition sont à
droite de la feuille.
Présentation de la date :
jj/mm/aaaa
Le mois est en lettres.

**Réf.** = références ;
initiales de la personne
qui a écrit la lettre
+ numéro d'ordre.

**Objet** = contenu de
la lettre. On écrit aussi :
« Concernant ».

**P.J.** = pièce(s) jointe(s) ;
des documents
accompagnent la lettre.

**Copie à** = nom (et
fonction) de la personne
qui reçoit la copie de
la lettre.

Réf. : SF 0609
Objet : lettre d'engagement
P.J. : un double de la lettre d'engagement

On commence
par « Madame »
ou « Monsieur ».
Si le titre est important,
on commence, par
exemple, par « Monsieur
le Directeur ».
Ces mots sont répétés
dans la formule de
politesse.

Monsieur,

Nous avons le plaisir de vous confirmer votre engagement dans notre société en tant qu'assistant commercial à compter du 1er octobre 20...

La rémunération annuelle brute sera de 27 000 euros.

Vous bénéficierez de 25 jours de congés payés par an.

Veuillez prendre contact avec le responsable commercial, monsieur Daniel Le Guellec, au 01 07 48 09 09 pour votre entrée en fonction.

Vous voudrez bien nous retourner le double de la présente lettre revêtu de votre signature précédée de la date et de la mention « lu et approuvé, bon pour accord ».

En attendant d'avoir le plaisir de vous compter parmi nos collaborateurs, nous vous prions d'agréer, Monsieur, nos meilleures salutations.

Sabine Fechner
Responsable RH

En France, la signature
et la fonction sont à
droite de la feuille,
comme le lieu et la date
d'expédition

**ProGiLog Solutions - 28 passage du miroir - 75010 PARIS**

# ◖ LE DESCRIPTIF DE PRODUIT

- Dénomination du produit, catégorie de produit
- Conditionnement
- Prix
- Prix au litre (mention obligatoire)

## NATUREVITA, après-shampooing

### Le flacon de 250 ml : 3,90 €
15,60 € / Litre

Généralement, trois parties :
- quel est le problème ?
- les avantages du produit ;
- le résultat.

**Informations :**

Vos cheveux sont fins, secs, difficiles à coiffer ?

NatureVita est idéal pour vous, un vrai moment de bien-être.

Vos cheveux deviennent faciles à coiffer, doux, brillants, avec de beaux reflets naturels.

La composition du produit est aussi très importante pour les produits alimentaires et d'hygiène.

**Conseils d'utilisation :**

Après chaque shampooing, appliquez sur les cheveux mouillés.

Laissez agir quelques instants.

Rincez.

Mode d'emploi avec des verbes d'action.
Si nécessaire, il y a aussi des conseils de conservation : « à conserver dans un endroit sec » ou des conseils de consommation : « à boire frais avec un zeste de citron ».

# ◖ LA PAGE « QUI SOMMES-NOUS ? » D'INTERNET

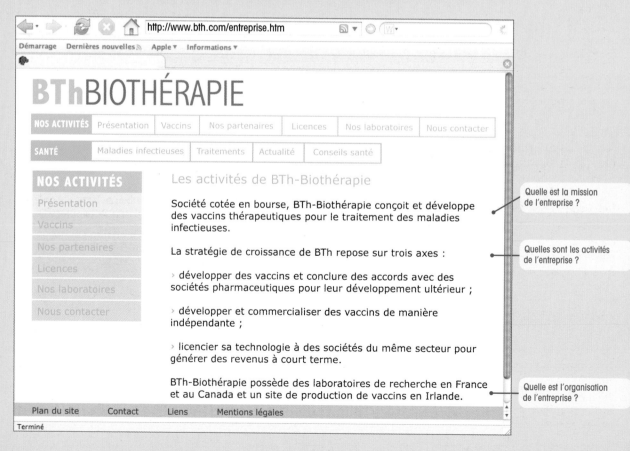

Quelle est la mission de l'entreprise ?

Quelles sont les activités de l'entreprise ?

Quelle est l'organisation de l'entreprise ?

# Transcriptions

## Unité 1 : Faire connaissance

### ● 2 Page 8, Prise de contact, A
**Personne 1 :** Bonjour, je suis Justyna Gorecka. Je suis directrice administrative et des systèmes d'information à la banque PBH. Je suis polonaise.

**Personne 2 :** Bonjour, Veer Singh. Je suis étudiant à la Smurfit School à Dublin. Je suis canadien.

**Personne 3 :** Moi, c'est Birgit Figari. Je suis directrice commerciale dans un cabinet de consultants international. Je suis allemande.

**Personne 4 :** Bonjour, je m'appelle Andrei Brancusi, chef de service au département ingénierie d'une entreprise automobile. Je suis roumain.

### ● 3 Page 11, Point de langue 1, A
Je m'appelle Iris. Je travaille comme traductrice technique pour EADS. Je suis née aux Pays-Bas. Je suis mariée. J'ai deux enfants. Ce sont des jumeaux. Ils ont quinze ans. Ils sont au lycée français. Mon mari est éditeur. Nous habitons à Munich. J'aime les voyages et la littérature russe. Mon frère travaille à Toulouse. Il est pilote d'avion. J'ai un passeport néerlandais et un passeport allemand.

### ● 4 Page 13, Écouter, B
NADIA DUMENIL : Voici Noriko. Elle est styliste. Elle travaille dans une maison de couture à Tokyo. Elle fait un stage à Paris. Elle, c'est Elzbieta. Elle a fait des études de physique à Budapest. Elle est mariée à Pierre, un Suisse de Genève. Elle cherche du travail à Genève. Lui, c'est Sami. C'est le fils d'un diplomate turc. Il est développeur de sites Web dans une petite boîte informatique à Barcelone. Sa mère habite à Lyon. Il est en vacances chez elle.

### ● 5 Page 14, Gammes, A
**Dialogue 1**
STEINER : Bonjour, madame ! Steiner de la société APS. Et voici Werner Bach. C'est notre ingénieur pour les systèmes d'information.

CORINNE DESTRADE : Bonjour, messieurs ! Je suis Corinne Destrade, directrice administrative. Vous venez pour la nouvelle installation ? Entrez, je vous prie. Prenez place. Vous avez fait bon voyage ?

**Dialogue 2**
PAUL SMITH : Bonjour ! Paul Smith, du cabinet Alter.

CAROLE VANDENBEK : Vous êtes consultant ? Ah oui... vous travaillez à la direction des achats !

PAUL SMITH : Tout à fait.

CAROLE VANDENBEK : Bonjour, Paul. On s'est parlé au téléphone. Je suis Carole Vandenbek, la responsable de la communication. Je peux vous offrir un café ? un thé ?

**Dialogue 3**
VIRGINIE : Tu es stagiaire à l'informatique, non ?

ÉRIC : Oui. Et toi, tu fais un stage à la direction générale. Salut, je m'appelle Éric.

VIRGINIE : Moi, c'est Virginie. Ça va, le travail ?

ÉRIC : Oui, ça va.

VIRGINIE : Bon ben, à bientôt. Bonne journée !

## Unité 2 : Vie professionnelle, vie personnelle

### ● 6 Page 18, Prise de contact, A
**Personne 1**
Hum... je dirais... travailler avec un manageur qui fixe des objectifs clairs, gagner beaucoup d'argent et ne pas emporter de boulot à la maison. Autrement dit, tout ce que je n'ai pas en ce moment.

**Personne 2**
Moi, j'aime varier les expériences. J'aimerais, par exemple, changer de service ou partir à l'étranger, évoluer, prendre des responsabilités quoi...

**Personne 3**
Au travail, j'apprécie la bonne ambiance, on discute avec les collègues des projets en cours, on suit des formations, on reconnaît mes compétences.

**Personne 4**
Moi, je cherche un travail près de chez moi, dans un bureau clair et spacieux, avec des horaires réguliers, sous les ordres d'un chef sympa.

### ● 7 Page 23, Point de langue 2, D
**Entretien 1**
ENQUÊTEUR : Qu'est-ce que vous faites quand vous arrivez au travail ?

THOMAS : Je consulte toujours mes mails et je fais le tri.

ENQUÊTEUR : Où est-ce que vous prenez votre déjeuner ?

THOMAS : Je mange souvent une salade ou un sandwich dans mon bureau.

ENQUÊTEUR : Est-ce que vous êtes souvent en déplacement ?

THOMAS : Souvent, oui. Deux semaines par mois. Pour faire des présentations de notre logiciel en Belgique et en France.

**Entretien 2**
ENQUÊTEUR : Qu'est-ce que vous faites quand vous arrivez au travail ?

PANAGIOTA : Je consulte d'habitude ma messagerie. Et puis je prends un café.

ENQUÊTEUR : Où est-ce que vous prenez votre déjeuner ?

PANAGIOTA : Je déjeune d'habitude à la maison. C'est à cinq minutes du bureau.

ENQUÊTEUR : Est-ce que vous êtes souvent en déplacement ?

PANAGIOTA : Non, jamais. Mais j'organise les voyages pour les collègues.

**Entretien 3**
ENQUÊTEUR : Qu'est-ce que vous faites quand vous arrivez au travail ?

CRISTINA : Je prends toujours un thé, je consulte mon agenda et je vais dire bonjour aux collègues.

ENQUÊTEUR : Où est-ce que vous prenez votre déjeuner ?

CRISTINA : Avec les collègues du service, on va très souvent dans un restaurant du quartier.

ENQUÊTEUR : Est-ce que vous êtes souvent en déplacement ?

CRISTINA : Souvent ? non. Je participe à des congrès deux ou trois fois par an.

### ● 8 Page 24, Gammes, C
BORIS : Qu'est-ce que tu fais comme sport le week-end ?

AUDREY : Je suis une passionnée de montagne. J'aime bien faire de l'escalade. Ce qui me plaît surtout, c'est le silence de la montagne. Je déstresse. Et puis, si les conditions sont bonnes, j'aime beaucoup faire du parapente. Par contre, les sports d'équipe comme le foot ou le basket, je n'aime pas du tout !

## Unité 3 : Traiter un problème

### ● 9 Page 28, Prise de contact, B
**Message 1 :** Oui, j'ai bien reçu le lecteur de DVD portable. Merci beaucoup. Malheureusement, la batterie ne marche pas.

**Message 2 :** Notre distributeur de boissons est en panne. Est-ce que le technicien peut venir ce matin pour réparer la machine ?

**Message 3 :** La commande de cinq cents ramettes de papier n'est toujours pas arrivée. Pourquoi ce retard de livraison ? Il y a un problème ?

**Message 4 :** Notre site d'achat de musique en ligne est en travaux jusqu'à ce soir. Vous ne pouvez pas effectuer de téléchargement. Veuillez nous excuser pour la gêne occasionnée. Nous vous remercions de votre compréhension.

**Message 5 :** Bonjour, je vous appelle au sujet de mon imprimante photo. Elle est bien arrivée mais sans mode d'emploi. Pouvez-vous m'envoyer un guide de l'utilisateur, s'il vous plaît ? Merci d'avance.

### ● 10 Page 30, Point de langue 1, A

PAULIN : Ici, c'est mon bureau. Là, c'est le bureau de notre manageur.
KEVIN : Et ça, qu'est-ce que c'est ?
PAULIN : C'est le local pour les serveurs informatiques.
KEVIN : Et là-bas, ce sont les toilettes ?
PAULIN : Oui, c'est ça.
KEVIN : Et la porte au bout du couloir ?
PAULIN : C'est la sortie de secours.

### ● 11 Page 33, Gammes, A

**Appel 1**
PATRICK SAPIRO : Centre d'appels Cesca, Patrick Sapiro, bonjour. Je vous écoute.
MARLENE CASADESSUS : Oui, bonjour, Marlène Casadessus de chez Mobicentre. Je vous appelle au sujet de notre messagerie et d'internet.
PATRICK SAPIRO : Quelle est la nature de l'incident ?
MARLENE CASADESSUS : La connexion ne fonctionne plus.
PATRICK SAPIRO : Bien, quel est votre numéro de compte client ?
MARLENE CASADESSUS : C'est le zéro zéro un – trois trois quatre – sept huit sept – A.
PATRICK SAPIRO : Bien. Un technicien fait le nécessaire et vous rappelle dans une heure environ.
MARLENE CASADESSUS : D'accord. Je compte sur vous. Au revoir, monsieur.
PATRICK SAPIRO : À votre service, madame. Au revoir.

**Appel 2**
BRUNO DUMONT : Bruno Dumont, service maintenance, bonjour. Que puis-je faire pour vous ?
ESTHER KALI : Esther Kali de chez Copiplus, bonjour. Nous avons un problème avec le nouveau copieur. Il ne copie pas, ou alors les copies sont trop claires.
BRUNO DUMONT : Je vois. Je suis vraiment désolé. Je pense que c'est un problème de toner. Est-ce qu'un technicien peut passer chez vous cet après-midi ?

**Appel 3**
DENISE VEYRON : Denise Veyron à l'appareil, bonjour. Je souhaite parler à Saskia Wattez, s'il vous plaît.
STANDARDISTE : Un instant, je vous prie. Je vous mets en communication… oui, allô madame Veyron ? Je suis désolée mais son poste est occupé. Voulez-vous patienter ?
DENISE VEYRON : Mmm, non. Peut-elle me rappeler ? Mon numéro de téléphone est le zéro six, dix, vingt, trente, quarante. C'est urgent. La climatisation est en panne.

**Appel 4**
PATRICIA TOULEMONDE : Je voudrais parler à Isabelle Santoni, s'il vous plaît.
ISABELLE SANTONI : C'est moi-même. Bonjour. Que puis-je faire pour vous ?
PATRICIA TOULEMONDE : Le lecteur de DVD est bien arrivé, merci. Mais il y a des problèmes…
ISABELLE SANTONI : Pardon, vous êtes madame… ?
PATRICIA TOULEMONDE : Oh, excusez-moi. Je suis Patricia Toulemonde.
ISABELLE SANTONI : Vous avez donc des problèmes avec le lecteur de DVD, madame Toulemonde…
PATRICIA TOULEMONDE : Oui, en effet. Il ne lit pas les disques et il n'y a pas de guide de l'utilisateur dans le carton.

### ● 12 Page 33, Gammes, C

CATHY HUANG : Cathy Huang à votre service. Bonjour.
GUY SAINT-ÉLOI : Bonjour. C'est Guy Saint-Éloi à l'appareil. J'ai bien reçu les fauteuils mais il y a un problème.
CATHY HUANG : De quoi s'agit-il ? Je vous écoute.
GUY SAINT-ÉLOI : Eh bien, je souhaite vingt fauteuils de jardin, référence BZ trois cent trois, et non pas vingt fauteuils de salon, référence BZ quatre cent trois. Il y a une erreur dans les références des produits.
CATHY HUANG : Oui, je vois. Écoutez, je vous prie de nous excuser pour cette erreur. Bien sûr, nous reprenons les articles. Que décidez-vous ? Nous remboursons le montant de la livraison ou nous faisons un nouvel envoi ?

GUY SAINT-ÉLOI : Vous faites un nouvel envoi aujourd'hui même, c'est d'accord ?
CATHY HUANG : Entendu, c'est noté. Je vous remercie de votre appel.
GUY SAINT-ÉLOI : Je vous en prie, madame. Au revoir et bonne journée.

### ● 13 Page 35, Étude de cas, Écrire

MESSAGERIE VOCALE : Vous avez un nouveau message aujourd'hui à sept heures trente.
ALICE DENEUVE : Oui, bonjour, Alice Deneuve du siège à l'appareil. C'est un message pour Giovanna Bruni. Son portable ne répond pas. Alors voilà : Filip Remunda, j'épelle F-I-L-I-P-R-E-M-U-N-D-A, Filip Remunda donc, le responsable qualité de Komcheswa, arrive à Genève mardi seize heures quinze, vol BBO zéro soixante-douze, en provenance de Prague. Est-ce que Giovanna peut aller à l'aéroport pour l'accueillir ? Merci d'avance et bonne journée.

## Unité 4 : Voyager pour affaires

### ● 14 Page 38, Prise de contact, C

**Phrase 1 :** Vous voulez un aller simple ou un aller retour ?
**Phrase 2 :** Veuillez éteindre vos portables, relever votre siège et attacher votre ceinture.
**Phrase 3 :** C'est à quel nom, votre réservation ?
**Phrase 4 :** Est-ce que je pourrais avoir un plan de la ville ?
**Phrase 5 :** Votre passeport et le coupon d'embarquement, s'il vous plaît.
**Phrase 6 :** Vous pouvez me faire un reçu, s'il vous plaît ?
**Phrase 7 :** Vous avez les horaires de TGV pour Amsterdam ?
**Phrase 8 :** Vous voulez bien m'appeler un taxi, s'il vous plaît ?

### ● 15 Page 38, Vocabulaire, A

**Cas :** A, K
**Vache :** H
**Jeu :** E
**Des :** B, C, D, G, P, T, V, W
**Air :** F, L, M, N, R, S, Z
**Lit :** I, J, X, Y
**Rose :** O
**Dur :** Q, U

### ● 16 Page 38, Vocabulaire, D

1. Vol AF mille sept cents.
2. TGV Lyria numéro neuf mille deux cent quatre-vingt-quatre.
3. Vol AY six mille six cent treize.
4. Départ à seize heures vingt et une.
5. Arrivée à vingt et une heures zéro cinq.
6. Vous avez le siège trente-cinq.
7. Votre train part de la voie douze.
8. Votre avion part du terminal quatre F.

### ● 17 Page 39, Écouter

**Document 1**
Les passagers du vol AF mille sept cents à destination de Madrid, départ quatorze heures dix, sont priés de se présenter à la porte vingt-trois pour embarquement immédiat.

**Document 2**
Le TGV numéro neuf mille deux cent quatre-vingt-quatre, en provenance de Zurich, va entrer en gare, voie onze. Éloignez-vous de la bordure du quai, s'il vous plaît.

**Document 3**
– Le prochain train pour Amsterdam, c'est à quelle heure, s'il vous plaît ?
– À dix-huit heures cinquante-cinq, arrivée à Amsterdam à vingt-trois heures zéro six.
– Et il part de quelle voie ?
– De la voie sept.

**Document 4**
NATHALIE : Centre de contacts clientèle SN. Nathalie à l'appareil, bonjour.
CLIENT : Oui, bonjour. Je voudrais une place pour un vol Bruxelles-Lyon, mercredi trente et un janvier en fin d'après-midi.

NATHALIE : Bruxelles-Lyon, trente et un janvier. Un instant… Vous avez un vol SN trois mille cinq-cent nonante et un, départ de Bruxelles à dix-sept heures vingt.

CLIENT : Il arrive à quelle heure ?

NATHALIE : À dix-huit heures cinquante-cinq.

CLIENT : Et le suivant ?

NATHALIE : Départ de Bruxelles à dix-neuf heures trente-cinq, arrivée à Lyon à vingt et une heures zéro cinq.

NATHALIE : Bon, je vais prendre celui de dix-neuf heures trente-cinq.

CLIENT : C'est le vol AY six mille six cent treize. Vous faites l'enregistrement à la porte d'embarquement numéro quatre, quarante-cinq minutes avant le départ.

● 18 **Page 40, Point de langue 1, B**

GRAZIELA : Graziela Mancini, bonjour.

ANTON : Rebonjour, Graziela, c'est Anton à l'appareil. Je t'appelle à propos du déplacement à Hambourg mercredi prochain. Notre réunion finit à quelle heure ?

GRAZIELA : Normalement à dix-sept heures. Pourquoi ?

ANTON : Tu prends quel vol ? Celui de dix-huit heures trente-cinq ou celui de dix-neuf heures quarante-cinq ?

GRAZIELA : Attends… je consulte mon agenda. Mon vol est à dix-neuf heures quarante-cinq. Et le tien ?

ANTON : À dix-huit heures trente-cinq. Mais c'est trop tôt, je pense. Je vais prendre celui de dix-neuf heures quarante-cinq. On rentre ensemble, d'accord ?

GRAZIELA : Pas de problème. À propos, dis-moi, où est-ce que je trouve les chiffres des clients tchèques ?

ANTON : Lesquels ? Ceux de septembre ou ceux d'octobre ?

GRAZIELA : Ceux d'octobre.

ANTON : Ils ne sont pas encore disponibles. Je les envoie à la fin de la semaine, c'est d'accord ?

GRAZIELA : Entendu. Merci. Salut.

● 19 **Page 43, Gammes, A**

RÉCEPTIONNISTE : Hôtel du Midi, bonjour. Que puis-je faire pour vous ?

CLIENTE : Bonjour. Je voudrais réserver une chambre pour deux personnes pour la période du treize au dix-huit juin.

RÉCEPTIONNISTE : Avec grand lit ou lits jumeaux ?

CLIENTE : Avec deux lits séparés.

RÉCEPTIONNISTE : Un petit instant, s'il vous plaît. Je consulte le calendrier des réservations… Oui, c'est possible.

CLIENTE : Avec douche et baignoire ?

RÉCEPTIONNISTE : Tout à fait.

CLIENTE : C'est à quel tarif ?

RÉCEPTIONNISTE : Cent cinquante cinq euros pour deux personnes.

CLIENTE : Le petit-déjeuner est compris ?

RÉCEPTIONNISTE : Non, il faut compter douze euros par personne pour le petit-déjeuner.

CLIENTE : Il y a un parking privé ?

RÉCEPTIONNISTE : Oui, pas de problème.

CLIENTE : Bien. Ça me convient.

RÉCEPTIONNISTE : Parfait. Je vais noter votre réservation. Vous voulez une chambre double avec lits séparés pour cinq nuits, du mardi treize au dimanche dix-huit juin.

CLIENTE : Oui, c'est bien ça.

RÉCEPTIONNISTE : Vous réglez par carte, je suppose ?

CLIENTE : Oui.

RÉCEPTIONNISTE : Vous pouvez me donner vos coordonnées ?

## Unité 5 : Échanges hors bureau

● 20 **Page 51, Écouter, A**

SERVEUR : Alors, qu'est-ce qui vous ferait plaisir aujourd'hui ? Dites-moi.

MALIKA : En entrée, je prendrai une tarte aux poireaux.

CHARLES : Et moi, une assiette de crudités.

MALIKA : Ensuite, je vais prendre du poisson, la truite aux amandes. Qu'est-ce qu'il y a dans le riz créole ?

SERVEUR : Des tomates et des poivrons.

MALIKA : Mmm… non, je prends les pommes vapeur en accompagnement.

SERVEUR : C'est noté. Et vous, Monsieur, vous désirez ?

CHARLES : Les côtelettes d'agneau avec des haricots verts, s'il vous plaît.

SERVEUR : D'accord. Qu'est-ce que je vous sers comme boisson ?

CHARLES : Une carafe d'eau. On a encore du travail cet après-midi.

…

SERVEUR : Ça a été ?

CHARLES : Oui, merci. Qu'est-ce que vous avez comme dessert ?

SERVEUR : De la salade de fruits, du flan au caramel ou de la glace à la vanille.

CHARLES : Mmm !… Tu prends un dessert ?

MALIKA : Non merci, ça va. J'ai assez mangé. Je prends du café.

CHARLES : Ben pour moi, une salade de fruits. Et deux cafés, s'il vous plaît.

● 21 **Page 51, Écouter, C**

VENDEUSE : Oui, bonjour ?

CLIENT : Je voudrais deux croissants.

VENDEUSE : Et avec ceci ?

CLIENT : Un pain au chocolat. Et ça, comment ça s'appelle ?

VENDEUSE : Pain aux raisins.

CLIENT : Et un pain aux raisins. Et puis deux cafés crème.

VENDEUSE : C'est pour consommer sur place ou pour emporter ?

CLIENT : Pour consommer sur place.

VENDEUSE : Vous désirez autre chose ?

CLIENT : Non. Ce sera tout. Merci. Combien je vous dois ?

VENDEUSE : Ça vous fera dix euros soixante, s'il vous plaît.

● 22 **Page 52, Point de langue 2, B**

**Question 1 :** Vous avez réservé ?

**Question 2 :** Monsieur Andersen est arrivé ?

**Question 3 :** Vous avez choisi ?

**Question 4 :** Vous êtes descendu(e) à quel hôtel ?

**Question 5 :** Vous avez compris ?

**Question 6 :** Alors votre réunion, ça s'est bien passé ?

**Question 7 :** Vous avez terminé ?

**Question 8 :** Vous avez réglé l'addition ?

● 23 **Page 53, Gammes, C**

GRÉGOIRE : Bien. Et tu as une idée de restaurant pour nos invités ?

JENNIFER : On pourrait aller à la « Brasserie de la gare ». C'est rapide et la carte est variée.

GRÉGOIRE : Non, je préfère un endroit calme.

JENNIFER : Qu'est-ce que tu penses d'un salon de thé ? « Chez Paul », par exemple. Il y a des salades composées. On mange très bien « Chez Paul ».

GRÉGOIRE : Ce n'est pas une bonne idée. Il y a toujours du monde. Et puis ça manque de cachet.

JENNIFER : Et si on allait manger un couscous au « Tlemcen » ? Le décor est original, non ? Et leurs desserts sont délicieux.

GRÉGOIRE : Oui, c'est vrai, le cadre est agréable. Mais c'est trop loin du bureau.

JENNIFER : Pourquoi pas « L'auberge des adrets », alors ? C'est juste à côté, la cuisine est excellente et il y a même une terrasse.

## Unité 6 : Vendre

● 24 **Page 58, Prise de contact, B**

**Personne 1 :** Nous habitons Paris et travaillons tous les deux. Donc je fais les courses le jeudi soir sur internet. Et on me livre à domicile le samedi. Comme ça, je suis libre le samedi matin et je fais des expos avec les enfants.

**Personne 2 :** C'est la campagne ici, vous savez ! Pour les produits d'entretien, on va dans un maxidiscompte. On prend la voiture et, une fois par mois, on va chez Aldi faire nos provisions.

**Personne 3 :** En général, j'attends les soldes en janvier et en juillet. Après le boulot, je fais un ou deux grands magasins pour m'acheter des vêtements. Il y a toujours de bonnes affaires à faire, avec des rabais de quarante pour cent parfois !

● 25 **Page 59, Vocabulaire 1, C**

Karel Reisz : Oui, bonjour, je souhaite parler à Madeleine Sansot du service des ventes.

Madeleine Sansot : C'est moi-même. En quoi puis-je vous être utile ?

Karel Reisz : Karel Reisz à l'appareil.

Madeleine Sansot : Oh, bonjour monsieur Reisz. Vous nous avez demandé les prix concernant l'article référence M soixante-dix-huit soixante-quinze.

Karel Reisz : Justement. J'aimerais davantage d'informations avant de passer commande.

Madeleine Sansot : Bien sûr. Je vous écoute.

Karel Reisz : Vous proposez une garantie « Satisfait ou remboursé ». Combien de temps est-elle valable ?

Madeleine Sansot : Quinze jours après livraison. Vous n'êtes pas satisfait du produit ? Nous le remboursons ou l'échangeons.

Karel Reisz : Bien. Je souhaiterais passer commande de mille unités. L'article est en stock ?

Madeleine Sansot : Il est toujours disponible.

Karel Reisz : Quels sont les délais de livraison ?

Madeleine Sansot : Nous livrons dans un délai de quarante-huit heures en France et de soixante-douze heures en Corse, en Belgique et au Luxembourg. La livraison est gratuite à partir de quatre-vingt-quinze euros d'achat hors taxes.

Karel Reisz : Parfait. Je pense que c'est tout. Merci pour ces informations. Je reprends contact avec vous cet après-midi au plus tard.

● 26 **Page 61, Écouter, A**

Journaliste : Vous avez repris cette boulangerie. Dès la première année, le chiffre d'affaires a doublé. Mais quelle est la clé de votre succès ?

Éric Mehl : La qualité de l'accueil. Le rôle des vendeuses est d'accompagner l'achat d'une cinquantaine de produits. Elles doivent connaître ces produits pour conseiller les clients. Pour cette raison, nos huit vendeuses travaillent à temps partiel, trente heures par semaine. Elles sont plus épanouies et entièrement dédiées à leur travail. Ce sont des actrices de la vente, et pas seulement de simples salariées.

● 27 **Page 61, Écouter, B**

Journaliste : Quelles recommandations faites-vous à votre personnel de vente ?

Éric Mehl : Soyez agréable. Accueillez les clients un peu comme à la maison. Dites toujours bonjour aux clients qui entrent dans le magasin. C'est important quand il y a une file d'attente. Les gens sont davantage disposés à attendre quelques minutes.

Journaliste : Et qu'est-ce qu'il ne faut pas faire ?

Éric Mehl : Éviter de saluer les clients par leur nom de famille car ils préfèrent parfois, par pudeur, rester anonymes.

● 28 **Page 63, Gammes, A**

Distributeur : Est-ce que je peux vous renseigner ?

Acheteur : Oui. J'aimerais des informations sur vos nouveaux modèles.

Distributeur : Tenez, voici notre modèle le plus demandé, le minifour LX trente-sept. Voyez, vous avez un four d'une capacité de vingt-six litres et deux plaques de cuisson. C'est un modèle compact, une combinaison très pratique.

Acheteur : Quel est le public cible ?

Distributeur : Nous ciblons les jeunes couples qui ont une petite cuisine.

Acheteur : Vous proposez quel choix de couleurs ?

Distributeur : Nous proposons trois couleurs : blanc, noir et gris.

Acheteur : Quels sont les avantages du produit ?

Distributeur : Vous pouvez faire la cuisine en même temps dans le four et sur les plaques. Le design est robuste et soigné. Le produit est simple à utiliser et à nettoyer. En résumé, c'est un très bon rapport qualité-prix.

Acheteur : Quel est le prix ?

Distributeur : Le prix distributeur est de trente-deux euros.

Acheteur : Intéressant. La garantie fabricant est de combien de temps ?

Distributeur : Elle est de trois ans.

Acheteur : Et quels sont les délais de livraison ?

Distributeur : Notre logistique est efficace. Nous pouvons livrer dans un délai de deux semaines.

## Unité 7 : Collaborer

● 29 **Page 69, Écouter, A**

Laura Szabo : Qui est-ce que vous mettez sur le nouveau projet ?

Pancho Nunes : À votre avis, qu'est-ce qu'il faut comme profil ?

Laura Szabo : Une personne exigeante. Elle doit savoir fixer des objectifs. Et puis, elle doit avoir un bon contact avec le client.

Pancho Nunes : C'est important, en effet. Mais la priorité, c'est de respecter les délais. Je pense qu'il faut une personne organisée sur ce projet.

● 30 **Page 69, Écouter, B**

Pancho Nunes : Comment s'est passée la dernière mission de Leila ?

Laura Szabo : Bien, bien. Elle a été à Sofia pendant six mois. Elle a fait la coordination entre ceux d'ici et ceux de là-bas.

Pancho Nunes : Elle a tenu les délais ?

Laura Szabo : Sans problème. Elle s'est montrée très organisée. Elle est sociable et a eu un bon contact avec les équipes. Mais elle n'a pas managé le projet.

Pancho Nunes : Qu'est-ce que vous voulez dire par là ?

Laura Szabo : Ce n'est pas elle qui a pris les décisions importantes. Elle ne s'est pas montrée autonome jusqu'à présent.

Pancho Nunes : Mais elle a de l'ambition. Je pense qu'il faut lui donner sa chance.

● 31 **Page 70, Point de langue 1, C**

Phrase 1 : Bonnes vacances et reposez-vous bien !

Phrase 2 : Excusez-moi, je ne vous dérange pas ? Vous avez cinq minutes ?

Phrase 3 : Dépêchez-vous, l'avion va partir !

Phrase 4 : Asseyez-vous, je vous en prie.

Phrase 5 : Attendez-moi ! je viens avec vous !

Phrase 6 : Faites-moi une note détaillée sur ce point.

● 32 **Page 72, Point de langue 2, A**

**Dialogue 1**

– Bonjour, Klaus. Ça va ? … hou la, je vous entends très mal. Qu'est-ce qui se passe ?

– … Je vous appelle à propos de la réunion d'aujourd'hui. Il y a une tempête de neige à Stuttgart. Je suis bloqué à l'aéroport. Il faut reporter la réunion à un autre jour.

**Dialogue 2**

– Elle n'est pas agréable en ce moment, Loredana. Elle a des soucis ?

– Elle a surtout besoin de vacances. Elle n'a pas pris de congés depuis six mois.

– Mais qu'est-ce qu'elle attend ? Elle doit partir en vacances, il faut lui dire…

**Dialogue 3**

– Dimitri est compétent mais il est trop discret. En réunion, il ne parle pas beaucoup et il ne prend jamais de risques.

– À votre avis, qu'est-ce qu'il faut faire pour le motiver ?

– Il faut lui faire des compliments sur son travail, le mettre en valeur.

**Dialogue 4**

– Et Sabine ? Elle s'est intégrée dans l'équipe ?

– Sabine ? Elle est efficace. Mais elle est trop directe. Elle ne s'intéresse qu'aux résultats.

– À votre avis, est-ce qu'il faut la garder dans notre service ou non ?

● 33 **Page 74, Gammes, B**

Milena : Je peux te parler ? C'est à propos de Didier.

Christophe : Oui, vas-y, je t'écoute.

Milena : Je pense qu'il n'est pas à l'aise dans l'équipe.

Christophe : Il n'est pas à l'aise ?

Milena : Je reconnais qu'il est compétent. Mais il est toujours devant son ordinateur.

Christophe : Il est très concentré, si je comprends bien.

Milena : Mais on ne peut pas lui parler.

Christophe : Il n'a pas l'esprit d'équipe ?

Milena : Oui et non. Il est gentil, mais je crois qu'il préfère les machines au contact avec les gens.

Christophe : Tu veux dire qu'il ne correspond pas à l'image de ton service, c'est ça ?

## Unité 8 : Commercialiser

### ● 34 Page 79, Vocabulaire, B

VALÉRIE : Bien. Vous cliquez sur l'icône du navigateur. La fenêtre s'ouvre. Vous tapez l'adresse de votre fournisseur d'accès internet. L'écran affiche maintenant la page d'accueil. Vous sélectionnez l'onglet « Mon courrier ». Puis vous saisissez votre nom d'utilisateur et votre mot de passe. Voilà. Vous êtes connecté à votre boîte à lettres électronique. Alors pour sortir de la boite à lettres, vous cliquez sur « Déconnexion ». Vous êtes de retour sur le navigateur. Ah tiens, ça ne marche pas ! Je crois que l'ordinateur a planté. Ce n'est pas grave. On va redémarrer la machine.

### ● 35 Page 79, Écouter, B

LAETITIA EUDANLA : Parlez-moi de votre concept.

AZIZ DIALLO : Nous sommes partis du constat suivant : la toile et l'accès aux services internet ne sont pas assez simples. Beaucoup de sites demandent aux utilisateurs de naviguer entre les pages pour trouver la bonne information. Les internautes passent souvent beaucoup de temps devant leur écran. Or ils veulent du sur-mesure. Notre idée, c'est de répondre à ce besoin.

LAETITIA EUDANLA : Oui, mais concrètement, ça veut dire quoi ?

AZIZ DIALLO : Concrètement ? Eh bien concrètement, l'internaute se connecte chaque jour aux mêmes sites : la météo, les actualités, les programmes télé, les sites d'achat en ligne, etc. Notre logiciel offre la possibilité de concentrer toutes ces informations sur la page d'accueil de l'utilisateur. Il n'a plus besoin d'aller chercher l'information sur dix sites différents. C'est l'information qui vient à l'internaute sur son bureau virtuel de manière simple et personnalisée.

### ● 36 Page 79, Écouter, C

LAETITIA EUDANLA : Et alors donc beaucoup de gens utilisent ce logiciel ?

AZIZ DIALLO : Le bouche à oreille sur Internet a été très efficace. Aujourd'hui, nous avons un million d'utilisateurs. Le logiciel est simple à utiliser. Avec quelques clics, vous pouvez afficher la météo, relever vos courriels, visualiser vos albums de photos, ajouter les fils d'actualité de vos journaux préférés. Tout cela sur la même page. Si vous voulez, vous pouvez aussi trouver le meilleur prix d'un produit, rechercher une information sur un moteur de recherche, créer une liste de tâches ou afficher vos sites favoris. Vous voyez, il y a beaucoup de possibilités. Mais c'est bien l'utilisateur qui fait sa page d'accueil. En fait, l'utilisateur se fabrique un portail personnel. Et il peut consulter ce portail où il veut, à Paris, à Dakar ou à Nouméa. Avec un simple navigateur internet.

### ● 37 Page 79, Écouter, D

LAETITIA EUDANLA : C'est intéressant. Et quel est votre modèle économique ?

AZIZ DIALLO : Notre logiciel est et restera gratuit. Nous étudions plusieurs pistes. La plus intéressante est celle de la publicité contextuelle. Nous avons des informations sur l'internaute utilisateur. Et en fonction de son profil, nous affichons par exemple des recommandations de lecture ou des idées pour des cadeaux.

### ● 38 Page 80, Point de langue 1, C

DELPHINE DERNANI : Alors au mois d'avril, nous enverrons des courriels à cinq cent mille personnes pour annoncer la bonne nouvelle. En mai et en juin, nous diffuserons des informations sur les forums internet : par exemple, quels jeux seront disponibles, quels films, quels accessoires. Fin juin, nous inviterons des journalistes, des distributeurs, des célébrités au Palais des festivals à Cannes où ils découvriront la console. Pendant l'été, nous passerons des annonces publicitaires dans les magazines. En octobre, nous démarrerons une campagne d'affichage dans les stations de bus et de métro. Fin novembre, il y aura des messages publicitaires à la télévision et à la radio. La console sortira le deux décembre.

### ● 39 Page 82, Point de langue 2, B

FOURNISSEUR : Oui, en effet nous avons deux modèles. La référence Y soixante-treize et la référence Y quatre-vingt-trois. Les deux présentoirs mesurent cent soixante centimètres de haut. Le modèle Y soixante-treize fait vingt-cinq centimètres de large. L'Y quatre-vingt-trois, lui, fait cinquante centimètres de large. Pliés dans le sac, les deux modèles ont la même longueur, c'est-à-dire quatre-vingt-seize centimètres. Bien sûr, le modèle Y quatre-vingt-trois est plus lourd. Il pèse six kilos deux. L'Y soixante-treize ne pèse que la moitié, c'est-à-dire trois kilos un. Reste la question du prix. Un petit moment, s'il vous plaît... Je consulte les tarifs actuellement en vigueur... ah oui voilà, l'Y soixante-treize, donc le modèle à vingt-cinq centimètres de large, est à deux cent soixante-dix-neuf euros. Et le modèle à cinquante centimètres, lui, il est à quatre cent neuf euros.

### ● 40 Page 83, Gammes, A

JEAN-MICHEL : Je ne suis pas tout à fait d'accord avec toi, Gaëlle. C'est vrai que les enfants et les adolescents apprécient beaucoup le fromage en petits cubes. Mais est-ce que c'est la tranche d'âge la plus intéressante ? Je ne crois pas. À mon avis, nous avons encore un autre public potentiel. Pourquoi ne pas s'adresser aux célibataires et aux couples de dix-huit à trente ans ?

GAËLLE : Aux dix-huit-trente ans ?!

JEAN-MICHEL : Oui. Pourquoi pas ? Moi, je trouve que ça peut être une cible très intéressante.

GAËLLE : Ah moi je veux bien. Mais quel sera le positionnement du produit ?

JEAN-MICHEL : Je pense que les petits cubes de fromage, c'est idéal pour des fêtes entre amis ou des buffets. On n'a pas besoin de faire la cuisine. Économie de temps. On présente les petits cubes dans des assiettes sur la table. Les invités trouvent ça joli...

GAËLLE : Mm, je vois ce que tu veux dire. L'emballage est simple à ouvrir. On n'a pas besoin de couverts. Mais c'est pas mal comme idée ! Et toi, Béatrice, tu ne dis rien ? Tu n'es pas de notre avis ?

BÉATRICE : Ah moi, je suis tout à fait d'accord. Mais pour l'instant notre choix de cubes de fromage n'est pas très large. Nous n'avons que des cubes nature, à la tomate et aux champignons. C'est tout. Et ce n'est pas beaucoup. D'après moi, il faut plus de saveurs. Plus de goûts différents.

## Unité 9 : Organiser

### ● 41 Page 89, Écouter, A

JOURNALISTE 1 : Marie-Pierre de Farcy, vous dirigez Luminescence S.A. depuis trois ans maintenant. C'est une PME. Près de Toulouse. Vous produisez et vendez des luminaires de style contemporain. Vous employez quatre-vingt-dix personnes. Vous faites un chiffre d'affaires de neuf millions d'euros. Vous exportez cinquante-deux pour cent de votre production. Quel est le secret de votre réussite ?

MARIE-PIERRE DE FARCY : Il n'y a pas de secret. Dans notre branche, le problème est le suivant. Nous avons quatre mille références produits. Nous produisons trois cent quatre-vingt mille unités par an. Chaque jour, nous expédions deux mille pièces. Nous sommes présents dans quarante-trois pays. Nos clients sont des grands magasins, des spécialistes du luminaire et des grossistes. La question est donc : comment gérer cette variété ?

JOURNALISTE 1 : Et quelles sont vos solutions ?

MARIE-PIERRE DE FARCY : Quand j'ai pris la direction de Luminescence S.A., nous avons fixé plusieurs objectifs. D'abord, à la saisie des commandes, annoncer des délais fiables de livraison. Ensuite, réduire les délais entre la prise de commande et l'expédition. Et enfin, diminuer les stocks.

JOURNALISTE 1 : Comment avez-vous procédé ?

MARIE-PIERRE DE FARCY : Eh bien nous avons mis en place un progiciel de gestion intégré. Il a permis de redéfinir les modes de production dans les ateliers. Il a permis également d'optimiser les prévisions de vente et la gestion des stocks. Et puis aussi nous avons centralisé les aires de stockage. L'investissement nous a coûté sept cent mille euros sur trois ans.

JOURNALISTE 1 : Tous vos fournisseurs se trouvent dans des pays européens...

MARIE-PIERRE DE FARCY : C'est exact. Pour des raisons de proximité et de qualité, nous ne faisons pas appel à des fournisseurs asiatiques. Il faut dire que cinquante pour cent de notre production sont des produits sur mesure, faits à la demande d'architectes ou de designers.

JOURNALISTE 2 : Du point de vue commercial, quelle est votre stratégie ?

MARIE-PIERRE DE FARCY : Eh bien pour l'instant, nous travaillons avec une base de clients fidèles. Ils font quatre-vingt pour cent de notre chiffre d'affaires. Mais notre priorité va être de renforcer la structure marketing de Luminescence S.A. pour cibler et prospecter de nouveaux marchés.

JOURNALISTE 2 : Vous vendez des luminaires de style contemporain. Autrement dit, vous vendez des produits à la mode. Comment faites-vous pour proposer à vos clients des produits innovants ?

MARIE-PIERRE DE FARCY : C'est vrai, c'est très très important, cet aspect de l'innovation. Alors pour être compétitif, il faut proposer de nouvelles matières, de nouvelles formes, de nouvelles couleurs. Nous renouvelons vingt pour cent de notre gamme chaque année. Notre bureau d'études s'occupe de faire ce travail de recherche et d'innovation. Nous participons également à beaucoup de salons dans les secteurs de la maison et de la décoration.

### ● 42 Page 90, Point de langue 1, A
**Réponse 1 :** Oui. Nous sommes en train de prospecter les marchés d'Afrique du Nord.
**Réponse 2 :** Oui. Je suis en train de négocier un contrat avec une entreprise de Marseille.
**Réponse 3 :** Non. Nous sommes en train de réfléchir à plusieurs possibilités.
**Réponse 4 :** Non, pas encore. RH est en train d'examiner les candidatures.
**Réponse 5 :** Non. Je suis en train de travailler sur un autre dossier. Plus urgent.
**Réponse 6 :** Je pense que oui. Ils sont en train de construire un nouveau laboratoire à côté de l'ancien.
**Réponse 7 :** Non, pas encore. Je suis en train de mettre de l'ordre dans ma comptabilité.

### ● 43 Page 91, Vocabulaire 2, A
SILVANA PAHOR : L'an dernier, nous avons réalisé un chiffre d'affaires de huit virgule quatre millions d'euros. Pour le premier semestre de cette année, nos ventes s'élèvent à quatre virgule six millions. Au troisième trimestre, elles ont baissé par rapport à l'an dernier. Elles sont de deux millions d'euros. D'après mes prévisions, nous ferons environ huit virgule six millions de chiffre d'affaires cette année. Soit une augmentation d'à peu près dix pour cent par rapport à l'an dernier.

### ● 44 Page 94, Gammes, A
FRANCESCO SERAFINI : Bonjour tout le monde, je m'appelle Francesco Serafini. Je suis le chef de produit pour les lunettes solaires. Donc je suis venu vous parler de notre nouvelle collection de lunettes solaires. Je parlerai d'abord des tendances du marché. Ensuite, j'aborderai les caractéristiques du produit : matériaux utilisés, dessins, modèles, couleurs, verres, gamme proposée, etc. Et pour finir, je vous présenterai l'argumentaire de vente pour nos clients, les opticiens. Et à la fin de ma présentation, vous aurez une idée de notre stratégie de vente.

## Unité 10 : Compétences

### ● 45 Page 101, Point de langue 1, C
CONSULTANTE : Qu'est-ce que vous aviez comme responsabilités chez CBS ?
R. LOEWY : J'étais journaliste stagiaire. Je faisais une sélection des dépêches d'agence. C'était un travail de recherche et de vérification des faits.
CONSULTANTE : Mm, je vois. Et à Munich, qu'est-ce que vous faisiez ?
R. LOEWY : Je travaillais dans une radio d'information en continu. Par exemple chaque semaine, il y avait un reportage sur une PME bavaroise championne à l'exportation. Je choisissais l'entreprise. Je prenais contact avec elle. J'interviewais le patron. Et ensuite je montais une émission de deux minutes environ... Souhaitez-vous d'autres exemples ?

### ● 46 Page 101, Écouter, B
CONSULTANTE : Vous étiez journaliste et puis maintenant vous faites un MBA. Pourquoi avez-vous choisi cette formation ?
R. LOEWY : J'ai beaucoup apprécié de travailler à la télévision ou à la radio. Mais avec des médias comme internet ou la téléphonie mobile, je pense qu'il y a d'autres moyens d'offrir de l'information. Ma formation me permettra de travailler sur de nouveaux projets. C'est un défi pour moi.
CONSULTANTE : Qu'est-ce qui vous motive pour ce poste ?
R. LOEWY : Comme je viens de le mentionner, je souhaite conduire des projets innovants.
CONSULTANTE : À votre avis, quels sont vos atouts pour ce poste ?
R. LOEWY : Eh bien, je connais plusieurs cultures. Je parle couramment le français, l'anglais, l'allemand et l'espagnol. Je sais analyser un marché. Je suis capable de proposer des offres adaptées aux besoins des clients.
CONSULTANTE : Qu'est-ce que votre ancien métier vous a appris ?
R. LOEWY : J'ai pris l'habitude de respecter des délais. Un programme de télévision, une émission de radio, ça n'attend pas. J'ai appris à être rigoureux et méthodique.
CONSULTANTE : Comment allez-vous manager vos collaborateurs ?

R. LOEWY : J'aime travailler avec des gens autonomes. Ils connaissent leur travail et ils participent aux décisions.
CONSULTANTE : Bien. Avez-vous des questions ?
R. LOEWY : Oui. Que pensez-vous de mon profil professionnel ?

### ● 47 Page 102, Point de langue 2, B
**Phrase 1 :** Je l'ai noté sur un papier.
**Phrase 2 :** Qui est-ce qui va les accueillir ?
**Phrase 3 :** Je l'ai fait à l'Université Louis-Pasteur à Strasbourg.
**Phrase 4 :** Je m'en charge.
**Phrase 5 :** Vous en reprenez ?
**Phrase 6 :** On en a licencié quelques-uns.
**Phrase 7 :** Il faut en commander. Il n'y en a plus.
**Phrase 8 :** Tu le savais et tu ne m'as rien dit !

### ● 48 Page 103, Gammes, C
**Dialogue 1**
– Est-ce que vous avez déjà été responsable d'une équipe ?
– Oui. J'ai recruté, formé, animé une équipe de dix vendeurs.
– C'était dans quel secteur ?
– J'étais chez un distributeur de matériel pour les cafés et les restaurants. Il fallait créer un réseau de distribution en Europe centrale.

**Dialogue 2**
– Aimez-vous voyager, connaître d'autres cultures ?
– J'ai travaillé dans la mode. Dans ce secteur, il faut connaître d'autres cultures. J'ai voyagé en Afrique et en Asie.
– Oui mais pour le travail, vous étiez souvent en déplacement ?
– Je faisais tous les salons du textile en Europe. Je rencontrais des fournisseurs. J'observais la concurrence.

**Dialogue 3**
– Où avez-vous appris cette langue ?
– Mes parents sont d'origine portugaise. En famille, nous parlons parfois le portugais.
– Et dans votre travail, vous le pratiquez ?
– J'ai travaillé trois ans dans une société de cosmétiques au Brésil. La langue de travail était le portugais.

**Dialogue 4**
– Quelle est votre expérience de la vente ?
– Pendant mes études à l'école de commerce, j'ai fait un stage dans une radio privée.
– Et qu'est-ce que vous faisiez pendant ce stage ?
– J'étais chargée de vendre des espaces publicitaires aux entreprises de la région ; c'étaient surtout des supermarchés et des grandes surfaces spécialisées.

**Dialogue 5**
– Faites-vous des réunions avec vos collaborateurs ?
– Oui. D'habitude, nous faisons une réunion une fois par semaine.
– Comment s'est passée celle de la semaine dernière ?
– Il y avait un ordre du jour. Nous avons discuté tous les points de l'ordre du jour.

**Dialogue 6**
– À l'école de commerce, vous avez rédigé un mémoire de fin d'études ?
– Oui. Tout à fait. Je l'ai d'ailleurs écrit en français.
– Et quel était le sujet ?
– La consommation de vidéo à la demande sur Internet en Belgique. C'était une étude de marché.

**Dialogue 7**
– Vous avez créé une entreprise, c'est exact ?
– Oui. En effet. J'ai créé une boutique en ligne.
– Et quelle était l'activité de cette boutique ?
– Je proposais des circuits touristiques dans des villes européennes. J'ai vendu le site il y a deux ans.